Max Keller-Hüschemenger

Die Lehre der Kirche
im Urteil
der Lambeth Konferenzen

Gütersloher Verlagshaus
Gerd Mohn

CIP-Kurztitelaufnahme der Deutschen Bibliothek

Keller-Hüschemenger, Max
Die Lehre der Kirche im Urteil der
Lambeth Konferenzen
ISBN 3-579-04225-4

ISBN 3-579-04225-4
© Gütersloher Verlagshaus Gerd Mohn, Gütersloh 1976
Gesamtherstellung: F. L. Wagener, Lemgo
Umschlagentwurf: H.-J. Grießbach
Printed in Germany

Der Verfasser möchte auch an dieser Stelle den Biblio-
thekaren und deren Mitarbeitern in der Lambeth Palace Library London, der Bodleian Library sowie dem
Pusey House in Oxford seinen Dank für ihre Hilfs-
bereitschaft ausdrücken, die ihm den Zugang zu ander-
weitig kaum oder gar nicht einzusehendem Material zu
dem hier abgehandelten Thema ermöglichte.

Inhalt

I. Einleitung 9

II. Die Lambeth Konferenzen 12

   1. Vorgeschichte 12
   2. Staatskirchenrechtliche Legalität, kirchliche Autorität 15
   3. Quellen 28

III. Erkenntnistheoretisch-philosophische und theologisch-ekklesiologische Basis 33

   1. Theologie 33
   2. Erkenntnistheoretisch-philosophische Basis 36
   3. Theologisch-ekklesiologische Prinzipien 38
     a) Evolution/Development 38
     b) Comprehensiveness 40

IV. Lehrverständnis 48

   1. Kirchenautoritative Lehrdokumente 48
     a) 39 Articles of Religion 50
     b) Book of Common Prayer 56
   2. Struktur der Lehre 70
     a) Schrift 71
     b) Geschichte/Tradition 79
     c) Vernunft/Gewissen 99
   3. Funktionen der Lehre 102
     a) Personal-heilsbezogene Funktion 102
     b) Kirchenkonstitutive Funktion 104
     c) Ordnungsbezogene Funktion 113
       (a) Lehre–Ordnung 113
       (b) Pastoral-seelsorgerlicher Funktionsfaktor: Lehre–Amt . . 115
       (c) Devotionaler Funktionsfaktor: Lehre–Gottesdienst 132

V. Abschluß 144

   Quellen- und Literaturverzeichnis 149

   Namen-Register 158

   Stichwort-Register 160

I. Einleitung

Mit der vorliegenden Untersuchung über die Bedeutung der Lehre als Struktur-faktor und Funktionsprinzip der Kirche im Anglikanismus wird ein mehrjäh-riger Forschungsauftrag abgeschlossen, der im Auftrag des Generalsekretärs des Lutherischen Weltbundes in Verbindung mit dem Institut für Ökumenische For-schung in Straßburg durchgeführt wurde. Das Arbeitsergebnis dieses Auftrages versteht sich als Beitrag zu dem seit 1966/67 auf der Ebene des Lutherischen Welt-bundes und der Church of England aufgenommenen und in mehreren ausführ-lichen Gesprächen mit anglikanischen Theologen fortgeführten lutherisch-angli-kanischen Dialog.

Zu den wesentlichen Erkenntnissen der zahlreichen bilateralen und multilate-ralen ökumenischen Gespräche und sonstigen zwischenkirchlichen Begegnungen zählt, daß die bis in die Gegenwart hinein fast ausschließliche Beschränkung der zwischenkirchlichen theologischen Kontake auf reine Lehrgespräche (»id quod docetur«) der gegenwärtigen ökumenischen Situation nicht mehr gerecht wird, daß es vielmehr notwendig ist, in solche Gespräche auch den weitgespannten theologischen und ekklesiologischen Fragenkomplex um die Lehre als das bzw. ein fundamental-integrales Strukturelement und Funktionsprinzip (»id quo docetur«) für den Gesamthabitus der Kirche in deren Lehre (»id quod docetur«), Ordnung und Praxis einzubeziehen[1]. Diese Erfahrung trifft auch auf den luthe-risch-anglikanischen Dialog zu, um so mehr, als sich hier auf den ersten Blick zwei Kirchen(familien) begegnen, die – nach weitverbreiteter Auffassung be-sonders auf anglikanischer Seite – anscheinend auf zwei verschiedenen theolo-gisch-ekklesiologischen Prinzipien basieren in ihrer Charakterisierung als »doc-trinal church« – so die lutherische Kirche – und »comprehensive church« – so die anglikanische Kirche. Darum ist der Gegenstand auch der vorliegenden Abhand-lung weniger die Darstellung bestimmter fundamentaler Lehren und Lehrkom-plexe im Anglikanismus – wenn auch nicht ganz auf sie verzichtet werden kann –, als vielmehr in erster Linie die Klärung der Frage, ob bzw. wieweit auch für die »komprehensive« anglikanische Kirche die Lehre als kirchenkonstitutiver und -charakteristischer Faktor und ebensolches Funktionsprinzip für deren Lehre/Unterweisung, Ordnung und Leben von Bedeutung ist.

Nach dem wohl unbestrittenen Selbstverständnis der anglikanischen Kirche als der komprehensiven »Reformed but Catholic, Catholic but Reformed Church« sind die bereits früher veröffentlichten Untersuchungen zu dieser Frage dieser Aufgabe nachgegangen im »reformatorischen« Knotenpunkt der anglika-

---

1. Siehe hierzu ausführlicher M. Keller-Hüschemenger: Die Lehre der Kirche im frühreformatorischen Anglikanismus ..., 7 ff.

9

nischen Kirchen- und Lehrgeschichte: im frühreformatorischen Anglikanismus[2] und im »katholischen« Knotenpunkt ihrer Geschichte: in der Oxford Bewegung bzw. im Traktarianismus[3]. Die vorliegende Arbeit unterzieht sich dieser Aufgabe für den dritten Knotenpunkt dieses komprehensiven Selbstverständnisses: die Lambeth Konferenzen, in denen uns die komprehensive »Reformed and Catholic« Selbstcharakterisierung des Anglikanismus am augenfälligsten und mit einem für den Anglikanismus höchstmöglichen Grad von ekklesiologischer Verbindlichkeit entgegentritt. Wie die beiden vorangehenden Abhandlungen über die Lehre der Kirche im frühreformatorischen Anglikanismus und in der Oxford Bewegung bildet auch die Untersuchung über die Bedeutung der Lehre in der Kirche für die Lambeth Konferenzen eine in sich geschlossene Einheit. Doch stehen die Darstellungen und Überlegungen dieses Teiles entsprechend der Gesamtkonzeption, nach der der Forschungsauftrag als ganzer angelegt ist, kirchen-, theologie- und geistesgeschichtlich in engem Bezug zu den Arbeitsergebnissen der vorangehenden Untersuchungen und setzen diese weitgehend voraus. Darum lassen sich, um Rekapitulationen zu vermeiden, häufigere Rückverweise auf diese beiden ersten Teile nicht vermeiden.

Eine letzte Vorbemerkung sei noch zur formalen Charakterisierung der vorliegenden Abhandlung gemacht. Wie aus dem weiter unten folgenden Abschnitt über die »Quellen«[4] zu ersehen ist, beschränkt sich die vorliegende Abhandlung aus den dort aufgeführten Gründen hinsichtlich der Primärquellen auf die wichtigsten dieser Quellen, die über die offiziellen Stellungnahmen der einzelnen Konferenzen hinreichend orientieren; sie muß verzichten auf das umfangreiche Quellenmaterial, das zu einem umfassenden Verständnis des Zustandekommens sowie der theologischen und ekklesiologischen Intentionen der Verlautbarungen der Lambeth Konferenzen herangezogen werden müßte. Insofern kann es sich bei der vorliegenden Arbeit nur um einen »Entwurf« für eine noch ausstehende, das gesamte Primärquellenmaterial ausschöpfende Darstellung handeln. Ähnlich ist es auch mit der Sekundärliteratur über die Lambeth Konferenzen bestellt. Wohl gibt es zahlreiche kürzere oder umfangreichere Abhandlungen in Broschürenformat, Aufsätze und Artikel in Zeitschriften und Zeitungen sowie Bezugnahmen in andersthematischen Zusammenhängen in der anglikanischen und nichtanglikanischen theologischen Literatur zu den einzelnen Konferenzen. Auch finden sich aus Anlaß des bevorstehenden Zusammentretens einiger Konferenzen drei oder vier kurze, auf den Verständnishorizont der interessierten kirchlichen Öffentlichkeit zugeschnittene geschichtliche Überblicke über die bisherigen Konferenzen. Doch fehlen bislang, abgesehen von der aus-

2. M. Keller-Hüschemenger: Die Lehre der Kirche im frühreformatorischen Anglikanismus – Struktur und Funktion, Gütersloh 1972.

3. Ders.: Die Lehre der Kirche in der Oxford Bewegung – Struktur und Funktion, Gütersloh 1974.

4. Siehe S. 28 ff.

führlichen Monographie von A. M. G. Stephenson über die erste Lambeth Konferenz 1867[5], weitere eingehende monographische Arbeiten über die übrigen Konferenzen, geschweige kirchen- und lehrgeschichtliche Gesamtdarstellungen der Konferenzen von 1867 bis 1968. Die Charakterisierung der vorliegenden Untersuchung als »Entwurf« soll darum auch von Anfang an der Mutmaßung entgegentreten, als erhebe sie den Anspruch, eine solche Gesamtdarstellung zu bieten. Sie beschränkt sich bewußt auf den durch das Generalthema des Forschungsauftrages eingegrenzten Komplex der Lehre als Strukturfaktor und Funktionsprinzip der Kirche. Aber auch hier will sie als »Entwurf« nur erst Kärrnerdienste tun auf einem bisher von der anglikanischen und nichtanglikanischen Theologie noch kaum bearbeiteten Boden. Dabei ist dem Verfasser durchaus bewußt, daß ein erweitertes und vertieftes Eindringen in den Komplex »Lambeth Conferences« mancherlei Korrekturen an den hier vorgelegten Forschungsergebnissen zeitigen wird. Aber auch auf diese Weise hofft er zu diesem für den lutherisch-anglikanischen Dialog und die Ökumene wichtigen Kapitel der Kirchen- und Lehrgeschichte einen geziemenden Beitrag liefern zu können.

5. A. M. G. Stephenson: The First Lambeth Conference: 1867, London 1967.

II. Die Lambeth Konferenzen

1. Vorgeschichte

Die seit der Reformationsepoche im großen und ganzen auf den territorial-nationalen Bereich Englands beschränkte Church of England als der »English branch of the Catholic Church« erlebte im 18. und 19. Jahrhundert eine globale Ausweitung zu einer geographisch-territorialen »Catholic Church«. Diese Entwicklung war sowohl in politischen wie in kirchlichen Faktoren begründet. Mit der Ausdehnung und Konsolidierung des British Empire in allen Teilen der Welt entwickelten sich allenthalben über die Territorien der alten Kolonien hinaus Auswanderer-, Kolonisten- und Militär-/Garnisongemeinden; ebenso hatte die verstärkte Missionsarbeit der anglikanischen Kirche in diesen beiden Jahrhunderten auch über den Bereich des British Empire hinaus die Gründung zahlreicher anglikanischer Missionsgemeinden zur Folge. Bereits gegen Ende des 18. Jahrhunderts führten die Tendenzen zu engeren organisatorischen Zusammenschlüssen dieser Gemeinden zur Bildung von Diözesen mit eigenen Bischöfen[1] und später zu Diözesanverbänden mit Metropoliten. Diese Entwicklung setzte sich verstärkt in der ersten Hälfte des 19. Jahrhunderts fort[2]. Die in England konsekrierten und von der englischen Mutterkirche entsandten Bischöfe dieser Diözesen erhielten auch weiter die geistliche Verbindung mit dem Erzbischof von Canterbury aufrecht. Eine gewisse Ausnahme bildeten die Bischöfe der schottischen und nordamerikanischen Kirchen. Doch auch sie waren auf die Aufrechterhaltung kirchlicher, theologischer und geistlicher Gemeinschaft und gegenseitiger Beratung mit der anglikanischen Mutterkirche in England, inkorporiert im Erzbischof von Canterbury, und mit den übrigen »Tochterkirchen« auf weltweiter Ebene untereinander bedacht, zumal die z. T. sehr unterschiedlichen politischen, ethnischen, geistig-kulturellen und technisch-zivilisatorischen Vorgegebenheiten, mit denen sich die einzelnen Kirchen konfrontiert sahen, die Gefahr selbständiger Entwicklungstendenzen und dadurch eines Auseinanderlebens der Kirchen in sich bargen. Dem aus solcher Situation sich ergebenden allgemeinen Wunsch nach intensiverer Kommunikation der weltweiten anglikanischen Kirchenfamilie durch häufigere Kontakte ihrer Bischöfe kamen seit der Mitte des 19. Jahrhunderts die technischen Erleichterungen durch die modernen Verkehrsmittel

1. 1784 wurde Samuel Seabury zum ersten anglikanischen Bischof in den USA konsekriert.

2. So wurde etwa 1814 Th. Middleton zum Bischof von Calcutta konsekriert, 1836 W. G. Broughton zum Bischof in Australien, 1841 G. A. Selwyn zum Bischof in Neuseeland, 1874 R. Gray zum Bischof von Kapstadt. Eine ausführliche Liste der Neugründung anglikanischer Bistümer in den britischen Kolonien bietet A. M. G. Stephenson: The First Lambeth Conference: 1867, 58 ff.

entgegen, die die Möglichkeit schnelleren Reisens und damit der Verkürzung der von Geistlichen und Gemeinden oftmals bitter kritisierten Abwesenheit des Bischofs aus seiner Diözese boten. So war um die Mitte des 19. Jahrhunderts die Zeit reif für die Bildung eines irgendwie gearteten Kommunikationsorganes oder -zentrums für die erdkreisumspannende anglikanische Kirchenfamilie[3].

Den konkreten Anlaß zur Bildung eines derartigen pananglikanischen Kommunikations- und Beratungsorganes bzw. -zentrums gaben neben den Kontroversen um die Orthodoxie mehrerer theologischer Beiträge über Inspiration und Autorität der Heiligen Schrift, Verdammnis und ewiges Leben in den 1861 veröffentlichten »Essays and Reviews« vor allem Vorgänge gegen Ende der 50er, Anfang der 60er Jahre in Südafrika, die die gesamte anglikanische Welt aufrührten und in Unruhe versetzten, weil auch hier nicht nur fundamentale Lehren der anglikanischen Kirche auf dem Spiele zu stehen schienen, sondern auch das seit der Reformation bestehende Staat-Kirche-Verhältnis im Mutterland und in den Kolonialkirchen in Frage gestellt wurde. Der erst kürzlich in London vom Erzbischof von Canterbury konsekrierte Bischof von Natal, John William Colenso, hatte, nachdem er Anfang 1855 sein Bischofsamt in seiner Diözese angetreten hatte, schon bald in mündlichen Äußerungen, seit Anfang der 60er Jahre auch in mehreren theologischen Werken Ansichten über Eucharistie, ewige Verdammnis, Sühne, Rechtfertigung, gottmenschliche Natur Jesu und die Inspiration der Schrift vertreten, die nach heutiger Auffassung als milde liberal klassifiziert werden würden, damals jedoch weithin als häretisch gewertet wurden. Colensos Metropolitanbischof, Bischof C. Gray von Kapstadt, erklärte Colenso in einem kirchlichen Gerichtsverfahren der Irrlehre schuldig und enthob ihn 1863 seines bischöflichen Amtes. Im kirchenrechtlichen Akt der Amtsentsetzung seines Suffragans ließ sich Gray von dem Grundsatz leiten, daß es allein Sache der Kirche bzw. des Bischofs und der ihm als Beisitzer assistierenden Suffraganbischöfe sei, Fragen der Lehre zu beurteilen und daraus auch die personal-kirchenrechtlichen Folgerungen zu ziehen. Damit vertrat Gray den Standpunkt des »Disestablishment of the Church« in den Kolonialkirchen. Demgegenüber beharrte Colenso ebenso hart auf den Prinzipien des »Establishment« und der »Royal Supremacy« auch für die Kolonialkirchen, d. h., daß nur die Krone durch ein Urteil des Privy Council einen Bischof von seinem bischöflichen Amt innerhalb des British Empire entheben könne. Colenso appellierte in der Tat an die Krone, die durch ein Urteil des Privy Council die Amtsenthebung Colensos durch das kirchliche Gerichtsverfahren Grays für null und nichtig erklären ließ.

3. Vgl. hierzu etwa: W. Hobhouse: A Sketch of the First Four Lambeth Conferences 1867–1897, London 1908, 7 ff. B. Heywood: About the Lambeth Conference, London 1930 (?), 13 ff. S. Dark: The Lambeth Conferences. Their History and their Significance, London 1930, 1 f. St. Neill: Anglicanism, Penguin Books, 1958, 358 f. Ders.: Die Anglikanische Kirchengemeinschaft, in: H. H. Harms (Hg.): Die Kirche von England und die Anglikanische Kirchengemeinschaft, Stuttgart 1966, 169 f.

In den folgenden Jahren war die anglikanische Kirche in Südafrika der Platz des unguten Schauspieles, daß zwei ihrer Bischöfe sich gegenseitig das Recht, der legale Inhaber des Bischofsamtes der Natal-Diözese zu sein, streitig machten; denn während Colenso, der von Gray 1866 schließlich auch noch exkommuniziert worden war, unter Berufung auf das Urteil des Privy Council seine Arbeit als legaler Bischof von Natal fortsetzte, ließ Gray durch ein Wahlgremium, bestehend aus Geistlichen und Laien der Diözese, zweimal Kandidaten für das Bischofsamt in Natal nominieren, die jedoch beide ablehnten, dieses Amt anzutreten. Colenso und der Dean seiner Kathedrale, der auf seiten Grays stand, arrangierten sich schließlich so, daß beide zu verschiedenen Zeiten ihre Gottesdienste in der Kathedrale hielten[4].

Diese die anglikanische Kirche in zwei sich heftig befehdende Parteien spaltende und ihr Ansehen weit über Südafrika hinaus schädigende Konfliktsituation veranlaßte die »United (Anglican) Church of England and Ireland in Canada« im Jahre 1865 zu einer Initiative, als deren Ergebnis zwei Jahre später die erste Lambeth Konferenz zusammentreten sollte. Zwar hatte Bischof Gray schon seit Anfang der 6oer Jahre aufgrund seines Standpunktes in der Frage des Disestablishment-Charakters der Kolonialkirchen die Bildung einer Art pananglikanischer Synode und eines von ihr einzusetzenden kirchlichen Appellationshofes in Lehr- und Ordnungsfragen für alle anglikanischen Gliedkirchen innerhalb des British Empire angeregt und seine Bemühungen um die Einberufung einer solchen Synode seit dem Colenso-Fall noch intensiviert[5]; der konkrete Anlaß zur Einberufung zu dieser Konferenz ist jedoch zweifellos in dem Anstoß durch die anglikanische Kirche in Kanada zu sehen. Beunruhigt durch die Möglichkeit, daß die über den ganzen Erdball verstreuten »disestablished« Kolonialkirchen in ihrer Freiheit vom einigenden Band der Mutterkirche in England sich auseinander entwickeln und so einander fremd werden könnten, appellierte die Provinzialsynode auf ihrer Tagung am 20. September 1865 in einer Denkschrift an die Convocations von Canterbury und York sowie einem Schreiben an den Erzbischof von Canterbury, »since the assembling of a general council of the whole Catholic Church is at present impracticable, to convene a National Synod of the Bishops of the Anglican Church at home and abroad, who ... under the guidance of the Holy Spirit take such counsel and adopt such measures, as may be best fitted to provide for the present distress, in such Synod presided over by your Grace«[6]. Auf den Vorschlag der kanadischen Synode reagierte

4. Ausführlich und nach dem neuesten Stand der Forschung berichtet über die »Essays and Reviews«-Kontroverse und den Colenso-Fall A. M. G. Stephenson: The First Lambeth Conference: 1867, 107–119 bzw. 120–149; Stephenson gibt hier auch eine umfassende Literaturübersicht zu beiden Vorgängen.

5. Siehe hierzu A. M. G. Stephenson: The First Lambeth Conference: 1867, 138, 146 ff.

6. Address from the Provincial Synod of the United Church of England and Ireland

Erzbischof Longley in einem behutsam zustimmend gehaltenen Schreiben im Dezember 1865: »The meeting of such a Synod as you propose is not by any means foreign to my own feelings ... I cannot however take any step in so grave a matter without consulting my Episcopal Brethren in both branches of the United Church of England and Ireland, as well those in the different Colonies and dependencies of the Brithish Empire.«[7] War mit dieser Antwort aus dem Lambeth Palace auch grundsätzlich die Weiche in Richtung auf die erste Lambeth Konferenz gestellt, so war jedoch mit ihr über den theologischen Charakter, die ekklesiologische Autorität, die personale Struktur und den Funktionsbereich des angestrebten »Pan-Anglican« Kommunikationsorganes noch nichts ausgesagt.

2. Staatskirchenrechtliche Legalität, kirchliche Autorität

Lehr- und lehrbestimmte Ordnungsfragen der Kirche bis hinein in den Bereich des Staatskirchenrechtes bildeten nicht nur die konkreten auslösenden Faktoren für das Zusammentreten der ersten Lambeth Konferenz 1867. Sie bestimmten auch weithin die Diskussion um den theologischen, ekklesiologischen und (staats-)kirchenrechtlichen Charakter dieser Konferenz selbst – teilweise auch noch der folgenden Konferenz 1878 –, in einer Weise, daß sie von weiten Kreisen des Klerus und der Laienschaft abgelehnt wurde – ein Verhalten, das in der Tat »angesichts der Selbstverständlichkeit, mit der diese Konferenz heute in aller Welt als ein Bestandteil anglikanischen Lebens angesehen wird, ... nur schwer

in Canada, assembled at Montreal in September, 1865, in: A Pan-Anglican Synod. A Sermon preached at the General Ordination held by the Right Reverend the Lord Bishop of Oxford in the Cathedral Church of Christ in Oxford, on Sunday, Dec 23, 1866, by Francis Fulford, DD, Lord Bishop of Montreal and Metropolitan of Canada. Oxford 1867, Appendix A, 18 f. Während in diesem Schreiben an den Erzbischof von Canterbury der Schwerpunkt auf der Gefährdung der Lehre durch die Vorgänge in Südafrika liegt, stehen im Brennpunkt des »Memorial« an die beiden Convocations die Befürchtungen über eine Entfremdung zwischen der Mutterkirche in England und den Kolonialkirchen: »Recent declarations, in high places in our Mother land, in reference to the position of the Colonial branches of the Mother Church, have created amongst us feelings of regret and apprehension, as tending to shake the conviction ..., that we in the Colonies were in all respects one with the Church of our parent country« (A. M. G. Stephenson: The First Lambeth Conference: 1867, 155; ebenfalls vom 20. September 1865).

7. To the Bishops, Clergy and Laity of the Province of Canada, lately assembled in their Triennial Synod, in: A Pan-Anglican Synod ..., Appendix A, 19 f. (Reply of the Archbishop).

verständlich ist«[8]. Die Bedenken der opponierenden Kreise zielten vornehmlich in zwei Richtungen: Einmal zweifelten sie die theologisch-ekklesiologische und (staats-)kirchenrechtliche Legitimität der vom Erzbischof von Canterbury einberufenen Konferenz an, und zum andern warfen sie die Frage der (inner-) kirchlichen Autorität der Äußerungen der Konferenz für die Gliedkirchen der anglikanischen Kirchengemeinschaft auf.

Die Bedenken gegen die theologisch-ekklesiologische und (staats-)kirchenrechtliche Legitimität der Konferenz 1867 (und 1878) konnten sich etwa äußern in der mehr unterschwellig-virulenten als offen ausgesprochenen Befürchtung eines sich anbahnenden »papalistisch«-zentralen Primates des Erzbischofs von Canterbury in Lehr- und Ordnungsfragen über die andern anglikanischen Bischöfe und Zweigkirchen[9], der in unvereinbarem Gegensatz zu der föderalistischen Struktur der Anglican Communion stehen würde. Andere Einwände warnten vor der Gefahr, daß durch eine solche Konferenz »Bishops in the Colonies or the United States any jurisdiction over us in England«[10] ausüben könnten. Und nicht zuletzt wurde auch als staatskirchenrechtlicher Grund für die Ablehnung der Konferenz angeführt, daß die Mitbeteiligung von Bischöfen der Kolonialkirchen und der Episcopal Church of the United States den Establishment-Charakter der Church of England sowie die königliche Prärogative über diese Kirche in Frage stellen würden[11].

Nicht weniger hart wurde auch die Diskussion um die innerkirchliche, theologisch-ekklesiologische Autorität der geplanten Konferenz geführt. Die Synode der anglikanischen Kirche in Kanada hatte mit ihrer Anregung – wie der Wortlaut des Briefes an Erzbischof Longley ausweist – zweifellos die Einberufung einer Art Generalsynode aller anglikanischen Kirchen des British Empire mit Vollmachten zu die Gliedkirchen bindenden Beschlüssen in Lehr- und Ordnungsfragen im Blick. In diesem Sinne äußerte sich noch am 23. Dezember 1866 Bischof F. Fulford von Montreal in seiner Predigt anläßlich eines Ordinationsgottesdienstes in der Christ-Church-Kathedrale in Oxford über die geplante »general assembly« als ein »great council« bzw. eine »Pan-Anglican Synod«[12]. Ein Leserbrief im »Churchman« stellte (nach der Konferenz) bezüglich ihrer Autorität fest: »Such a Synod possesses, in the divided state of the Church, supreme power in spirituals throughout the Anglican Communion, and holds the

8. St. Neill: Die anglikanische Kirchengemeinschaft, in: H. H. Harms (Hg.): Die Kirche von England ..., 170.

9. A. M. G. Stephenson: The First Lambeth Conference: 1867, 172, 193.

10. So etwa E. B. Pusey: Habitual Confession. Not discouraged by the Lambeth Conferences ..., London, Oxford and Cambridge 1878, 8.

11. The reports presented to the Lambeth Conference proved to be unconstitutional, etc.; in four letters to the archb. of Canterbury. By an ex-MP, London 1868.

12. A Pan-Anglican Synod. A Sermon preached ... by Francis Fulford, DD, Lord Bishop of Montreal ..., 1867, 4.

place of an Oecumenical Synod«[13]. Und nicht zuletzt dachte auch die in dem »Memorial« angeschriebene Convocation von Canterbury offensichtlich in dieser Richtung[14]. Auf der anderen Seite erhoben sich ebenso lautstarke wie gewichtige Stimmen gegen den Synodal- oder Konzilcharakter einer solchen Versammlung, die auf keinen Fall »would be competent to ›make declarations, or lay down definitions on points of doctrine‹, in the sense, that such declarations or definitions would have the slightest degree of legal authority or practical effect, or, as affecting the doctrine of the Church, would be worth more than the blank paper«[15]. Aber auch wo man bereit war, der Zusammenkunft die Bezeichnung einer »Pan-Anglican Synod« oder eines »General Council« zu konzedieren, urteil man über seine kirchenrechtliche Autorität: »In England it will not possess even that modest dignity, which legally and historically belongs to our provincial Convocations.«[16]

Diese und weitere Einwände und Befürchtungen schlugen sich darin nieder, daß von den zur Konferenz eingeladenen 144 Bischöfen nur 76 der Einladung folgten. Zu denen, die der Konferenz fernblieben, gehörte u. a. auch Erzbischof W. Thomson von York mit der Mehrzahl der Bischöfe der Yorker Erzdiözese. In London, dem Ort der Konferenz selbst, weigerte sich der Dean der Westminster Abbey Dr. Stanley, seine Kirche für den Einführungsgottesdienst am Vortag der Konferenz zur Verfügung zu stellen.

Angesichts der Schwierigkeiten dieser prekären Situation ist es das große kirchengeschichtliche Verdienst von Erzbischof Lonley, daß er in nüchterner Einschätzung der realen Möglichkeiten seines Amtes und unter Abwägung der Für und Wider, die der Vorschlag der kanadischen Provinzialsynode bei den Bischöfen, dem übrigen Klerus und den kirchlich gebundenen Laien auslöste, die von ihren Initiatoren anvisierte pan-anglikanische Synode im Rahmen des British Empire zu einer pan-anglikanischen Bischofskonferenz auch für die Bischöfe der selbständigen anglikanischen Zweigkirchen jenseits der Grenzen des British Empire umstilisierte und deren Charakter sowie, den Möglichkeiten einer solchen Konferenz entsprechend, deren Autorität und Funktionen derart umschrieb, daß die von ihm einberufene erste Lambeth Konferenz den bis heute gültigen Rahmen für alle folgenden Lambeth Konferenzen setzte.

Bereits in einer Ansprache vor dem Upper House der Convocation seiner Erzdiözese hatte Longley Charakter und Funktionen der geplanten Konferenz klar

13. The Churchman, November 7, 1867, 710.

14. A. M. G. Stephenson: The First Lambeth Conference: 1867, 171 ff. geht hierzu auf Einzelheiten ein.

15. The Episcopal Meeting of 1867: A Letter to the Lord Archbishop of Canterbury. By Cannop Thirlwall, DD. Bishop of St. David's, London 1867 (datiert: March 1867), 17.

16. The Guardian, February 20, 1867, 184: The Anglican Churches in Council. Siehe hierzu auch A. M. Stephenson: The First Lambeth Conference: 1867, 171 ff.

umrissen: »It should be distinctly understood, that at this meeting no declaration of faith shall be made, and no decision come to which shall affect generally the interests of the Church, but that we shall meet together for brotherly counsel and encouragement ... I should refuse to convene any assembly which pretended to enact any canons or affected to make decisions binding on the Church.«[17] In gleichem Sinne äußerte er sich auch in seinem vom 22. Februar 1867 datierten Einladungsschreiben an die 144 Bischöfe: »Such a Meeting would not be competent to make declarations, or lay down definitions on points of doctrine«[18] sowie in seiner Eröffnungsansprache in der ersten Sitzung der Konferenz im Lambeth Palast am 24. September 1867: »It has never been contemplated that we shall assume the functions of a General Synod of all the Churches in full communion with the Church of England, and to take upon ourselves to enact canons that should be binding upon those here represented. We merely propose to discuss matters of practical interest, and pronounce what we deem expedient in resolutions, which may serve as safe guides to future action.«[19] Damit war die grundsätzliche Entscheidung über den Charakter, die Autorität und die Funktionen nicht nur dieser Konferenz, sondern auch aller folgenden Lambeth Konferenzen getroffen. So stellt der Einberufer der zweiten Lambeth Konferenz 1878, Erzbischof Tait, für sich und die noch möglichen folgenden Bischofskonferenzen in Lambeth in einem Brief vom 7. Juni 1875 an die Bischöfe der Protestant Episcopal Church in the United States of America fest: »It appears to us that, respecting matters of doctrine, no change can be proposed or discussed, and that no authoritative explanation of doctrine ought to be taken in hand. Again, respecting matters of discipline, each Church hat its own appointed Courts for the administration of its ecclesiastical law, with which, of course, such a meeting of Bishops as is proposed claims no power to interfere.«[20] Und die Konferenz selbst äußert sich über ihr und möglicher weiterer Konferenzen Selbstverständnis: »The difficulties attending the assembling of a Synod of all the Anglican Churches ... seem to us ... too great to allow of our recommending

17. Zitiert nach The Six Lambeth Conferences, R. T. Davidson (Hg.), London 1920, Lambeth Conference 1867, 4.

18. Zitiert nach A. M. G. Stephenson: The First Lambeth Conference: 1867, 188.

19. Zitiert nach The Six Lambeth Conferences, R. T. Davidson (Hg.), Lambeth Conference 1867, 8.

20. The Lambeth Conferences of 1867, 1878, and 1888, R. T. Davidson (Hg.), London 1889, 147. In einem Schreiben an alle Bischöfe der anglikanischen Kirchen vom 28. März 1870, in dem er diese von seiner Absicht unterrichtet, zu einer weiteren Bischofskonferenz nach Lambeth einzuladen, begründet er sein Vorhaben: »In this time of religious activity and increased intercourse between all parts of the world there is greater need than ever, of mutual counsel amongst the Bishops of our widely extended Communion« (Tait Papers; Archiv der Lambeth Palace Library); er hebt also schon hier den Konsultationscharakter der geplanten zweiten Lambeth Konferenz hervor.

it for present adoption«[21] und bescheidet sich bezüglich ihrer Beschlüsse damit, zu »recommend the results of this our Conference to the reason and conscience of our brethren as enlightened by the Holy Spirit of God«[22].

Dieses durch Erzbischof Longley in seinen Grundzügen fixierte, durch die Lambeth Konferenz 1867 akzeptierte und von Erzbischof Tait und der Lambeth Konferenz 1878 bestätigte Selbstverständnis der Lambeth Konferenzen als pananglikanischer Bischofskonferenzen konsultativen Charakters, deren Verlautbarungen für die einzelnen anglikanischen Kirchen ohne kirchenrechtlich verbindliche Bedeutung sind, sondern nur den Charakter von Empfehlungen und Ratschlägen haben, ist bis heute prinzipiell in Geltung. Zwar wurde gelegentlich – sowohl aus der Konferenz der Bischöfe selbst heraus, wie auch von außen her – der Versuch unternommen, den Konferenzen Autorität und Recht zu vindizieren, »to settle disputed questions by a formal pronouncement«[23], oder auch die Befürchtung geäußert, daß *die* Lambeth Konferenzen zu *der* Lambeth Konferenz institutionalisiert werden möchten: »... a disquieting tendency to view Lambeth Conferences as at least approximating, in spite of their theoretically informal nature, to the status of supreme legislative bodies for the Anglican Communion«[24]. Allen derartigen Bestrebungen oder Befürchtungen einer Um-

21. Conference of Bishops of the Anglican Communion, Holden at Lambeth Palace, July 1878. Letter from the Bishops, including the Reports adopted by the Conference, London 1878, 11 (Report of Committee on the best mode of maintaining union among the various Churches of the Anglican Communion).

22. A.a.O. 42 (»Conclusion« des »Letter from the Bishops ...«).

23. Z. B. Bischof Mitchinson in einem Artikel des Peterborough Diocesan Magazine, 1897, nach: The Church Quarterly Review, Vol. XLV, 1897, 193 (The Lambeth Conference of 1897). Zumindest Andeutungen in dieser Richtung finden sich auch im Zusammenhang mit Stellungnahmen zu anderen Lambeth Konferenzen; so etwa zur Konferenz 1867 von Ch. Gutch: Eben-Ezer; or The Stone of Help ..., London 1867, der am »Lambeth Pastoral« (entspricht den späteren Encyclical Letters) besonders rühmend hervorhebt, daß er »sets before us the only true and consistent and sufficient standard of Faith, order, and worship« (S. 9); oder zur Konferenz von 1878 Bischof Stevens von Pennsylvanien in der Abschlußpredigt dieser Konferenz am 27. Juli 1878 in der St. Paul's Kathedrale in London, in der er die Zurückweisung von »excesses, both in doctrine and ritual« durch die Konferenz hervorhebt (mitgeteilt in: The Lambeth Conferences 1867, 1878, and 1888, R. T. Davidson [Hg.] ..., 212) u. ö.

24. E. L. Mascall: Lambeth and Unity, The Church Quarterly Review, Vol. CLX, 1959, 160 benennt als Grund dieser Befürchtung einen Passus in dem entsprechenden Report der Konferenz 1958, in dem nicht von »Lambeth Conferences« die Rede ist, sondern von »the Lambeth Conference«, »which appears to be conceived as an entity having a permanent although intermitted existence«. Gleiche Befürchtungen äußert auch Bischof St. F. Bayne in einem Referat auf dem Anglican Congress 1963 in Toronto: »The Lambeth Conference is an informal and highly personal Conference, but it is increasingly forced or lured into an other role, trembling on the brink of being a synod – of being

funktionierung der Lambeth Konferenzen gegenüber werden die in Lambeth versammelten Bischöfe jedoch nicht müde, auf nahezu jeder Konferenz in deren offiziellen Äußerungen und begleitenden Dokumentationen sich immer wieder gegen das Mißverständnis abzugrenzen, eine Lambeth Konferenz sei »a Synod to issue any statement professing to define doctrine«[25] mit legislativen oder exekutiven[26] »powers of control or command«[27], und demgegenüber ihren »advisory«[28] Charakter, ihre »strict adherence to purely advisory functions«[29] zu betonen. Die Konferenzen erheben keinerlei Anspruch auf eine für die Anglican Communion gemeingültige »authoritative explanation of doctrine«[30] oder für die Gliedkirchen der anglikanischen Kirchengemeinschaft verbindliche »formal statements of Anglican doctrine«[31]. Wenn sie sich zu »doctrinal subjects« äußern, dann werden »such statements ... issued as expositions, not definitions of the faith to guide or rouse thought, not to bind conscience«[32]. So kleiden die Lambeth Konferenzen von 1867 bis 1968 die Resultate ihrer Beratungen und Entscheidungen stets in die Form von Empfehlungen an die durch ihre Bischöfe in Lambeth vertretenen Gliedkirchen der Anglican Communion[33].

treated as if it were a synod – without most of the necessities of synodical action« (Anglican Congress 1963, 193).

25. Lambeth Conferences 1867–1930, 169 (Lambeth Conference 1930, Res.).

26. Lambeth Conference 1930. Memoranda. E. J. Palmer: The Anglican Communion. Its Ideal and Future, 6: »The Lambeth Conference has no legislative or executive power.« Lambeth Conference 1968, Essays on Ministry ..., 82 (R. P. C. Hanson: The Nature of the Anglican Episcopate): »The Lambeth Conference, after all, does not legislate.« Auch The Lambeth Conference 1968, 28 (Note): »The function of the Conference being consultative and advisory, its findings are not to be interpreted as having legislative force throughout the Anglican Communion. No Resolution of the Lambeth Conference is binding upon any part of the Anglican Communion unless and until it has been adopted by the appropriate canonical authority.«

27. Lambeth Conferences 1867–1930, 26 (Lambeth Conference 1920, Encyclical Letter).

28. Lambeth Conference 1948, II. 84 (Rep.).

29. Lambeth Conferences 1867–1930, 156 (Lambeth Conference 1930, Encyclical Letter).

30. The Lambeth Conferences of 1867, 1878, and 1888, R. T. Davidson (Hg.), 147 (Letter of the Archbishop of Canterbury to the Bishops of the Protestant Episcopal Church of the United States of America, June 7, 1875).

31. Lambeth Conference 1948. Documents ..., Vol. I. A Statement on the Fellowship of the Anglican Churches called the Anglican Communion ..., 61.

32. Ebd.

33. So etwa Conference of Bishops of the Anglican Communion ... 1878, 42 (Letter from the Bishops ..., Conclusion): »... we commend the results of this our Conference to the reason and conscience of our brethren ...« Conference of Bishops of the Anglican Communion ... 1888, 7 (Encyclical Letter): »... we now commend to the faithful the

Ein rein konsultativer und empfehlender Charakter ohne kirchenautoritative Verbindlichkeit für die Gliedkirchen der Anglican Communion eignet auch den beiden von den Lambeth Konferenzen berufenen Ausschüssen, dem »(Lambeth) Consultative Body« bzw. (seit der Lambeth Konferenz 1968) »Anglican Consultative Council« sowie dem »Advisory Council on Missionary Strategy«.

Schon die erste Lambeth Konferenz 1867 befaßte sich auf Initiative von Bischof Selwyn aus Neuseeland mit der Frage der »Constitution of a voluntary spiritual tribunal, to which questions of doctrine may be carried by appeal from the tribunals for the exercise of discipline in each Province of the Colonial Churches«[34]. Dieser eventuell auch für alle Gliedkirchen der Anglican Communion über den Kreis der »Home and Colonial Churches« hinaus zuständige höchste anglikanische geistliche Gerichtshof sollte ein Appellationsgericht für die Revision bzw. Bestätigung von Entscheidungen eines »lower tribunal or a board of reference in doubtful questions as to doctrine or discipline in which doctrines may be involved«[35] sein. Da die Vorstellung eines solchen pan-anglikanischen Appellationsgerichtes mit verbindlichen Beschlüssen für die betroffenen Geistlichen und Kirchen bei zahlreichen Bischöfen auf harten Widerstand stieß[36],

conclusions at which we have arrived ...« Lambeth Conference 1948, II. 74 (Rep.): »We recommend that general approval be given to these principles and recommendations«, u. ö. Von ausschließlich beratendem und informatorischem Charakter (»advisory in character, for brotherly counsel and encouragement«: Lambeth Conference 1948, I. 45, Res.; ähnlich auch The Lambeth Conference 1968, 147, Rep.; beide Konferenzen nehmen hier eine Formulierung von Erzbischof Longley auf, s. o. S. 18, Anm. 17) soll auch die von der Lambeth Konferenz 1948 im Blick auf die ökumenischen Erfordernisse angeregte (Lambeth Conference 1948, I. 45, Res., II, 78 f., Rep.) und von den Konferenzen 1958 (The Lambeth Conference 1958, 1. 35, Res., 2. 24 f., Rep.) und 1968 (The Lambeth Conference 1968, 45, Res., 147 f., Rep.) nach Struktur und Funktion näher umrissene »Larger Episcopal Fellowship / Larger Episcopal Union« der Bischöfe aller »Catholic Churches ... sharing both the integrity of the faith and the historic episcopate in its various forms« (The Lambeth Conference 1968, 147, Rep.) sein. Diese Konferenz, in der »bishops of the Anglican Communion and bishops of other episcopal Churches should meet ... for discussion on matters of common interest at regular intervals« (Lambeth Conference 1948, II. 48, Rep.) soll die Lambeth Konferenzen nicht ersetzen; vielmehr müssen diese auch in Zukunft »within the wider fellowship of episcopal Churches ... continue to play (an important part) as a bond of unity holding together the various parts of the Anglican Communion« (The Lambeth Conference 1958, 2. 24, Rep.). Die von der Lambeth Konferenz 1968 empfohlene »General Episcopal Consultation (drawn from many countries / on a world wide scale)« (The Lambeth Conference 1968, 45, Res., 147, Rep.) ist bislang noch nicht zustande gekommen.

34. For consideration by Members of Committee B, appointed under Resolution IX of Lambeth Conference; Archiv der Bodleian Library in Oxford.

35. Ebd.

36. A. M. G. Stephenson: The First Lambeth Conference: 1867, 279 ff.

beschloß die Konferenz zunächst die Bildung eines Ausschusses, der über »the Constitution of a voluntary spiritual Tribunal, to which questions of Doctrine may be carried«[37] beraten solle. Erst die Konferenz 1897 faßte einen definitiven Beschluß, indem sie den Vorschlag eines »Tribunal of Reference« verwarf, dafür der Bildung eines »(Central) Consultative Body ... for supplying information and advice«[38] zustimmte. 1920 definierte die Konferenz den Charakter und die Funktionen dieses »Consultative Body« genauer als »of the nature of a continuation Committee of the whole Conference«, das »neither possesses nor claims any executive or administrative power ... it is a purely advisory Body«[39]. Auch die Lambeth Konferenz 1930 nahm das Thema wieder auf und betonte – unter Bezugnahme auf die Resolution 44 der Konferenz von 1920 – erneut, daß »the Consultative Body ... neither possesses nor claims any executive or administrative power«[40], da »the Consultative Body should be recognized as possessing no authority beyond that possessed by the Conference itself«[41]. Und wenn die Lambeth Konferenz 1958 angesichts der »demand for closer contact and increased opportunities for fellowship one with another«[42] innerhalb der anglikanischen Kirchenfamilie u. a. auch den »Consultative Body« in ihre Reformpläne einbezog, ließ auch sie den Grundcharakter des »Consultative Body ... of the nature of a Continuation Committee of the Lambeth Conference«, dessen »functions are advice only and without executive or administrative power«[43], unangetastet. Die Erkenntnis, daß angesichts des starken ökumenischen Engagements und der Notwendigkeit noch engerer Zusammenarbeit der anglikanischen Kirchen untereinander der »Lambeth Consultative Body« auch nach seiner Reform durch die Lambeth Konferenz 1958 nicht mehr ein ausreichendes Instrument für die anglikanischen Kirchen sei, um »to fulfill their common inter-Anglican and ecumenical responsibilities in promoting the unity, renewal, and mission of Christ's Church«[44], die anglikanische Kirchengemeinschaft deshalb »in diesem Stadium des ökumenischen Zusammenwachsens kulturell immer unterschiedlicherer Kirchen ... ein gestärktes zentrales Organ mit ausgeprägterer und entschlossener ökumenischer Zielsetzung«[45] benötigte, führte dazu, daß die – vorläufig –

37. Meeting of Adjourned Conference of Bishops of the Anglican Communion, Holden at Lambeth Palace, December 10, 1867, 13.

38, A. M. G. Stephenson: The First Lambeth Conference: 1867, 310.

39. Lambeth Conferences 1867–1930, 46 (Lambeth Conference 1920, Res.); siehe auch a.a.O. 78 (Rep.): »...possessing no power to enforce its decisions.«

40. A.a.O. 174 (Lambeth Conference 1930, Res.).

41. A.a.O. 247 (Lambeth Conference 1930, Rep.).

42. The Lambeth Conference 1958, 2. 68 (Rep.).

43. A.a.O. 1. 44 (Res.).

44. The Lambeth Conference 1968, 145 (Rep.).

45. D. Paton: Lehren aus dem anglikanischen Ökumenismus, Lutherische Rundschau 1970, Heft 1, 33.

letzte Lambeth Konferenz 1968 den Gliedkirchen der Anglican Communion die Zustimmung zur Bildung eines »Anglican Consultative Council« empfahl, der sowohl an die Stelle des bisherigen »Lambeth Consultative Body« wie des 1948 gebildeten »Advisory Council on Missionary Strategy« treten solle und dessen Mitglieder – Bischöfe, sonstige Geistliche und auch Laien – von den legislativen Organen der einzelnen selbständigen Provinzial-, National- oder Regionalkirchen gewählt werden sollen[46]. Obwohl dieser pan-anglikanische Konsultativrat aufgrund des Berufungsmodus seiner Glieder durch die offiziellen Organe der verschiedenen Gliedkirchen der Anglican Communion einen gewissen kirchenoffiziellen Charakter hat, eignet doch auch ihm ein rein informativer und beratender Funktionscharakter: Seine Aufgaben bestehen darin, »to share information«, »to advise«, »to encourage«, »to guide«[47].

Auch der zweite, oben bereits erwähnte Ausschuß, den die Lambeth Konferenzen einsetzten, der von der Lambeth Konferenz 1948 ins Leben gerufene[48] und von der Konferenz 1958 in seiner Struktur und seinen Funktionen bestätigte[49] »Advisory Council on Missionary Strategy« zum Zwecke »to deal effectively with matters of world-wide strategy which concern the task God has entrusted to the Anglican Communion and the welfare of the whole Communion«[50] ist, wie schon sein Name besagt und beide Konferenzen wiederholt betonen, ein rein »consultative and advisory body«[51]; »it may advise ... and cannot settle policy«[52]. Nach seiner Auflösung durch die Lambeth Konferenz 1968 gingen auch seine Funktionen – wie die des »Lambeth Consultative Body« – auf den neugebildeten »Anglican Consultative Council«[53] über.

Obwohl, oder vielmehr weil die Lambeth Konferenzen keinerlei legislative und exekutive Autorität in Lehr- und Ordnungsfragen gegenüber den anglikanischen Kirchen beanspruchten[54], entwickelten sie sich bald im Urteil kirchlicher und

46. The Lambeth Conference 1968, 46 ff. (Res.). Vgl. etwa auch die Beurteilung von J. Wilkinson: Lambeth in 1969, The Church Quarterly, Vol. 1, 1969, 205: »The Anglican Consultative Council is a welcome replacement for structures which have clearly been feeling the strain.«
47. The Lambeth Conference 1968, 46 f. (Res.: »Functions«). Zur Vorgeschichte siehe etwa auch St. F. Bayne: An Anglican Turning Point. Documents and Introductions. Austin/Texas 1964, 3 ff. (I. Historical Note).
48. Lambeth Conference 1948, I. 47 (Res.), II. 88 ff. (Rep.).
49. The Lambeth Conference 1958, 2. 69 ff. (Rep.).
50. Lambeth Conference 1948, I. 47 (Res.).
51. A.a.O. II, 88 (Rep.).
52. The Lambeth Conference 1958, 2. 70 (Rep.).
53. Siehe oben S. 22 f.
54. A. M. G. Stephenson: The First Lambeth Conference: 1867, 331 meint im Zusammenhang mit den Plänen der Errichtung eines Spiritual Tribunal auf der Konferenz 1867: »... we may be thankful that nothing came of this suggestion.«

außerkirchlicher Kreise zu einem »permanent feature of Anglicanism«[55], die allein aufgrund ihres »wise advice ... powerfully influenced both opinion and action«[56]. Die Front der kritischen Kommentare in der kirchlichen und weltlichen Presse, der sich die erste Lambeth Konferenz 1867 gegenüber sah, war 1878 schon weithin aufgebrochen. So urteilte etwa der »Guardian« in der Vorausschau auf die Konferenz 1878, daß »it will be at least a striking testimony of that spirit of enterprise and earnestness of which we are all proud, and which has given to the Anglo-Saxon race so large a heritage of the earth's surface«[57], und im Rückblick bewertete die »Church Quarterly Review« die Konferenz als »by far the most striking event of the year«[58]. Vor allem aber auch das Faktum, daß die »Times«, die sich über die Konferenz 1867 mehrfach äußerst kritisch geäußert hatte[59], die zweite Konferenz 1878 »recognizes as one of the important events of the age, shows at least that the general opinion on this subject has changed«[60]. Die dritte Lambeth Konferenz 1888 stellte sich der englisch-anglikanischen Öffentlichkeit bereits dar als »a token of the imperishable vitality«[61] des Anglikanismus. Daß inzwischen auch der anglikanische Episkopat seine Ablehnung bzw. sein Mißtrauen gegen die Versammlungen in Lambeth überwunden hatte, zeigt die stetig wachsende Zahl der Bischöfe, die den Einladungen der Erzbischöfe von Canterbury folgten: Reagierten auf die Einladung von Erzbischof Longley zur Konferenz 1867 von 144 angeschriebenen Bischöfen nur etwa die Hälfte: 76 positiv, so nahmen 1878 von 173 Bischöfen 100 die Einladung Erzbischof Taits an; 1888 nahmen von 200 von Erzbischof Benson eingeladenen Bischöfen 145 an der Konferenz teil, und 1897 waren es von den 240 von Erzbischof Frederick Temple angeschriebenen Bischöfen 194; 1908 schließlich versammelten sich von den etwas über 250 anglikanischen Bischöfen in allen Teilen der Welt 242 zur Konferenz in Lambeth unter dem Vorsitz von Erzbischof Davidson[62]. So nimmt es nicht wunder, daß die Konferenzen seit späte-

55. A.a.O. 324.

56. The Present Work of the Anglican Communion. Two Sermons Preached in Canterbury Cathedral ... By the Rev. the Hon. W. H. Fremantle ..., London 1888, 4.

57. The Guardian, No 1684, March 13, 1878. 369.

58. The Church Quarterly Review, Vol. VII, 1879, 507 (The Retrospect of 1878).

59. A. M. G. Stephenson: The First Lambeth Conference: 1867, 93 ff.

60. Brief von Bischof G. J. Bedell von Ohio an Erzbischof Tait vom 6. August 1878, Tait Papers, Archiv der Lambeth Palace Library.

61. The Church Quarterly Review, Vol. XXVII, 1888, 1 (The Lambeth Conference of 1888).

62. Diese Entwicklung setzt sich auch für die noch folgenden Lambeth Konferenzen fort; die Zahl der teilnehmenden Bischöfe betrug 1920: 252, 1930: 307, 1948: 329, 1958: 310 und 1968: 461. Der Kreis der nach Lambeth eingeladenen »Bishops of the Anglican Communion« beschränkt sich gewöhnlich auf die Bischöfe, die in irgendeiner

stens 1897 in wachsendem Maße für die weltweite anglikanische Kirchenfamilie sowohl aufgrund ihrer »moral authority/authority of great moral weight«[63] wie auch der nahezu vollzähligen Anwesenheit des anglikanischen Episkopats »became prized as a centre of unity«[64], »as a focus of what came to be called the Anglican Communion«[65]. Diese zentrale »moralische« Bedeutung und Autorität als »our chief organ of common life / the supreme organ of our corporate life«[66] der Anglican Communion kann die Lambeth Konferenzen in den Augen mancher ihrer Beurteiler nicht nur formal in die Nähe der ökumenischen Konzilien der Alten Kirche rücken lassen, deren Beschlüsse ja auch »no ... coercive force (have), as of their own right. They must win their acceptance in the Church by their rightness. So it is with the resolutions of the Lambeth Conference«[67]; das gilt auch inhaltlich-material hinsichtlich der Wahrheitsqualität ihrer offiziellen Verlautbarungen: Wenn die Bischöfe wiederholt betonen, daß sie hier sprechen bzw. schreiben als »bearers of the sacred commission of the ministry given by our Lord through His Apostles to the Church«[68], wenn sie

Weise als Diözesan-, Suffragan- oder Assistenzbischöfe Jurisdiktion ausüben. Doch wurden zu einigen Konferenzen auch solche Bischöfe eingeladen, die bereits aus ihrem Amt ausgeschieden waren oder auch keinerlei Jurisdiktionsvollmacht besaßen (siehe hierzu etwa St. Neill, Anglicanism ..., 363 ff.). Eine zahlenmäßig z. Z. noch nicht feststellbare Fluktuation des Teilnehmerkreises kann sich für die künftigen Konferenzen aus der Empfehlung des Committee Report »Church Unity and the Church Universal« der Lambeth Konferenz 1958 (2. 25) ergeben, »that when any Church belonging to the Anglican Communion decides, with the encouragement and goodwill of the Lambeth Conference to join a united Church, the bishops, or representative bishops, of the united Church should be invited to attend Lambeth Conferences as members«. Zu einer Erweiterung der Anzahl der vollberechtigten Konferenzteilnehmer würde die Realisierung der Empfehlung des Committee Report »Renewal in Unity« der Lambeth Konferenz 1968 (137) führen, daß auch »bishops without territorial jurisdiction but with pastoral responsibility ... for special groups, such as the armed forces, industry, and particular areas of concern within the mission of the Church ... should have their due place in episcopal councils throughout the world« (siehe hierzu auch S. 123 f.).

63. So und ähnlich mehrfach in den Verlautbarungen der einzelnen Konferenzen.

64. Lambeth Conference 1948. Documents ..., Vol. I. A Statement on the Fellowship of the Anglican Churches called the Anglican Communion ..., 61.

65. D. L. Edwards: Leaders of the Church of England 1828–1944, 7.

66. St. F. Bayne: The Challenge of the Frontiers: Organizing for Action. Theme Address, Anglican Congress 1963, 185, 193.

67. Lambeth Conference 1930. Memoranda. E. J. Palmer: The Anglican Communion. Its Ideal and Future ..., 7.

68. Conference of Bishops of the Anglican Communion ... 1908, 21 (Encyclical Letter); fast wörtlich ebenso Lambeth Conference 1920: Lambeth Conferences 1867–1930, 23 (Encyclical Letter); Lambeth Conference 1930: a.a.O. 147 (Encyclical Letter).

die Gemeinden auffordern, die Ergebnisse ihrer Konferenz aufzunehmen »as enlightened by the Holy Spirit of God«[69], oder bezeugen, daß sie – etwa beim »Appeal to All Christian People« auf der Konferenz 1920 – »felt the constraint of a great impulse which we believed to be of Divine origin«[70], dann scheut sich der Berichterstatter wohl, den Encyclical Letters und Resolutions der Konferenzen »the marks of infallible wisdom«[71] beizulegen, aber er kann doch nicht umhin festzustellen, daß diese Dokumente »taken as a whole ... do bear the stamp and Hall-mark of the Spirit of Christ«[72].

In engem Zusammenhang mit der Autorität der Lambeth Konferenzen ist die Frage der Autorität des Erzbischofs von Canterbury bzw. des »See of Canterbury« in den letzten 100 Jahren zu sehen. In dem Maße, in dem die Lambeth Konferenzen für die Anglican Communion an Bedeutung zunehmen, gewinnt auch der Erzbischof von Canterbury für die Lambeth Konferenzen als deren Gastgeber, Vorsitzender und geistlicher Leiter und für die Anglican Communion als Symbol und personifizierter Ausdruck ihrer geistlichen und kirchlichen Einheit »steadily increased dignity«[73]. Zwar eignet ihm »not a jurisdiction«[74] und »no supremacy ... over Primatial or Metropolitan Sees outside England«[75]. Doch wollen diese und ähnliche Feststellungen »the loyalty and affection with which we regard the Archbishop«[76] nicht in Frage stellen. Innerhalb des weltweiten anglikanischen Episkopats wird ihm vielmehr ein im Laufe der Jahre zunehmend anerkannter »primacy of honour«[77] zugesprochen, der sich in den Dokumenten der Lambeth Konferenzen u. a. auch darin niederschlägt, daß die 1948, 1958

---

69. Conference of Bishops of the Anglican Communion ... 1878, 42 (Letter from the Bishops ..., Conclusion).

70. Lambeth Conferences 1867–1930, 153 (Lambeth Conference 1930, Encyclical Letter).

71. J. R. Cohu: Addresses on the Lambeth Conference (1920), London 1920/21, 20.

72. Ebd.

73. Ph. Carrington: The Structure of the Anglican Communion, Anglican Congress 1954, 45.

74. The Lambeth Conference 1968, 137 (Rep.).

75. Conference of Bishops of the Anglican Communion ... 1908, 167 (Rep.).

76. Ph. Carrington: The Structure of the Anglican Communion, Anglican Congress 1954, 45.

77. The Lambeth Conference 1968, 137 (Rep.). Im Entwurf zur Resolution 43 der Lambeth Konferenz 1897, die Verhandlungen mit der schwedischen lutherischen Kirche über die Gültigkeit der Ämter zum Gegenstand hat, werden die beiden »Archbishops of Canterbury and York ... requested to appoint a Committee to enquire diligently into the question of such validity« (Archiv der Bodleian Library, Oxford); in der definitiven Fassung wird dagegen nur noch »the Archbishop of Canterbury« gebeten, »to appoint a Committee to inquire into the question« (Conference of Bishops of the Anglican Communion ... 1897, 43, Res.).

und 1968 in Lambeth versammelten »Archbishops and Bishops of the Holy Catholic and Apostolic Church« als den »focal point« ihrer Gemeinschaft ihre »full living communion with the Archbishop / See of Canterbury«[78] benennen[79].

Wenn auch das Prinzip der Ablehnung von kirchenautoritativ bindenden Entscheidungen in Lehr- und lehrbezogenen Ordnungsfragen für die Gliedkirchen der Anglican Communion durch die Lambeth Konferenzen und ihre Ausschüsse bis hin zur Konferenz 1968 immer wieder betont wird, so wird dieser Grundsatz faktisch doch von Anfang an seit der Konferenz 1867 immer wieder durchbrochen, gerade auch dort, wo es um fundamentale Lehr- und lehrbezogene Ordnungsfragen im Anglikanismus geht[80]. Solche Entscheidungen wurden z. B. laufend getroffen durch »implizit« vorlaufende Lehrentscheidungen in bestimmten Formulierungen der Encyclical Letters und Resolutions, die spezifisch gemeinanglikanische Positionen umreißen, so etwa die undiskutierte Übernahme des Amtsverständnisses mit dessen apostolisch-episkopaler Struktur und seinen drei Orders, des föderalistischen Kirchenverständnisses mit seiner kollegial-episkopalen Grundstruktur, des Lehrverständnisses mit dessen drei Fundamentalfaktoren Schrift, Geschichte und Vernunft u.a.m. Wenn derartige Entscheidungen charakterisiert werden als »expositions ... of the faith, to guide or rouse thought, not to bind conscience«[81] mit Ermessensspielraum für detaillierte Lehrentscheidungen (die in anderen Kirchen eventuell als inkompatibel beurteilt werden können), dann ist dieser Ermessensspielraum doch nicht unbegrenzt, sondern theologisch-ekklesiologisch abgesteckt durch die von der spezifisch anglikanischen »Catholic and Reformed/Protestant Comprehensiveness« umschriebenen Grenzen, wie sie aufgewiesen sind in den anglikanischen »Formularies« von den altkirchlichen Creeds bis hin zum Lambeth Quadrilateral. Das Sich-begnügen mit »expositions of the faith« im »komprehensiven« Rahmen »katholischer« und »reformatorisch-protestantischer« Interpretationsmöglichkeiten hebt die theologische und ekklesiologische Verbindlichkeit dieser komprehensiv katholisch-reformatorischen Grenzziehung nicht auf, sondern konstatiert und fixiert sie als das kirchlich verbindliche Legalitätskriterium der »expositions of the faith«. »Expositions of the faith« im Bereich der Lehre und lehrbezogenen Ordnungen, die die durch dieses Kriterium gesetzten Grenzen sprengen, stehen außerhalb des für die anglikanische Kirchengemeinschaft theologisch und ekklesiologisch legitimen

78. Lambeth Conference 1948, I. 15 (Encyclical Letter); The Lambeth Conference 1958, 1. 17 (Encyclical Letter); The Lambeth Conference 1968, 141 (Rep.).

79. In den Encyclical Letters der Lambeth Konferenzen zwischen 1897 und 1930 dagegen heißt es hier stets: »in full communion with the Church of England«.

80. Hier kann nur andeutungsweise auf diesen Komplex hingewiesen werden; ausführlich wird auf die einzelnen Fragen weiter unten einzugehen sein.

81. Lambeth Conference 1948. Documents ..., Vol. I. A Statement on the Fellowship of the Anglican Churches called the Anglican Communion ..., 61.

Interpretationsraumes und schließen ihre Verfechter objektiv von der anglikanischen Kirchengemeinschaft aus bzw. verhindern das Eingehen einer »corporate/organic union« zwischen anglikanischen und anderen Kirchen.

3. Quellen

Die wichtigsten, der Öffentlichkeit allgemein zugänglichen Primärquellen sind die nach Abschluß jeder Konferenz jeweils im Druck herausgegebenen »Encyclical Letter(s) from the Bishops together with the Resolutions and Reports«. Dieses Protokollsystem mit in sich abgestuften Autoritätsgraden hatte sich schon bei der dritten Lambeth Konferenz 1888 für alle folgenden Konferenzen definitiv herausgebildet.

Da Erzbischof Longley für die Konferenz 1867 nur eine Dauer von vier Tagen vorgesehen hatte (24.–27. September), beschränkten sich die anwesenden Bischöfe zum Abschluß dieser Tage als von der Gesamtkonferenz autorisierte Zusammenfassung ihrer Beratungsergebnisse auf die Formulierung von 13 »Resolutions of the Conference« und einer »Address of the Bishops to the Faithful in Christ Jesus«[82]. Zur weiteren Bearbeitung der in den Resolutions angesprochenen Fragen bildete die Konferenz vier »Committees«, die den Ertrag ihrer Arbeit während der Monate Oktober und November am 10. Dezember einer »Adjourned Conference of Bishops of the Anglican Communion« im Lambeth Palace in Form von »Reports« vorlegten. Da inzwischen zahlreiche Bischöfe – besonders aus Übersee – London verlassen hatten, konnte es nicht mehr zu einer umfassenden Diskussion und Beschlußfassung der Gesamtkonferenz über diese Reports kommen; vielmehr begnügte sich die Rumpfversammlung damit, die einzelnen Reports – mit Ausnahme von dem über Natal bzw. dem Colenso-Fall – zur Kenntnis zu nehmen, ihren Druck freizugeben und ihren Inhalt dem Studium der übrigen Bischöfe zu empfehlen[83]. Aufgrund der Erfahrungen von 1867 setzte Erzbischof Tait die zweite Lambeth Konferenz 1878 für einen bedeutend längeren Zeitraum, nämlich für 26 Tage (2. – 27. Juli) an. Das ermöglichte es, auch die Beratungen der von dieser Konferenz berufenen Komitees in den Rahmen der Konferenz selbst einzubeziehen und deren Arbeitsergebnisse in einem »Letter from the Bishops, including the Reports adopted by the Conference« zusammenzufassen. Damit ist sie jedoch die einzige Konferenz, die die Reports ihrer Komitees mit ihrem Namen sanktionierte. Denn wohl nahmen auch auf der Lambeth Konferenz 1888 die Sitzungen der einzelnen Komitees in

---

82. Dieses Dokument trägt die Unterschriften von 76 Bischöfen; sieben weitere Unterschriften wurden noch nachträglich vollzogen.

83. Siehe hierzu ausführlicher A. M. G. Stephenson: The First Lambeth Conference: 1867, 295 ff.

etwa den gleichen Raum ein wie die von 1878. Doch im Unterschied zu 1878 wurden ihre Reports nicht mehr von der Konferenz als ganzer autorisiert, sondern nur noch unter der Verantwortung des jeweiligen Komitees herausgegeben. Dafür formulierte die Konferenz als ganze ihre Verlautbarungen und Beschlüsse in »Resolutions«, die einem ebenfalls von der Gesamtkonferenz formulierten und autorisierten »Encyclical Letter« beigegeben wurden. Dieses Dreierschema mit seinen abgestuften Autoritätsgraden: »Encyclical Letter to the Faithful in Jesus Christ«[84], »Resolutions formally adopted by the Conference«[85] und »Reports of the Committees«[86] wurde von sämtlichen folgenden Lambeth Konferenzen übernommen[87].

Für ein möglichst umfassendes und eindringendes Verständnis dieser offiziellen Dokumente wäre die Kenntnis der Protokolle der Plenar- und Komiteesitzungen der Lambeth Konferenzen mit den Referaten der Berichterstatter sowie den Diskussionsbeiträgen der einzelnen Prälaten wünschenswert. Da diese Sitzungen jedoch seit der ersten Konferenz 1867 nichtöffentlich sind[88], ist dieses Material für die Konferenzen von 1930 bis 1968 der Öffentlichkeit prinzipiell nicht zugänglich, während die Protokolle usw. der vorhergehenden Konferenzen für nicht an Ort und Stelle lebende Bearbeiter kaum greifbar sind, da sie nur im Archiv der Lambeth Palace Bibliothek einzusehen sind. Eine weitere Schwierigkeit ergibt sich daraus, daß die offiziell zugelassenen Stenographen z. T. eine Kurzschrift verwendeten, die heute kaum mehr in Klarschrift zu transskribieren ist.

84. Zum Encyclical Letter bemerkt der Bericht über die Lambeth Konferenz 1958, I. 17: »The Encyclical Letter itself will be read and expounded from the pulpit, or otherwise ...«

85. Die Annahme der von den Committees als Entwurf formulierten und dann den Konferenzen zur Diskussion und Beschlußfassung vorgelegten Resolutions geschah nicht immer einstimmig. Doch erst die Lambeth Konferenz 1968 verstand sich dazu, zu einigen wichtigen Resolutionsbeschlüssen die Anzahl der dissentierenden Stimmen anzugeben.

86. Auch wenn die Verantwortung für den Inhalt der Reports der Committees bei diesen und nicht der Gesamtkonferenz liegt, darf doch deren Bedeutung hoch eingeschätzt werden; denn auch die »large and carefully chosen Committees« (Lambeth Conferences 1867–1930, 33: Lambeth Conference 1920, Note) stellen in kleinem Maßstab einen repräsentativen Querschnitt durch die theologischen und ekklesiologischen Tendenzen im Anglikanismus ihrer Jahre dar.

87. Die Lambeth Konferenz 1968 ersetzt den bisher üblichen »Encyclical Letter« durch eine verhältnismäßig knappe »Message from the Bishops at the Lambeth Conference to the Clergy and Laity of the Anglican Communion«.

88. Doch wurden 1968 zum ersten Male »Official Observers« aus nichtanglikanischen Kirchen zu den Sitzungen und Beratungen der Konferenz bzw. der Committees zugelassen.

Einen gewissen Ausgleich für diesen Mangel bieten einige Dokumentengruppen, deren Inhalt mit den Lambeth Konferenzen in engem Zusammenhang steht. Hierzu gehört in erster Linie die Korrespondenz der Erzbischöfe von Canterbury mit den Bischöfen der anglikanischen Kirchen im Zusammenhang mit den einzelnen Lambeth Konferenzen. Mit Ausnahme der Konferenz 1867 ist diese Korrespondenz noch unveröffentlicht, doch z. T. schon katalogisiert. Weiteres wichtiges Material bieten die »Memoranda« (1930) bzw. »Documents« (1948 und 1958) und »Preparatory Essays (1968)«, das sind Memoranden und Berichte, die den Bischöfen zur Vorbereitung auf die Konferenzen als vertrauliches Arbeitsmaterial zugeleitet und nach Abschluß der Konferenzen teilweise veröffentlicht wurden, doch auch dann nicht immer leicht zugänglich sind. Wichtige Hintergrundinformationen zu den offiziellen Dokumenten der einzelnen Lambeth Konferenzen bieten ferner die »Reports« anglikanischer Kommissionen und Studiengruppen, die auf Anregung einer Lambeth Konferenz vom Erzbischof von Canterbury nominiert werden zur weiteren Behandlung von Themen, die auf der Konferenz noch nicht abgeschlossen werden konnten und – gewöhnlich – auf der nächsten Konferenz nochmals zur Sprache gebracht werden sollten. Die Zusammensetzung dieser Ausschüsse aus Vertretern der verschiedenen theologischen und ekklesiologischen Gruppen innerhalb der Anglican Communion spiegelt häufig die »Comprehensiveness« dieser Kirchengemeinschaft wider. Hierher gehören ferner die »Reports« gemischt anglikanisch-nichtanglikanischer »Joint Doctrinal Committees«, deren Bildung gewöhnlich ebenfalls auf die Anregung einer Lambeth Konferenz zurückgeht – besonders auf den »Appeal to All Christian People« der Lambeth Konferenz 1920 und der daraus folgenden Kontaktnahme mit anderen Kirchen. Die anglikanischen Mitglieder solcher gemischt anglikanisch-nichtanglikanischer theologischer Kommissionen werden ebenfalls vom Erzbischof von Canterbury nominiert. Da ihre Auswahl anscheinend oftmals weniger nach dem Prinzip der inneranglikanischen Comprehensiveness als vielmehr im Blick auf den theologischen und ekklesiologischen Charakter der jeweiligen Partnerkirche erfolgt, bieten diese Reports für sich genommen nicht selten ein einseitiges Bild anglikanischer Theologie.

Wichtiges Material bieten auch die Berichtsbände der drei großen anglikanischen Kongresse: des Pan-Anglican Congress 1908, des Anglican Congress 1954 sowie des Anglican Congress 1963. Angesichts des raschen Wachstums der anglikanischen Kirchen(gemeinschaft) in allen Teilen der Welt und der hieraus sich ergebenden Probleme sowie der stetig steigenden Mitverantwortung von Klerus und Laien im Leben der Kirchen und Gemeinden schienen die nur alle 10 Jahre zusammentretenden Lambeth Konferenzen allein vielen kirchlichen Kreisen – einschließlich des anglikanischen Episkopats – kein ausreichendes Instrument mehr für den notwendigen Gedanken- und Informationsaustausch und zur Vertiefung der geistlichen Gemeinschaft der Kirchen der Anglican Communion, so daß »for the future cohesion of the Church something more than the Lambeth

Conference is needed«[89]. Ging die Initiative zur Einberufung einer diese Mängel behebenden und die Lambeth Konferenzen zwischenzeitlich ergänzenden pan-anglikanischen Kirchenversammlung aus Vertretern des Episkopats, der übrigen Geistlichkeit und der Laien aller englischen Kirchen und Missionssynoden im Jahre 1908 noch von missionarisch engagierten Kreisen in England aus – allerdings im Einvernehmen mit dem Erzbischof von Canterbury und dem anglikanischen Episkopat[90] –, so waren es 1948[91] und 1958[92] die Lambeth Konferenzen selbst, die beide Male die Anregung ihrer Committees für die Einberufung eines »Congress, representative of the Anglican Communion / Anglican Congress« 1954 bzw. 1963 aufnahmen und Empfehlungen für Ort, Zeitpunkt und auch Thematik dieser Kongresse gaben. Diese Kongresse sind zwar organisatorisch selbständig und unterscheiden sich in ihrer personalen Struktur von den Lambeth Konferenzen; doch stehen beide Konferenzgruppen sachlich in engem komplementären Bezug zueinander. Was die Bedeutung dieser Kongresse für das Selbstverständnis und das Selbstbewußtsein der anglikanischen Kirchenfamilie anlangt, so führte der 1908 in London zusammengetretene Pan-Anglican Congress – ähnlich wie die erste Lambeth Konferenz 1867 – der englischen Öffentlichkeit wiederum eindringlich vor Augen, »that the National Church (of England) had somehow become the mother of a multicoloured family«[93], und ebenso wie die Lambeth Konferenzen verstehen sich diese Kongresse »not (as) a Council of the Church, defining Christian doctrine with apostolic authority;...the authority (of its pronouncements) can lie only in their persuasiveness«[94]. Bereits die Einberufer des Pan-Anglican Congress 1908 hatten die Themenauswahl so getroffen, daß die in sieben Arbeitsgruppen gewonnenen Ergebnisse der kurz darauf zusammentretenden Lambeth Konferenz als Arbeitsmaterial für ihre Beratungen zu gleichen Themenkomplexen zugeleitet werden konnten[95]. Eine ähnliche Reziprozität bestimmt auch das Verhältnis der Lambeth Konferenzen seit 1948 zu den Anglikanischen Kongressen 1954 in Minneapolis und 1963 in Toronto. Ohne daß sich die Themenkataloge beider Konferenzgruppen decken,

89. Lambeth Conference 1948, II. 92 (Rep.).

90. H. H. Montgomery: History and Scope of the Pan-Anglican Congress, in: Pan-Anglican Congress June 15–June 24, 1908, Official Handbook, London 1908, 23 ff.

91. Lambeth Conference 1948, I. 48 (Res.).

92. The Lambeth Conference 1958, 1. 46 (Res.).

93. D. L. Edwards: Leaders of the Church of England 1828–1944, 241.

94. Anglican Congress 1963, Report of Proceedings ... XIII (Vorwort von Erzbischof H. H. Clark von Ruperts Land); vgl. auch das Schlußwort von Erzbischof A. M. Ramsey auf diesem Kongreß (a.a.O. 262): »This is a Congress, the authority of which is technically nothing legislatively nothing, but morally in God's hands may prove to be very great.«

95. Pan-Anglican Congress 1908. Report to Lambeth Conference 1908. Private and Confidential (o. J.).

überlappen, ergänzen und interpretieren die Verlautbarungen, Referate und Diskussionsbeiträge der Anglikanischen Kongresse in wichtigen anstehenden theologischen und ekklesiologischen Fragen doch oft die Beschlüsse, Empfehlungen und sonstigen Äußerungen der Lambeth Konferenzen und bieten so willkommenes Material zu deren exakterem Verständnis.

Eine letzte Gruppe von mehr oder weniger ergiebigem Quellenwert zum Verständnis der Lambeth Konferenzen schließlich stellen die (Auto-)Biographien sowie Konferenzberichte von Konferenzteilnehmern in Gestalt von Broschüren und Artikeln in kirchlichen und weltlichen Zeitschriften und Zeitungen dar, die jedoch wegen ihrer oftmals recht subjektiven Sicht der Dinge nur mit kritischem Vorbehalt verwendbar sind.

III. Erkenntnistheoretisch-philosophische und theologisch-ekklesiologische Basis

Im Rahmen des spezifisch anglikanischen ekklesiologischen Selbstverständnisses als komprehensive »Catholic and Reformed/Protestant Church« vollzieht sich die Arbeit der Lambeth Konferenzen auf der Basis des durch die Geistes-, Kirchen- und Theologiegeschichte der Church of England und der übrigen Kirchen der Anglican Communion vorgegebenen Erbes und der aus der jeweiligen Zeit- und lokalen Konfrontation ihnen gegebenen Impulse. Bei Ablehnung jeglicher zentralistischer, gesetzlich-formalistischer Uniformität[1] und dezidiertem Bekenntnis zum Prinzip historisch, geographisch, geistes-, theologie- und kirchengeschichtlich bedingter »progressive diversity within the unity of the Anglican Churches«[2] sind auch für die Arbeit aller Lambeth Konferenzen bestimmte erkenntnistheoretisch-philosophische und theologisch-ekklesiologische Formal- und Materialprinzipien allgemein charakteristisch.

1. Theologie

Es gibt kaum eine Lambeth Konferenz, auf der nicht in irgendeiner Weise, beiläufig oder thematisch entfaltend, die Frage nach dem Stellenwert der Theologie oder der Bedeutung qualifizierter theologischer Lehrer für Lehre, Ordnung und Leben der anglikanischen Kirchen zur Sprache gekommen und im Sinne ihrer Notwendigkeit für die Kirche beantwortet worden wäre. Theologie als der »intellectual impression (of christian life) is necessary to the Propagation and so to the Permanence of the Faith«[3]. Der Mangel an »facilities ... for the theological

---

1. Siehe etwa Conference of Bishops of the Anglican Communion ... 1908, 40 f.; Lambeth Conferences 1867–1930, 45 (Lambeth Conference 1920, Res.): »... liturgical uniformity should not be regarded as necessity ...« u. ö. Die Empfehlung, die das Komitee zur Bildung einer »Constitution of a voluntary spiritual Tribunal« für die anglikanischen Kirchen 1867 der Adjourned Conference vorlegte, sah allerdings vor, daß dieser geistliche Gerichtshof u. a. auch die Aufgabe haben sollte, »to secure ... uniformity in matters of Discipline ...« (Meeting of Adjourned Conference ..., 13).
2. Lambeth Conferences 1867–1930, 155 (Lambeth Conference 1930, Encyclical Letter); vgl. auch a.a.O. 39 (Lambeth Conference 1920, An Appeal to All Christian People): »It is through a rich diversity of life and devotion that the unity of the whole fellowship will be fulfilled«, u. ö.
3. The Lambeth Conferences of 1867, 1878, and 1888, R. T. Davidson (Hg.), 239 (Konferenz 1888: Eröffnungspredigt von Erzbischof Benson in Westminster Abbey am 2. Juli 1888 über Eph. 4,16).

study in many of the Colonies and Dependencies of Great Britain ... and proficiency in theological knowledge«[4] sowie an »men who can deal rightly with theological questions«[5] hat die Kirche oft in »serious errors both in doctrine and practice«[6] geführt und »defenceless against many attacks«[7] gelassen. Darum betonen die Konferenzen immer wieder nicht nur, daß »Christian theology should be studied«[8], sondern auch die Notwendigkeit der Ausbildung von »skilled theologians«[9], »first-class theological teachers«[10]. Wurden diese Forderungen auf den ersten Lambeth Konferenzen vornehmlich im Blick auf Probleme innerhalb der Anglican Communion vorgetragen, so gewinnen sie für die späteren Konferenzen – speziell nach 1920 – angesichts der »seriousness of the theological issues involved in all approaches to unity«[11] mit nichtanglikanischen Kirchen und der damit verbundenen »need for continuing theological dialogue«[12] mit diesen noch mehr an Dringlichkeit und Gewicht.

Auch Charakter und Funktion der Theologie sind mehrfach Gegenstand von Überlegungen der Lambeth Konferenzen. Christliche Theologie und Studium dienen dazu, »that men advance in their knowledge of God's nature, and ... penetrate further into His mysteries«[13]. Ihr praxisbezogener Charakter kommt darin zum Ausdruck, daß theologische Arbeit »can never be an end in itself: it must be a means whereby the priesthood may come to be exercised«[14] und daß durch sie die Kirche, »expressed in a language that makes sense in our time«[15],

4. Conference of Bishops of the Anglican Communion ... 1897, 22 (Encyclical Letter).

5. Ebd.

6. Ebd.

7. Ebd.

8. Lambeth Conferences 1867–1930, 164 (Lambeth Conference 1930, Res.); The Lambeth Conference 1958, 2. 99 (Rep.) u. ö. Vgl. auch den Diskussionsbeitrag von Lord Halifax auf dem Pan-Anglican Congress 1908 (Report to Lambeth Conference 1908, 57) über die »Need of accurate and exact theology«.

9. Lambeth Conference 1948, II. 64 (Rep.).

10. The Lambeth Conference 1958, 1. 49 (Res.).

11. Lambeth Conference 1948, II. 51 (Rep.).

12. The Lambeth Conference 1968, 128 (Rep.).

13. Lambeth Conferences 1867–1930, 164 (Lambeth Conference 1930, Res.); ähnlich auch Lambeth Conference 1968. Preparatory Essays ..., 139 (A. M. Allchin: Faith and Spirituality): »Dogmatic theology is the systematic reflection on the mysteries of God revealed in him.« Auf die spezifisch kritische Funktion der Theologie für die Kirche weist Erzbischof Ph. Carrington in einem Referat auf dem Anglican Congress 1954, 48 hin: »Theology ... performs an important work in criticising the Church and interpreting it to itself, and to the age in which it lives.«

14. The Lambeth Conference 1958, 2. 104 (Rep.).

15. The Lambeth Conference 1968, 29 (Res.). Das schließt in sich u. a. auch die Forderung, »that worship and theological expression need to be ›indigenized‹ in each culture« (Anglican Congress 1963, 2: Call to Reformation).

»commends (her absolute obligation of corporate worship) to the world«[16]. Diese Aufgabe »requires of the theologian respect for tradition, and of the Church respect for freedom of inquiry«[17]. Mit dieser Charakterisierung des Wesens und der Funktion der Theologie sind für die Lambeth Konferenzen zugleich auch die Besonderheit theologischen Redens und die Grenze theologischer Aussagen vorgezeichnet. Ohne daß frühere Konferenzen an diesem Thema völlig vorübergegangen wären[18], räumt die Lambeth Konferenz 1968 der Frage der »Language of the Faith«[19] bzw. der »Nature of Theological Language«[20] explizit-thematischen Raum ein. Weil die Theologie sich um die Artikulierung einer Wahrheit bemüht, »which can never be fully grasped or told«[21], da sie »too real and too powerfully present (is) to be expressed literally«[22], müssen »all human statements about God admittedly imperfect and inadequate«[23] sein. Diese unvollkommen-approximative und inadäquate Redeweise, die eine Parallele in der heutigen Physik hat, bedient sich zum Ausdruck des »mystery of God« des »use of images, symbols, analogues, models«[24], des »use of symbolic language«[25] und entwickelt so »intelligible concepts for the articulation of its (i. e. theology's) subject-matter, yet ... without infringing the mystery of God«[26].

Es entspricht durchaus dem gemeinanglikanischen komprehensiven Denken, wenn die Lambeth Konferenzen auch die Theologie ihrer Kirche – die als »the queen of sciences«[27] eigentlich »all human knowledge in its true perspective«[28] einordnen sollte, es aber faktisch nicht tut wegen ihrer derzeitigen Beschränkung auf »archaic linguistic and ecclesiastical minutial«[29] – in den komprehensiven

16. Lambeth Conferences 1867–1930, 164 (Lambeth Conference 1930, Res.).

17. The Lambeth Conference 1968, 29 (Res.).

18. So heißt es etwa im Bericht der Section F des Pan-Anglican Congress 1908 (Report to Lambeth Conference 1908, 52), daß »all human theological language is but a dialect«, und die Lambeth Conference 1958 (2. 8, Rep.) weist auf »the very limitations of language« der Aussagen über »the truth of God« hin.

19. The Lambeth Conference 1968, 67 (Rep.).

20. Lambeth Essays on Faith. Essays written for the Lambeth Conference 1968, 1 (Titel des Essay von John Macquarrie, S. 1–10).

21. The Lambeth Conference 1968, 68 (Rep.).

22. Ebd.

23. Lambeth Essays on Faith ... 1968, 30 (H. Chadwick: The »Finality« of the Christian Faith); a.a.O. 9 (J. Macquarrie: The Nature of Theological Language): »... no human concepts can adequately express the being of God.«

24. Ebd.

25. The Lambeth Conference 1968, 68 (Rep.).

26. Lambeth Essays on Faith ... 1968, 9 (J. Macquarrie).

27. Lambeth Conference 1930. Memoranda. A Way of Renewal, 7.

28. Ebd.

29. Ebd.

Horizont von »philosophy, science and criticism«[30] hereinnehmen und sich auf die Notwendigkeit theologischer Arbeit »in the light of our modern knowledge of the world and with explicit reference to contemporary views of human nature and destiny«[31] hinweisen lassen. Da die Theologie »in its full meaning, as a part of any curriculum which claims to be complete«[32], dieser Aufgabe aber nur im Rahmen oder doch zumindest in engem Kontakt mit einer Universität nachkommen kann, halten die Lambeth Konferenzen es für »essential, that Christian theology should be studied and taught in Universities ... and to that end that Faculties of Theology should be established in Universities wherever possible«[33] und dringen deshalb darauf, »that every endeavour should be made to provide resources whereby theological faculties or departments may be established and supported at the newer universities which are coming into being throughout the area covered by the Anglican Communion«[34].

2. Erkenntnistheoretisch-philosophische Basis

Unter den Faktoren, die für die anglikanische Theologie in ungebrochener Kontinuität seit dem 16. Jahrhundert bis in die Gegenwart hinein charakteristisch sind, führt A. M. Ramsey an erster Stelle »the Platonic strain«[35] an. Der von Dean Inge nachgezeichnete Einfluß der »Platonic Tradition in English Religious Thought«[36] ist in der Tat nicht nur ein Phänomen, das auf die anglikanische Theologie vergangener Epochen zuträfe[37]; für den Anglikanismus der 2. Hälfte des 19. und des 20. Jahrhunderts so bedeutende und für sein theologisches Denken so charakteristische Persönlichkeiten wie F. D. Maurice, F. J. A. Hort, B. F. Westcott, Ch. Gore, W. Temple und nicht zuletzt A. M. Ramsey[38] bieten

30. Lambeth Conferences 1867–1930, 164 (Lambeth Conference 1930, Res.).
31. Anglican Congress 1963, 3 (Call to Reformation).
32. Lambeth Conference 1948, I. 37 (Res.).
33. Lambeth Conferences 1867–1930, 164 (Lambeth Conference 1930, Res.).
34. The Lambeth Conference 1958, 1. 50 (Res.).
35. A. M. Ramsey: From Gore to Temple ..., 164. Auf eine Charakterisierung des Platonismus müssen wir hier verzichten; siehe hierzu: M. Keller-Hüschemenger: Die Lehre der Kirche im frühreformatorischen Anglikanismus ..., 118 ff., 154 ff., 244 ff. u. ö. unter Stichwort »Platonismus«.
36. W. R. Inge: The Platonic Tradition in English Religious Thought ..., London 1926.
37. Siehe hierzu etwa im Gesamtzusammenhang des abgehandelten Themas: M. Keller-Hüschemenger: Die Lehre der Kirche im frühreformatorischen Anglikanismus ..., 1972, Stichworte »Plato«, »Platonismus«, »Platoniker« und ders.: Die Lehre der Kirche in der Oxford Bewegung ..., 1974, Stichworte »Plato«, »Platonismus«.
38. Siehe hierzu etwa die instruktiven Ausführungen von D. L. Edwards: Leaders of the Church of England 1828–1944, in denen »the author brings into focus the person-

überzeugende Beispiele der »affinity (of the Platonic ways of thinking) to our English ways of thinking«[39] bis in unsere Tage hinein[40]. Dieser durchgehende Einfluß griechisch-hellenistischen Denkens im Gewand der platonisch-neuplatonischen Philosophie auf das anglikanische theologische Denken – »sometimes at the expense of the Hebraic aspect of our faith«[41] – drückt verständlicherweise auch der theologischen Arbeit der Lambeth Konferenzen seinen unübersehbaren Stempel auf. Zwar finden sich in den offiziellen Dokumenten der Lambeth Konferenzen und den sie begleitenden Dokumentationen nur sehr wenige direkte und explizite Bezugnahmen auf Plato bzw. den Platonismus. So etwa im Report No I »The Christian Docrine of Man« der Lambeth Konferenz 1948, der bei der Darlegung des christlichen Sündenverständnisses direkt auf Plato – allerdings ihn ablehnend – Bezug nimmt[42] oder in dem ausführlichen »Report« der von den Erzbischöfen von Canterbury und York 1922 eingesetzten Kommission über »Doctrine in the Church of England«, der – unter Bezugnahme auf Dean Inge – auf »the constant stream of Platonism« als »a special characteristic of English thought«[43] und »the bequest of the Greek spirit«[44] in der anglikanischen Theologie hinweist. Der Grund für diese seltenen direkten Bezugnahmen auf die Bedeutung der griechisch-hellenistischen, platonisch-neuplatonischen Spiritualität für die Theologie ihrer Kirche liegt nicht darin, daß die Konferenzen diesem Denken für ihre theologische Arbeit wenig Gewicht beimessen, sondern in der Bewertung dieser Philosophie auch durch die Lambeth Konferenzen als ein allgemein anerkanntes und darum auch von ihnen undiskutiert akzeptiertes geistes- und theologiegeschichtliches Erbe, auf dem die theologische Arbeit in der Anglikanischen Kirche des 19. und 20. Jahrhunderts als einem ihrer wesentlichen erkenntnistheoretischen Fundamente aufbaut. Wie tief und umfassend in der Tat die seit der Berufung des ebenso tatkräftigen wie gelehrten griechischen

alities of the men whose works and actions shaped English religion and public opinion« (Klappentext).

39. W. R. Inge: The Platonic Tradition ..., 77.

40. A. M. Ramsey (From Gore to Temple ..., 164) weist darauf hin, daß diese Theologen bei aller formalen Gemeinsamkeit, mit der sie die Bedeutung des Platonismus für die anglikanische Theologie hervorheben, doch in der Interpretation dieses Einflusses unterschiedlich argumentieren konnten: »But there was the big difference between Inge, for whom Platonism was a primary medium for theology itself, and Gore and Temple, for whom it was a handmaid with – as between the two of them – somewhat different rôles.«

41. A. M. Ramsey: From Gore to Temple ..., 164.

42. Lambeth Conference 1948, II. 7 (Rep.): »Plato taught that virtue is knowledge – that if a man really knows what is good then he can no other than follow it ... Yet we find in practice that men can both know the good and choose the evil.«

43. Doctrine in the Church of England. The Report of the Commission on Christian Doctrine appointed by the Archbishops of Canterbury and York in 1922, 2. Aufl., London 1962, 5.   44. A.a.O. 25.

Mönches Theodor von Tarsus zum Erzbischof von Canterbury (669)[45] das eng-lisch-anglikanische Denken (und Handeln) formende und stets mit neuen Im-pulsen befruchtende griechisch-platonische Philosophie gerade auch die theolo-gische Arbeit der Lambeth Konferenzen prägt, erweist sich an dem Ausmaß, in dem sich alle Konferenzen die aus der griechisch-platonischen Geistigkeit sich nährenden gemeinanglikanischen fundamental-charakteristischen theologischen und ekklesiologischen Formalprinzipien der bruchlos-kontinuierlichen Evolution und der harmonisierenden Comprehensiveness zu eigen machen.

3. Theologisch-ekklesiologische Prinzipien

a) Evolution/Development

Wie stark das theologische Denken der Lambeth Konferenzen im Rahmen des geistes- und theologiegeschichtlichen Erbes der anglikanischen Kirche unter dem Einfluß des griechisch-hellenistischen, platonisch-neuplatonischen Evolutions-schemas im Sinne eines kontinuierlichen Entwicklungsprozesses steht, läßt sich deutlich an den zahlreichen und in vielfältigen Zusammenhängen verwendeten Termini zur Beschreibung dieses Prozesses ablesen: »development«, »progressive-ness«, »gradual process«, »continuity«, »growth«, »completion«, »consumma-tion«, »culmination«, »finality« u. a. m. Dieser Entwicklungsprozeß kann auf der Ebene sachlicher Kontinuität vonstatten gehen, wie z. B. im Verhältnis von Gesetz und Evangelium, wo sowohl die »Erfüllung« des Gesetzes als notwendige sachliche Vorstufe des Evangeliums[46] als auch umgekehrt das Evangelium als die sachliche Voraussetzung für die »Erfüllung« des Gesetzes gesehen werden kön-nen[47] (beide jedoch nie in dialektischen Bezug zueinander gesetzt werden). Er vollzieht sich aber vor allem als historisch-kontinuierliche Entwicklung und Ent-faltung, wenn die Konferenzen etwa von der »progressiveness of the Divine Revelation in the various ages, until it finds its completion in the Person and

45. H. E. Jaeger (Hg.): Zeugnis für die Einheit. Geistliche Texte aus den Kirchen der Reformation, Band III: Anglikanismus, Mainz 1972, 8 (Einleitung. Die Anglika-nische Spiritualität): »Dieser große gelehrte Mönch aus dem Osten steht am Anfang dessen, was man anglikanische Spiritualität nennen kann.«

46. The Lambeth Conference 1958, 2. 16 (Rep.): »It is necessary for men to-day ... to learn of the imperative character of God's moral law as the preparation for the Gospel.«

47. So etwa in dem der Lambeth Konferenz 1948 vorgelegten Memorandum (Lam-beth Conference 1948. Documents ..., Vol. II) »The Church and the Modern World«, in dem das Verhältnis von »Law and the Gospel« so beschrieben wird, daß »man needs the power of the Gospel to conform to the demands of God's Law« (S. 18) oder daß »the Church ... must make clear the relevancy of the Gospel to the requirements of the Law« (ebd.).

teaching and work of the Lord Jesus Christ«[48], von der durch die Person Jesu Christi gegebenen »continuity between the Church of God in the Old Testament and the New«[49], der »continuous developing Anglican tradition«[50] oder von einem in der Welt erkennbaren »creative process ... throughout continuous ... not only ... in its results, but also ... in its origin«[51] sprechen.

Dieses Prinzip sachlich und historisch kontinuierlicher Entwicklung/Entfaltung wird, ohne als solches von den Konferenzen je in Frage gestellt zu werden, doch in zweifacher Hinsicht von diesen bzw. den sie begleitenden Dokumentationen partiell modifiziert. Ohne das Entwicklungsverständnis der römisch-katholischen Kirche direkt anzusprechen und sich von ihm expressis verbis zu distanzieren, weisen die Konferenzen wiederholt darauf hin, daß, da die Offenbarung Gottes ihre »completion«, »culmination«, »climax« definitiv und abschließend in Jesus Christus bzw. der Heiligen Schrift als dem Bericht von Gottes Selbstoffenbarung in der Geschichte gefunden habe, die fortlaufende (Lehr-)Interpretation dieser vom Heiligen Geist Gottes gegebenen Offenbarung in der Kirche bzw. durch die Kirche nichts anderes sein dürfe als eine Entfaltung dieser Offenbarungsbotschaft, die über ihren biblisch-apostolischen Gehalt hinaus keine weiteren neuen (heilsnotwendigen) Wahrheiten postulieren darf[52]. Auf eine zweite Modifikation des sachlichen und geschichtlichen Kontinuitäts- und Entwicklungsprinzipes im Bereich der Lambeth Konferenzen stoßen wir in einigen begleitenden Dokumentationen der Lambeth Konferenz 1968. Im Zusammenhang seiner Überlegungen über »The ›Finality‹ of the Christian Faith« führt H. Chadwick in den der Lambeth Konferenz 1968 als Vorbereitungsmaterial vorgelegten »Lambeth Essays on Faith« aus, daß »the contemporary understandig of doctrinal development must include not merely the idea of an organic growth and enlargement, but also that of some occasional pruning of the tree. The Christian faith that in Christ God is active and present to man for his salvation does not mean that there is an irreformable finality about the hellenized forms in which the Church Fathers affirmed their faith in antiquity«[53]. Chadwick stellt hier u. E. nichts weniger als die kritische Frage, ob der anglikanischen Kirche in dem für sie seit Generationen unbestritten anerkannten platonisch-neuplatonischen Prinzip der »idea of an organic growth and enlargement« das irreformabel-definitive

48. Conference of Bishop of the Anglican Communion ... 1897, 65 f. Doctrine in the Church of England ..., 31: »... that progressive self-revelation of God in history which culminates in Jesus Christ« u. ö.

49. The Lambeth Conference 1958, 2. 5 (Rep.).

50. The Lambeth Conference 1968, 82 (Rep. I. Addendum).

51. Lambeth Conferences 1867–1930, 182 (Lambeth Conference 1930, Rep.).

52. Hier kann nur summarisch auf diesen Tatbestand hingewiesen werden. Auf Einzelheiten wird weiter unten einzugehen sein.

53. H. Chadwick: The »Finality« of the Christian Faith, in: Lambeth Essays on Faith ..., 1968, 31.

Medium und Werkzeug zum adäquat-suffizienten »understandig of doctrinal development« des biblisch-apostolischen Heilsglaubens an die Hand gegeben sei. In die gleiche Richtung, doch ungleich gezielter als bei H. Chadwick in der Infragestellung des spezifisch gemeinanglikanischen Geschichtsverständnisses als harmonisch-kontinuierlicher, organischer Wachstums- und Entwicklungsprozeß auf der erkenntnistheoretischen Basis der platonisch-neuplatonischen Evolutionstheorie scheinen die in der gleichen Dokumentation veröffentlichten Ausführungen des Nationalökonomen D. L. Munby[54] zu weisen, daß das Wirken Gottes in der Geschichte durchaus nicht immer an positiv-progressiven Entwicklungsprozessen ablesbar sei[55], sondern daß »God works in failure and disaster as much as in success«[56], so daß »only a naive nineteenth-century Liberal or Hegelian could believe that the path that has brought us here has revealed the march of God in history«[57]. Die hier vom Theologen und Nichttheologen aufgeworfenen Fragen nach der Angemessenheit des theologischen Denkens im Anglikanismus in den Kategorien eines bruchlos-harmonischen, progressiv-kontinuierlichen Entwicklungsprozesses sowohl als adäquate Möglichkeit zum Ausdruck der biblisch-apostolischen Offenbarungs-/Heilsbotschaft wie auch zum erkennenden »Begreifen« der Geschichte als dem Wirkfeld des verborgenen Gottes in der Welt könnte und sollte in der Tat die anglikanische Theologie dazu anregen, zur Beantwortung der »fundamental questions ... *how* God works and *how* we are to recognize his work«[58] ihre »attention in a more concrete way than (it has) perhaps done hitherto«[59] wieder dem von der frühreformatorischen anglikanischen Theologie im Ansatz übernommenen biblisch-reformatorischen dialektischen Prinzip der »Kontinuität in der Diskontinuität«[60] zuzuwenden.

b) Comprehensiveness

Das zweite auch für die Lambeth Konferenzen charakteristische theologisch-ekklesiologische fundamentale Formalprinzip ist das der Comprehensiveness/Comprehension. Mit der Anwendung dieses seit dem Reformationsjahrhundert[61] das englisch-anglikanische Denken als »one of its most distinctive

---

54. D. L. Munby: Christian Appraisal of the Secular Society, in: a.a.O. 103 ff.

55. A.a.O. 108 spricht er von der »naïve thesis which seems to have ... inspired many empire-builders and missionaries that their success was itself a mark of Providence«.

56. Ebd.

57. A.a.O. 109.

58. A.a.O. 108.

59. A.a.O. 109.

60. Siehe hierzu ausführlicher M. Keller-Hüschemenger: Die Lehre der Kirche im frühreformatorischen Anglikanismus ..., 82 f.

61. Siehe etwa a.a.O. 24, 122, 128, 158 ff., 179, 185, 187 f., 243 ff.

qualities«[62] spezifisch prägenden Denk- und Vorstellungsprinzips, das sowohl »one of our glories«[63] und »our peculiar charisma«[64] ist, wie auch die Gefahr »of a superficial amateurishness«[65] und eines »mere shabby eclecticism«[66] in sich birgt, nehmen die Konferenzen einen integralen »part of the historic tradition of the Church of England«[67] auf. So können wir in der Tat feststellen, daß für alle Lambeth Konferenzen die Comprehensiveness eines der hervorragendsten Charakteristika des »Anglicanism«[68], der »Anglican tradition«[69], der »Church of England« bzw. »Anglican Communion«[70], der »Anglican theology«[71] oder der Lehre der anglikanischen Kirche[72] ist.

Auch das englisch-anglikanische Denken in den Kategorien der Comprehensiveness/Comprehension hat – wie bereits an anderer Stelle aufgezeigt wurde[73] – seine geistesgeschichtliche Stammwurzel im griechisch-platonischen Prinzip der harmonisch-additiv-komplementären Zusammenschau des Seins als Einheit in einer gegliederten Vielfalt, deren unterschiedliche Komponenten sich gegenseitig zu einem harmonisch geordneten Ganzen zusammenfügen. Diese erkenntnistheoretische Basis prägt auch die Aussagen der Lambeth Konferenzen und der sie begleitenden Dokumentationen über die Formalstrukturen und den Formalcha-

62. C. Garbett: The Claims of the Church of England, 5. Aufl., London 1955, 25. Mit den gleichen Worten charakterisiert auch schon S. Dark (The Lambeth Conferences ..., London 1930, 173) die Comprehensiveness als »the distinctive quality of the English Church«.

63. M. Paton: Can we ignore the Establishment?, in: D. M. Paton (Hg.): Essays in Anglican Self-Criticism ..., 143.

64. Anglican Congress 1963, 248 (Diskussionsbeitrag von J. C. Fowler).

65. J. K. Mozley: Some Tendencies in British Theology ..., 94.

66. Anglican Congress 1963, 248 (Diskussionsbeitrag von J. C. Fowler).

67. Lambeth Conference 1948. Documents ..., Vol. I. Report on Relations with Non-Episcopal Churches, 5.

68. Lambeth Conference 1948, II. 84 (Rep.); Lambeth Conference 1958. Documents ..., Vol. I. Prayer Book Revision in the Church of England. A Memorandum of the Church of England Liturgical Commission, 20 u. ö.

69. Lambeth Conference 1948, II. 51 (Rep.).

70. The Six Lambeth Conferences 1867–1920, R. T. Davidson (Hg.), Lambeth Conference 1888, 32 (Ansprache von Erzbischof E. W. Benson zu Beginn der Konferenz am 30. Juni in der Kathedrale zu Canterbury; Benson verwendet an anderer Stelle auch den Begriff der »embracingness«). J. R. Cohu: Addresses on the Lambeth Conference 1920 ..., 37. Lambeth Conference 1948, I. 22 (Encyclical Letter), II. 42, 50 f. (Rep.). Subscription and Assent to the 39 Articles ..., 72, Ziff. 89 d u. ö.

71. The Lambeth Conference 1968, 82 (Rep. I. Addendum).

72. Subscription and Assent to the 39 Articles ..., 10, Ziff. 4: »... the Church's doctrinal comprehensiveness ...«

73. M. Keller-Hüschemenger: Die Lehre der Kirche im frühreformatorischen Anglikanismus ..., 118 ff., 158 f., 243 ff.

rakter der Comprehensiveness. Zwar wird die Sache »Comprehensiveness« auf sämtlichen Lambeth Konferenzen auf die eine oder andere Weise mehr oder weniger implizit in andersthematischen Zusammenhängen abgehandelt; doch finden sich thematisch-explizite Äußerungen zu ihrem Verständnis im Anglikanismus nur im Report der Sektion III der Lambeth Konferenz 1968, der im Abschnitt über die »Relations with the Eastern Orthodox Churches« eine ausführliche Darstellung des Comprehensiveness-Verständnisses in der anglikanischen Theologie bietet: »Comprehensiveness is an attitude of mind which Anglicans have learned from the thought-provoking controversies of their history ... Comprehensiveness demands agreement on fundamentals, while tolerating disagreement on matters in which Christians may differ without feeling the necessity of breaking communion[74]. In the mind of an Anglican, comprehensiveness is not compromise[75]. Nor is ist to bargain one truth for another. It ist not a sophisticated word for syncretism. Rather it implies that the apprehension of truth is a growing thing ... Comprehensiveness implies a willingness to allow liberty of interpretation[76] with a certain slowness in arresting or restraining[77] exploratory thinking«[78]. Gerade diese letztere Teilcharakterisierung des Comprehensiveness-Prinzips mit der impliziten Forderung auf Verzicht »to make any formal pronouncement on critical questions«[79] wird zum Ansatzpunkt einer

74. Ähnlich auch Lambeth Conference 1948, Documents ..., Vol. I. A Statement on the Fellowship of the Anglican Churches ..., 15: »... those who see the value in the comprehensiveness of Anglican Churches accept these differences (»different views of doctrine in detail«) as ... different views of the one great mountain of divine truth. Yet these differences may be insights into the truth pointing to elements which are complementary, the one to the other, and, therefore, may be needed in the totality of truth. From this point of view men can learn to tolerate each other's different schemes of theological apprehension ... They can live together in one Church respecting one another.«

75. Die Conference of Bishops of the Anglican Communion ... 1908, 186 (Rep.) fordert, daß der Weg hin zu einer wiedervereinigten universalen Kirche »should be not compromise for the sake of peace, but comprehension for the sake of truth«; auch a.a.O. 43 (Encyclical Letter): »We must constantly desire not compromise but comprehension.«

76. Vgl. etwa auch Acts of the Convocations of Canterbury and York 1921–1970, 126 (Report of the Archbishops' Commission on Doctrine, 1938): »... desiring to maintain in the Church the fullest freedom of enquiry which is compatible with spiritual fellowship ...«

77. So auch Anglican Congress 1954, 15 (Ansprache von Erzbischof A. M. Ramsey, 4. 8. 1954): »The Anglican tradition is wisely restrained, not wishing to obscure truth or hamper freedom by over-definition or over-precision ...«

78. The Lambeth Conference 1968, 140 (Rep.).

79. Conference of Bishops of the Anglican Communion ... 1897, 67 (Rep.). Siehe auch die Committee-Empfehlung der Lambeth Konferenz 1888 zur Erstellung einer

zumindest partiellen Kritik aus dem Anglikanismus selbst heraus. Das Ausklammern kontroverser Fragen bzw. der Verzicht auf ihre Klärung ist in den Augen mancher Anglikaner nicht nur deshalb ein unmögliches Verfahren[80], weil es sich nur unter Verwendung von »ambiguous words«[81] durchführen läßt, sondern vor allem auch, weil sich hinter einer solcherart interpretierten Comprehensiveness »a certain failure of intellectual precision in the treatment of many problems«[82] verbergen kann, die »the presence of two or three different views put before us, presented but not conciliated«[83], also einer theologischen »superficial amateurishness«[84] Vorschub leistet, oder weil sich unter ihr gar »conceal internal divisions which may cause its (i. e. Anglican Church's) disruption«[85]. Denn auch die »Anglican comprehensiveness is not, of course, an unlimited comprehensiveness«[86], die sich kirchlichen Lehr-, Ordnungs- und Lebensfragen gegenüber grundsätzlich wertungsneutral verhielte. Vielmehr »are we compelled to recognize that there are limits to the principle of comprehension in the Church«[87] und daß »there is a limit to the possibiliy of living together within a Church«[88].

Seit der Reformationsperiode des 16./17. Jahrhunderts ist die anglikanische Spiritualität geprägt durch das ekklesiologische Selbstverständnis der Church of England bzw. der Kirchen der Anglican Communion als des – zunächst territorial auf England begrenzten und später in zunehmend globaler Weite in allen Teilen der Welt präsenten – Teiles der universalen apostolisch-katholischen Kirche, der durch die Reformation hindurch in ungebrochener Kontinuität das apostolisch-katholische Erbe der ungeteilten alten Väterkirche/Primitive Church in

»plain and brief summary of the definite doctrinal grounds upon which the Anglican Churches stand«: »The summary should be ... free from all questions of doubtful controversy« (Conference of Bishops of the Anglican Communion ..., 1888, 78); ähnlich auch Pan-Anglican Congress 1908. Report to Lambeth Conference 1908, 47 f.: »Comprehension the embracing of positions and rejection of mere negations.«

80. –: The Lambeth Conference 1888, in: The Church Quarterly Review, Vol. XXVII, 1888, 10: »... would be impossible ...«

81. Lambeth Conference 1948. Documents ..., Vol. I. A Statement on the Fellowship of the Anglican Churches ..., 14.

82. A. C. Headlam: The Lambeth Conference, in: The Church Quarterly Review, Vol. XCI, 1920, 140.

83. Ebd.

84. J. K. Mozley: Some Tendencies in British Theology ..., 94.

85. Lambeth Conference 1948, II. 84 (Rep.).

86. Lambeth Conference 1948. Documents ..., Vol. I. F. De Witt Batty: The Australian Proposals for Intercommunion ..., 21.

87. The Fulness of Christ. The Church's Growth into Catholicity being a Report presented to His Grace the Archbishop of Canterbury ..., London 1950, 7.

88. A.a.O. 11.

der für ihn spezifischen harmonisch-komplementären Comprehensiveness seiner
»catholic and reformed/protestant« Faktoren, Elemente und Traditionen in
Lehre, Ordnung und Frömmigkeit rein und in seiner ursprünglichen Gänze erhalten hat und ständig aktualisiert. Zwar konnte sich im Laufe der Geschichte
dieser Kirche die katholisch-reformatorisch/protestantische Balance zuweilen zugunsten dieses oder jenes Komplementärrelats verschieben, jedoch niemals in
einem solchen Ausmaß, daß das andere Relat ganz aufgehoben oder zur Be-
deutungslosigkeit minimalisiert worden wäre. Dieses anglikanische Comprehensiveness-Verständnis ist auf der einen Seite offen für einen noch durchaus in
Gang befindlichen dynamischen Wachstums- und Entwicklungsprozeß, da es
seine spezifisch anglikanische »Catholic and Reformed« Comprehensiveness nur
als eine Zwischenstation zum Endziel der allumfassenden »Reunited Universal
Apostolic and Catholic Church of Christ« sieht[89], in der – da »no one branch of
the Church is absolutely by itself alone the Catholic Church«[90] – »all branches ...
in order to the completeness of the Church«[91] ihre spezifischen »elements of
divine truths now emphasized by separated bodies«[92], alle ihre »treasures of
faith and order, bequeathed as a heritage by the past to the present«[93], ihre
»special services ... to the whole Church«[94], »all the spiritual gifts and insights
by which the particular Churches live to His (Christ's) glory«[95] einbringen.
Denn diese wiedervereinigte universale »One Holy Catholic Church of the
Divine Redeemer, into which all the divided groups of His faithful people must
bring what they have of glory and honour, and which cannot be made perfect
till all it parts are drawn together in Him«[96], »needs the fulness of the nations«[97], zu der u. a. etwa auch die alten »nations of Asia and Africa ... by
characteristic statements of the permanent Gospel, and by characteristic exam-

89. So etwa Lambeth Conference 1948, I. 22 (Encyclical Letter): »Reunion of any
part of our Communion with other denominations ... must make the resulting Church
no longer simply Anglican, but something more comprehensive. There would be ... a
united Church, Catholic and Evangelical, but no longer in the limited sense of the word
Anglican.«

90. The Lambeth Conferences of 1867, 1878, and 1888, R. T. Davidson (Hg.), 243
(Lambeth Conference 1888, Predigt von Bischof Whipple [Minnesota] in der Lambeth
Chapel, 3. Juli 1888, ohne Textangabe).

91. Ebd.

92. Conference of Bishops of the Anglican Communion ... 1908, 186 (Rep.).

93. Lambeth Conferences 1867–1930, 39 (Lambeth Conference 1920, Res.: An
Appeal to All Christian People).

94. Lambeth Conference 1948, I. 22 (Encyclical Letter).

95. Lambeth Conference 1958, 2. 22 (Rep.).

96. Lambeth Conferences 1867–1930, 141 (Lambeth Conference 1920, Rep.).

97. A.a.O. 32 (Lambeth Conference 1920, Encyclical Letter).

ples of Christian virtue and types of Christian Worship« (noch) beitragen (werden)[98]. Erst in dieser additiv-komplementären ökumenisch-komprehensiven Kirche ist die »fulness of the witness of the whole Church«[99] realisiert. Auf der anderen Seite bewahrt dieses Comprehensiveness-Verständnis die anglikanische Kirche(n) zugleich aber auch vor einem nach allen Richtungen hin ungehemmt auswuchernden theologisch und ekklesiologisch indifferenten und profillosen »Katholizitäts«-Verständnis, vielmehr setzt sie dieser »Katholizität« mit ihrem großzügigen Freiheitsraum doch auch klare Grenzen[100], die markieren, was »impatible with the Christian faith or Anglican tradition«[101] ist, und die denjenigen, »who holds an opinion thus condemned, ... (excludes) ... from the exercise of office or of the membership in the Church«[102]. Für den Anglikanismus sind diese »limits of toleration ... plainly marked«[103] durch die »upon the certain warrant of Holy Scripture«[104] begründeten »formularies and customs of the Church«[105], die in den vier »essentials/elements«[106], »formative possessions of the Church«[107] und den »visible marks of Catholic unity«[108] des »Lambeth Quadrilateral« – die Heilige Schrift Alten und Neuen Testaments, die altkirchlichen Symbole, die beiden von Christus eingesetzten Sakramente Taufe und Abendmahl sowie der Historische Episkopat bzw. ein von allen Kirchen anerkanntes (durch bischöflich-apostolische Sukzession vermitteltes)

98. A.a.O. 163 (Lambeth Conference 1930, Res.). Vgl. auch Lambeth Conference 1948. Documents ..., Vol. I. A Statement on the Fellowship of the Anglican Churches ..., 15: »... we expect other nations either now to have, or after their conversion to develop new views of the mountain of divine truth which stands behind and above our tradition.«

99. Lambeth Conferences 1867–1930, 25 (Lambeth Conference 1920, Encyclical Letter).

100. Doctrine in the Church of England ..., 3: »... we have indicated a clear line beyond which any doctrine or interpretation would seem to us not permissible.«

101. Ebd.

102. Ebd.

103. Lambeth Conference 1948. Documents ..., Vol. I. F. De Witt Batty: The Australian Proposals for Intercommunion ..., 21.

104. Anglican Congress 1954, 35 (J. W. C. Wand: The Position of the Anglican Communion in History and Doctrine).

105. Lambeth Conference 1948. Documents ..., Vol. I. F. De Witt Batty: The Australian Proposals for Intercommunion ..., 22.

106. Pan-Anglican Congress 1908. Report to Lambeth Conference 1908, Section F. The Anglican Communion, 54. The Lambeth Conference 1968, 123 (Rep.).

107. Anglican Congress 1954, 14 (Erzbischof A. M. Ramsey, Ansprache am 4. 8. 1954).

108. A. M. Ramsey: Principles of Christian Unity, in: Lambeth Conference 1968. Essays on Unity, 3.

Amt[109] – ihren nicht allein für die Anglican Communion[110], sondern für die als Endziel angestrebte Reunited Apostolical and Catholic Universal Church[111] verbindlichen Ausdruck gefunden haben. »A Church which is united on all the four main points, the Canon, the Creed, the two Sacraments, and the Ministry can tolerate within it a certain degree of variety in expression and emphasis, because it is *one* in regard to all the fundamental elements in its historic life.«[112]

109. Auf das Lambeth Quadrilateral wird weiter unten noch mehrfach ausführlich einzugehen sein.

110. Die vier Artikel des Lambeth Quadrilateral waren ursprünglich als »a basis on which approach may be by God's blessing made towards Home Reunion« (Conference of Bishops of the Anglican Communion ... 1888, 24, Res. 11) konzipiert.

111. Die Aufnahme in den »Appeal to All Christian People« der Lambeth Konferenz 1920 funktioniert das Lambeth Quadrilateral um zu einem unaufgebbar-integralen Element einer »much larger communion of National or Regional Churches, in full communion with one another, united in all terms of what is known as the Lambeth Quadrilateral« (Lambeth Conference 1948, I. 23; Encyclical Letter; siehe auch Lambeth Conferences 1867–1930, 38, 119: Lambeth Conference 1920, An Appeal to All Christian People; The Lambeth Conference 1958, 2. 22: Rep.; The Lambeth Conference 1968, 123: Rep.).

112. Th. Strong: Lambeth Conference 1930, in: The Church Quarterly Review, Vol. CXIV, 1932, 91. – Anmerkungsweise sei hier die Frage angeschnitten, ob bzw. wieweit das auch von allen Lambeth Konferenzen vertretene spezifisch anglikanische Verständnis der »Catholic and Reformed« Compehensiveness der ökumenischen Intention der anglikanischen Kirchen heute noch völlig gerecht werden kann. Bis hin zur letzten Lambeth Konferenz 1968 zielt die erkenntnistheoretisch auf griechisch-hellenistischen Denk- und Vorstellungsstrukturen basierende anglikanische Compehensiveness im ökumenisch-zwischenkirchlichen Bereich auf die Überwindung des konfessionskirchlichen Partikularismus der derzeitigen »reformatorischen« und »katholischen« Kirchen in der komplementär-additiven »fulness« einer die »katholischen« und »reformatorischen« Elemente in sich fassenden wiedervereinigten Universal Catholic and Apostolic Church ab. Diese Konzeption konnte in der Tat den ökumenischen Intentionen des Anglikanismus so lange gerecht werden, wie die ökumenischen Bestrebungen fast ausschließlich auf die klassischen abendländischen »katholischen« und »reformatorischen« Kirchen ausgerichtet waren. Diese Situation hat sich jedoch u. E. spätestens seit dem Anfang der 60er Jahre dieses Jahrhunderts insofern geändert, als einmal neben die klassischen »katholischen« und »reformatorischen« Kirchen in steigendem Maße auch theologisch-ekklesiologisch spezifisch »pfingstlerisch-pentecostal« geprägte Kirchen und Gemeinschaften in den ökumenischen Horizont einbezogen wurden bzw. werden. Und zum andern bahnt sich seitdem in der Dimension der erkenntnistheoretischen Basis insofern zunehmend profilierter eine neue Situation an, als das theologische und ekklesiologische Denken der auch in immer größere geistige Unabhängigkeit und Eigenständigkeit hineinwachsenden nichtabendländischen Kirchen – etwa in der »Schwarzen Theologie / Black Theology« als stellvertretendes Beispiel für parallele Vorgänge in andern Teilen der nichtabendländischen Ökumene – sich von der erkenntnistheoretischen Basis der griechisch-helleni-

stischen abendländischen Denk- und Vorstellungsstrukturen ablöst. Abgesehen von der generellen Frage, wie weit das auf diese neuen Faktoren ausgeweitete Formalprinzip der additiv-komplementären Compehensiveness sich mit dem biblisch-hebräischen Denken in Einklang bringen läßt, erhebt sich speziell für die anglikanische Theologie die Frage, ob bzw. wieweit ihr Materialprinzip der »Catholic and Reformed Comprehensiveness« in der gegenüber früher veränderten ökumenischen Situation heute eher der Verfestigung eines bipolaren katholisch-reformatorischen Partikularismus dient als dem Durchbruch zu einem »katholische«, »reformatorische« und »pfingstlerisch-pentecostale« Elemente in sich fassenden Ökumenismus, dem sich unsere »klassischen« abendländischen »katholischen« und »reformatorischen« Kirchen heute gegenübersehen.

IV. Das Lehrverständnis der Lambeth Konferenzen

1. Kirchenautoritative Lehrdokumente

Die Lambeth Konferenzen bewegen sich durchaus auf der Linie gesamtanglikanischer Tradition, wenn sie hin und wieder eine Aufzählung von »Authoritative Standards of Doctrine und Worship, which are the primary means of securing internal union amongst ourselves and of setting forth our Faith before the rest of Christendom«[1] bieten. Als solche »authoritative standards«[2], »standards of all our teaching«[3], »body of teaching/repositions of teaching«[4] geben sie je nach der aktuellen theologisch-ekklesiologischen Kontroverssituation in variablen Zusammenstellungen und in unterschiedlicher Häufigkeit die Heilige Schrift[5], die altkirchlichen Symbole/Creeds[6], das Book of Common Prayer[7] mit Ordinal[8], die

1. Conference of Bishops of the Anglican Communion ... 1888, 105 (Rep.). Subscription and Assent to the 39 Articles ..., 72, Ziff. 98 e. Siehe zur Frage des Umfanges der kirchenautoritativen Bekenntnis-/Lehrdokumente M. Keller-Hüschemenger: Die Lehre der Kirche im frühreformatorischen Anglikanismus ..., 15 ff. und ders.: Die Lehre der Kirche in der Oxford Bewegung ..., 168 f.

2. Conference of Bishops of the Anglican Communion ... 1888, 18 (Encyclical Letter).

3. Conference of Bishops of the Anglican Communion ... 1897, 20 (Encyclical Letter).

4. Conference of Bishops of the Anglican Communion ... 1888, 77 (Rep.).

5. Conference of Bishops of the Anglican Communion ... 1867, 13 (Res.). Conference of Bishops of the Anglican Communion ... 1878, 10, 35 (Rep.). Conference of Bishops of the Anglican Communion ... 1888, 24 (Res. 11: Lambeth Quadrilateral). Conference of Bishops of the Anglican Communion ... 1897, 20 (Encyclical Letter) u. ö.

6. Conference of Bishops of the Anglican Communion ... 1867, 13 (Res.), 22 (Address of the Bishops). Conference of Bishops of the Anglican Communion ... 1878, 10, 35 (Rep.). Conference of Bishops of the Anglican Communion ... 1888, 24 (Res. 11: Lambeth Quadrilateral) u. ö.

7. Conference of Bishops of the Anglican Communion ... 1878, 35 (Rep.). Conference of Bishops of the Anglican Communion ... 1888, 18 (Encyclical Letter), 77 (Rep.). Conference of Bishops of the Anglican Communion ... 1897, 20 (Encyclical Letter). The Lambeth Conference 1968, 82 (Rep. I. Addendum). Subscription and Assent to the 39 Articles ..., 14, Ziff. 12 u. ö.

8. Conference of Bishops of the Anglican Communion ... 1888, 19 (Encyclical Letter), 106 (Rep.). The Lambeth Conference 1968, 82 (Rep. I. Addendum). Subscription and Assent to the 39 Articles ..., 14, Ziff. 12 u. ö.

39 Articles[9], den Katechismus[10] und das Book of Homilies[11] an. Auch sie wollen die Zusammenstellungen speziell der in der englischen Reformationsepoche des 16. und 17. Jahrhunderts konzipierten »official statements of the Church of England« weder verstanden wissen als »›confessions‹ or ›foundation documents‹, setting out a specifically Anglican *corpus* of doctrine to be the starting-point of all later Anglican teaching«[12], wie sie etwa das Corpus doctrinae der Bekenntnisschriften der lutherischen Reformationskirchen verstehen, noch wollen sie den Anspruch erheben, als stelle die Aufnahme dieser Lehrdokumente in die offiziellen Verlautbarungen der einzelnen Konferenzen – also in den Enzyclical Letters und Resolutions – eine Art kirchenoffizieller Autorisation und Bestätigung ihres gesamtanglikanischen kirchenkonstitutiven und -autoritären Charakters für die Gliedkirchen der Anglican Communion durch die Konferenzen dar. Vielmehr »reflektieren«[13] diese variabel zusammengestellten Lehrdokumenten-Kataloge (oder auch die Erwähnung des einen oder anderen dieser Dokumente) nur einen gemeinanglikanisch anerkannten theologie- und kirchengeschichtlichen Tatbestand im Raum der Church of England bzw. der Anglican Communion[14].

Wenn die (gewöhnlich) von der jeweiligen theologischen oder/und kirchlichen Lage mehr oder weniger mitbestimmten variablen Aufzählungen der oben angeführten Dokumente und Lehrformularien zeigen, daß auch die Lambeth Konferenzen[15] keinen kirchenautoritativ fixierten »Kanon« Symbolischer Bücher im Sinne des Corpus doctrinae der lutherischen Bekenntnisschriften kennen, so stimmen diese Zusammenstellungen doch insofern sachlich im Kern weithin überein,

9. Conference of Bishops of the Anglican Communion ... 1888, 19 (Encyclical Letter). Lambeth Conference 1948. Documents ..., Vol. II. L. Hodgson: The Doctrine of the Church as Held and Taught in the Church of England, 7. The Lambeth Conference 1968, 82 (Rep. I. Addendum). Subscription and Assent to the 39 Articles ..., 14, Ziff. 12 u. ö.

10. Conference of Bishops of the Anglican Communion ... 1888, 18 (Encyclical Letter), 77 (Rep.). Anglican Congress 1954, 36 (J. W. C. Wand: The Position of the Anglican Communion in History and Doctrine). Lambeth Conference 1958. Documents ..., Vol. I. Principles of Prayer Book Revision ..., 59.

11. Conference of Bishops of the Anglican Communion ... 1888, 77 (Rep.). The Lambeth Conference 1968, 82 (Rep. I. Addendum). Subscription and Assent to the 39 Articles ..., 14, Ziff. 12.

12. Lambeth Conference 1948. Documents ..., Vol. II. L. Hodgson: The Doctrine of the Church..., 7.

13. Ebd.

14. Vgl. zur Frage der theologischen und ekklesiologischen Autorität der Lambeth Konferenzen allgemein oben S. 15 ff.

15. Zur Frage eines solchen Bekenntnisschriften-Kanons in der anglikanischen Theologie und Kirche siehe etwa M. Keller-Hüschemenger: Die Lehre der Kirche im frühreformatorischen Anglikanismus ..., 15, 19, 30; ders.: Die Lehre der Kirche in der Oxford Bewegung ..., 168 f., 179 ff.

als die in *einer* Aufstellung genannten Dokumente in anderen Aufstellungen, in denen sie nicht expressis verbis angeführt sind, tatsächlich doch mit enthalten sind als Bestandteile der dort aufgeführten Formularien; so etwa bei der Nicht-aufführung der Creeds, des Ordinal oder des Katechismus als Bestandteilen des Book of Common Prayer oder des Book of Homilies in seinem Bezug zu den 39 Articles (Art. XXXV). Unter diesem Aspekt lassen sich die in den offiziellen Verlautbarungen der Lambeth Konferenzen sowie in den Äußerungen der sie begleitenden Dokumentationen aufgeführten kirchenautoritativen Lehrdokumente auf zwei reduzieren: das Book of Common Prayer und die 39 Articles of Religion.

Beiden – dem Book of Common Prayer und den 39 Articles – eignen nicht nur in ihrem Verhältnis zueinander und für die einzelnen Kirchen der Church of England bzw. der Anglican Communion als ganzer unterschiedliche theologische und ekklesiologische Autoritäts- und Verbindlichkeitsgrade, sondern jedes für sich hat eine spezifische Geschichte seiner Bedeutung für die Lehre und lehrbezogenen Ordnungen der Kirche von England bzw. die anglikanische Kirchenfamilie in den Lambeth Konferenzen von 1867 bis 1968 durchlaufen.

a) 39 Articles of Religion

Auch für die Lambeth Konferenzen ist dem Anglikanismus im Corpus der 39 Articles of Religion einer der kirchenkonstitutiven und -charakteristischen »standards of doctrine (and worship)«[16] gegeben, »which are especially the heritage of the Church of England, and which are, to a greater or less extent, received by all her sister and daughter Churches / by all the Churches of our Communion«[17]. Sie haben nicht nur »represented the doctrinal, ecclesiastical, and historical position of Anglicanism in relation to the rest of Western Christendom in the sixteenth century«[18], sondern »still define by (their) retention the position of the Church of England in relation to other Christian bodies«[19]. Wenn die Bischöfe der Konferenz von 1888, die sich besonders ausführlich mit den Fragen um die gegenwärtige Bedeutung der anglikanischen »authoritative standards« im Blick auf die Missionskirchen beschäftigen, hinsichtlich der 39 Articles »thank God for the wisdom which guided our fathers, in difficult times, in framing statements of doctrine, for the most part accurate in their language and reserved and moderate in their definitions«[20] oder der Pan-Anglican Con-

---

16. Conference of Bishops of the Anglican Communion ... 1888, 19 (Encyclical Letter), 108 (Rep.).   17. Ebd.
18. Lambeth Conference 1930. Memoranda. Archbishops' Doctrinal Commission Reports No 1, The Authority of Anglican Formularies ..., 14.
19. Ebd.
20. Conference of Bishops of the Anglican Communion ... 1888, 110 (Rep.).

gress 1908 in seinem Bericht an die Lambeth Konferenz des gleichen Jahres feststellt, daß eine Anzahl »doctrines of the Articles ought to be regarded as fixed and unchangeable for Churches of our Communion«[21], so sollen und wollen doch diese und ähnliche Äußerungen nicht besagen, die 39 Articles hätten nach Meinung der Konferenzen jemals »held the dominant place in the life of the English Church that Continental confessions or the Westminster Confession have had for other communions«[22].

Denn bereits seit den »katholischen« und z. T. den »reformatorischen« Theologen und Kirchenmännern der Reformationsperiode des 16. und 17. Jahrhunderts und verstärkt unter dem Einfluß der durch R. Hooker und die Caroline Divines Denken und Leben, Charakter und Gesicht der Church of England weitgehend bestimmenden High-Church-Theologie bis hin zur Oxford Bewegung und dem aus ihr sich entwickelnden Anglo-Katholizismus seit der Mitte des 19. Jahrhunderts unterliegen die Articles unter dem für das anglikanische theologische Denken seit jeher spezifischen »historical aspect« als Corpus oder in Teilen einem lehrgeschichtlichen Entwicklungs- und Relativierungsprozeß in ihrer Bedeutung als kirchenfundamentales und -charakteristisches Lehrdokument der Church of England bzw. später der Kirchen der Anglican Communion und damit verbunden wiederholten Modifikationen[23]. Dieser Prozeß wird aufgenommen, spiegelt sich wider und setzt sich fort in den thematischen Äußerungen und direkten und impliziten Hinweisen in andersthematischen Zusammenhängen in den offiziellen Dokumenten und sonstigen Verlautbarungen der Lambeth

21. Pan-Anglican Congress 1908. Report to Lambeth Conference 1908, 50.

22. Lambeth Conference 1958. Documents ..., Vol. I. Prayer Book Revision in the Church of England ..., 35. Auch: Doctrine in the Church of England ..., 9: »They (39 Articles) have not, at any rate, from the early seventeenth century onwards, taken in our system the place occupied in the Lutheran system by the Augsburg Confesson.« Vgl. hierzu auch den Bericht über die von der Lambeth Konferenz 1968 und dem Lutherischen Weltbund autorisierten Gespräche 1970–1972 (Lutherische Rundschau 1972, Heft 4, 29 f.): »29. Auf lutherischer Seite nehmen die reformatorischen Bekenntnisse immer noch offiziell einen herausgehobenen Platz im theologischen Denken und in der theologischen Ausbildung, in der Katechese, in den Verfassungen der einzelnen Kirchen und bei der Ordination der Pfarrer ein. Sie dienen als ein Verbindungsglied zwischen den Kirchen der lutherischen Familie. 30. Auf anglikanischer Seite werden die 39 Artikel allgemein anerkannt als Ausdruck für eine bedeutsame Phase in einer formative Periode anglikanischen Denkens und Lebens. Die ihnen heute in anglikanischen Kreisen beigemessene Bedeutung ist unter den anglikanischen Kirchen wie auch unter den Gruppen innerhalb der einzelnen Kirchen unterschiedlich.«

23. Siehe hierzu M. Keller-Hüschemenger: Die Lehre der Kirche im frühreformatorischen Anglikanismus ..., 24 ff., 186 f., 213, 217 f., 229 f.; ders.: Die Lehre der Kirche in der Oxford Bewegung ..., 113, 169 f., 177 ff., 183 f., 237 ff.; E. J. Bicknell: A Theological Introduction to the Thirty-Nine Articles of the Church of England, 22 f. W. H. G. Tho-

Konferenzen und der sie begleitenden Dokumentationen, bis er mit den die Articles betreffenden Empfehlungen der Lambeth Konferenz 1968 zu einem vorläufigen Abschluß gelangt.

Der »historical aspect«, unter dem auch die Lambeth Konferenzen die Bedeutung der Articles für die Church of England und die Anglican Communion bewerten, sichert den Articles auch im Urteil dieser Konferenzen einerseits einen unbestrittenen »place in the historical context of a continuous, developing tradition«[24], relativiert aber auch zugleich ihre theologische und – inneranglikanische sowie ökumenische – ekklesiologische Bedeutung für die Church of England bzw. die Anglican Communion in mehrfacher Beziehung, weil »the whole of The Thirty-nine Articles (are) coloured ... in language and form by the peculiar circumstances under which they are drawn up«[25]. Diese Umstände sind einmal »temporär«-historischer Natur[26]. Denn ihrer primären Intention nach sind sie »a declaration of positions adopted by the Church of England at a critical moment in relation to the chief controversies of that moment«[27]. Dieser kritische historische Moment, in dessen Licht die Articles zunächst gelesen werden müssen, ist die einmalig-unwiederholbare »doctrinal, ecclesiastical, and historical position of Anglicanism in relation to the rest of the Western world in the sixteenth century«[28]. Eine weitere Gruppe dieser »peculiar circumstances«, die Sprache und Form der 39 Articles mitgestaltet haben und die dem globalen Charakter der Lambeth Konferenzen entsprechend bei deren Überlegungen über die Autorität der Articles stärker hervortreten als bei den Beratungen der primär territorial orientierten nationalkirchlichen Organe und Bischofskonferenzen, sind »lokal«-geschichtlicher Art[29], nämlich die spezifischen national-territorialkirchlichen Verhältnisse des England des 16. und 17. Jahrhunderts. Sie verleihen den Articles vornehmlich »a historical meaning for us in their historic (English) environment«[30]. Wenn aber der Aktualitätshorizont der Articles derart auf den

---

mas: The Principles of Theology. An Introduction to the Thirty-Nine Articles, 489 f. Subscription and Assent to the 39 Articles, 9 ff., 19 ff., 31 f.

24. The Lambeth Conference 1968, 82 (Rep. I. Addendum).

25. Conference of Bishops of the Anglican Communion ... 1888, 19 (Encyclical Letter).

26. A.a.O. 110 (Rep.).

27. Doctrine in the Church of England ..., 9.

28. Lambeth Conference 1930. Memoranda. Archbishops' Doctrinal Commission Reports ..., The Authority of Anglican Formularies ..., 14. Subscription and Assent to the 39 Articles ..., 10: »The Articles ... had the more limited aim of determining questions ... which disturbed the peace of the Church in the mid-sixteenth century.«

29. Conference of Bishops of the Anglican Communion ... 1888, 110 (Rep.).

30. Pan-Anglican Congress 1908. Report to Lambeth Conference 1908, 52 (The Anglican Communion).

theologisch-ekklesiologischen, geistig-kulturellen und staatskirchenrechtlich-politischen Bereich des England des 16./17. Jahrhunderts begrenzt wird, dann können sie verständlicherweise auch »not always meet the requirements of Churches founded under wholly different conditions«[31] und müssen damit mehr oder weniger ihren Anspruch in Frage stellen lassen, auch für solche Kirchen »authoritative standards of doctrine« zu sein[32]. Die »temporal and local circumstances under which they were composed«[33] involvieren schließlich noch eine sachlich-inhaltliche Einschränkung der 39 Articles. Wohl betonen auch die Lambeth Konferenzen und die sie begleitenden Dokumentationen hin und wieder den Comprehensiveness-Charakter der Articles, etwa mit dem Hinweis darauf, daß »their aim was not so much to arrive at agreed formulae as to leave room in the Church of England for men of various views and tendencies which were not contrary either to the Holy Scriptures or to the definitions of the undivided Church«[34]. Die Charakterisierung der Articles als eines komprehensiven Lehrdokumentes will also nicht besagen, daß es eine systematische Gesamtdarstellung christlichen Glaubens / christlicher Lehre beinhalte. Vielmehr bezieht sich diese Charakterisierung auf die in den »reformatorisch-protestantischen« Elementen der »Holy Scriptures« und den »katholischen« Elementen der »definitions of the undivided Church« gleicherweise verankerte »komprehensive« Interpretationsmöglichkeit seiner Artikel sowohl im »reformed/protestant« wie auch im »catholic« Verständnis als die kirchenautoritative Klarstellung von »questions – some of them, certainly, very important questions – which disturbed the peace of the Church in the mid-sixteenth century«[35]. Diese temporär, territorial und sachlich begrenzte Aufgabe kennzeichnet dieses Lehrdokument somit primär als die konkret-aktuelle Antwort der Church of England im Reformationsjahrhundert auf einen zeit- und lagebedingt begrenzten Kreis strittiger Fragen in Lehre, Ordnung und Praxis der Kirche jener Epoche und schließt damit sein »komprehensives« (Selbst-)Verständnis als »a complete systematic statement of Christian truth«[36], »a complete confession of faith«[37], »a complete statement of Christian doctrine«[38] aus.

Die im (entwicklungs-)geschichtlichen Charakter der Articles begründete drei-

31. Conference of Bishops of the Anglican Communion ... 1888, 110 (Rep.).

32. Das geschieht etwa im Bericht über »The Anglican Communion« des Pan-Anglican Congress 1908 bezüglich der anglikanischen Kirchen in Japan und China (S. 52): »... how can they have this for Japanese and Chinese.«

33. Conference of Bishops of the Anglican Communion ... 1888, 110 (Rep.).

34. Lambeth Conference 1948. Documents ..., Vol. I. A Statement on the Fellowship of the Anglican Churches ..., 14.

35. Subscription and Assent to the 39 Articles ..., 10.

36. Ebd.

37. Doctrine in the Church of England ..., 9.

38. Conference of Bishops of the Anglican Communion ... 1888, 111 (Rep.).

fache historische, territoriale und sachlich-inhaltliche Begrenzung und Relativierung ihrer kirchenkonstitutiven und -charakteristischen Wertigkeit und Autorität impliziert nicht nur die Möglichkeit, sondern auch die Notwendigkeit, daß »a certain liberty of treatment must be extended to the cases of native and growing Churches«[39], deren Ausmaß auch ihrerseits wieder von geschichtlichen Faktoren mitbestimmt ist. Zwar werden die Articles bereits in den unmittelbar nachreformatorischen Jahrhunderten mehreren leichteren Modifikationen unterzogen[40]. Doch erst die globale Ausweitung der anglikanischen Kirche im 18. und verstärkt im 19. Jahrhundert, die auch über die Grenzen des British Empire hinaus die Gründung zahlreicher »Tochter«- und Missionskirchen in Territorien zur Folge hatte, welche sich in ihren ethnischen, (staats-)politischen, soziologischen, zivilisatorisch-technischen und geistig-kulturellen Vorgegebenheiten und Strukturen von denen der englischen »Mutter«-Kirche teilweise sehr stark unterschieden, stellt die anglikanische Kirche und Theologie erst recht eigentlich vor das Problem der Notwendigkeit weiterreichender und tiefergreifender Revisionen und Modifikationen der Articles, die einerseits deren theologische Substanz in der ursprünglichen Fassung bewahren, andererseits dieser Substanz in den vom kirchlichen Mutterland unterschiedlichen Situationen der Gliedkirchen – besonders in den nicht-christlichen Ländern – sachlich adäquaten Ausdruck geben sollten. Mit diesem Problem sehen sich die verschiedenen Lambeth Konferenzen bis in die Gegenwart hinein in ihrem globalen Repräsentationscharakter und ihrem pan-anglikanischen Verantwortungsbewußtsein in ganz besonderer Weise immer wieder konfrontiert. Ihre diesbezüglichen Äußerungen – und die der sie begleitenden Dokumentationen – bieten nun aber keine abgeschlossenen, über die Jahrzehnte hin sachlich-inhaltlich gleichbleibenden Antworten, sondern bilden ihrerseits wiederum eine historische Kette von Empfehlungen, die beginnt mit »quantitativen« Modifikationsvorschlägen früherer Lambeth Konferenzen, welche die kirchenautoritative Verbindlichkeit der einzelnen Artikel dieses Lehrdokuments in ihrem ursprünglichen Wortlaut von 1571 relativieren, indem sie nur darauf bestehen, daß »substantially the same type of doctrine«[41] erhalten

39. A.a.O. 19 (Encyclical Letter), 110 (Rep.): »Some modifications of these Articles may therefore naturally expected on the part of newly-constituted Churches, and particularly in non-Christian lands.«

40. Subscription and Assent to the 39 Articles ..., 20 ff. und 41 bieten einen Überblick über diese Revisionen.

41. Conference of Bishops of the Anglican Communion ... 1888, 19 (Encyclical Letter); ähnlich auch Lambeth Conference 1930. Memoranda. Archbishops' Doctrinal Commission Reports ..., The Authority of Anglican Formularies ..., 15. Eine gewisse Warnung vor vorschneller Aufgabe alter Formularien spricht der der Lambeth Konferenz 1930 vorgelegte Bericht der Archbishops' Doctrinal Commission über »The Authority of Anglican Formularies« (a.a.O. 15) aus: »... if certain Anglican theologians

bleibt, und die schließlich 1968 umschlagen können in die »qualitative« Verwerfung der »now legally honoured but not actually believed«[42] Artikel als »an obstacle in the Anglican path to theological seriousness and integrity«[43] und damit in die Preisgabe der Articles von 1571 als kirchenkonstitutives und -charakteristisches Lehrdokument[44].

Der auch bei den Lambeth Konferenzen schon frühzeitig feststellbare Autoritätsschwund der Articles in ihrem Wortlaut von 1571 als kirchenkonstitutives und -charakteristisches Lehrdokument[45] wirkt sich auch in den Feststellungen der Konferenzen zur Frage der Verpflichtung der Ordinanden auf die 39 Articles aus. So möchte etwa die Lambeth Konferenz 1888 wohl die Verpflichtung der Ordinanden auch aus den »newly-constituted Churches, especially in non-Christian lands« auf die »Articles in accordance with the positive statements of our own standards of doctrine and worship«[46] beibehalten wissen, »but they should not necessarily be bound to accept in their entity the thirty-nine Articles of Religion (as set forth in the year 1562)«[47]. Die Archbishops' Doctrinal Commission präzisiert in ihrem Report »Procedure and Discipline« für die Lambeth Konferenz 1930 den Charakter dieser Verpflichtung als *a general agreement* with their authoritative sense or substance ... without necessarily implying de-

think a particular formulary not wholly adequate, they have a very special obligation to preserve whatever truth that formulary was trying to secure, and to see to it that any statement they put forward as more adequate does in fact do this.«

42. Lambeth Conference 1968, Preparatory Essays. D. L. Edwards: Confessing the Faith Today, 80.

43. Ebd.

44. Lt. Subscription and Assent to the 39 Articles ..., 19 werden die 39 Artikel in den Verfassungen oder Formularien der Church of the Province of Central Africa, der Church of the Province of the West Indies, der Church of India, Pakistan, Burma and Ceylon und des Jerusalem Archbishopric bereits nicht mehr aufgeführt.

45. Hierzu etwa die Beurteilung der Lambeth Konferenz 1888 in einem Artikel der Church Quarterly Review Vol. XXVIII, 1889, 12 (–: Episcopal Comments on the Lambeth Conference): »The Thirty-nine Articles were not to the Bishops objects of such profound religious veneration as would place them beyond the possibility ... of revision and modification.«

46. Conference of Bishops of the Anglican Communion ... 1888, 28 (Res.).

47. Ebd. Der in Klammern gesetzte Teil findet sich nur im ursprünglichen Entwurf des Committees, fehlt jedoch in dem vom Plenum der Konferenz gebilligten definitiven Resolutionstext. Diese Änderung läßt darauf schließen, daß sich in der Plenardiskussion hier die Gruppe der »reformed/protestant« gegenüber den »catholic« Bischöfen durchgesetzt hat, weil der Wegfall des Bezugs auf die Fassung der Articles von 1562 mit ihren auf Versöhnung mit den Katholiken hinzielenden Abweichungen gegenüber der Fassung von 1571 den theologischen und ekklesiologischen Intentionen der »protestantischen« Bischöfe am ehesten gerecht wurde. Siehe hierzu etwa M. Keller-Hüschemenger: Die Lehre der Kirche im frühreformatorischen Anglikanismus ..., 213.

tailed assent to all phrases so employed«[48]. Und schließlich möchte die Konferenz
1968, »*when* subscription is required to the Articles«, diese nur noch gefordert
und verstanden wissen »only in the context of a statement which gives the full
range of our inheritance of faith and sets the Articles in their historical context«[49], nachdem sie zuvor »suggests to the Churches of the Anglican Communion that assent to the Thirty-nine-Articles be no longer required of ordinands«[50],
also den völligen Verzicht auf jegliche – auch noch so »under the historical
aspect« relativierende – Verpflichtung auf die 39 Artikel als legale Möglichkeit
den Gliedkirchen empfohlen hat[51].

b) Book of Common Prayer

Das Book of Common Prayer ist auch im Urteil der Lambeth Konferenzen als
gemeinanglikanischer Besitz[52], als »bond of unity throughout the whole Anglican

48. Lambeth Conference 1930. Memoranda. Archbishops' Doctrinal Commission Re-
ports No 1, Resolutions concerning Procedure and Discipline ..., 7. Vgl. auch den im
Clerical Subscription Act 1865 formulierten Wortlaut der Verpflichtungserklärung:
»I, A. B., do solemny make the following declaration: I assent to the Thirty-nine
Articles of Religion ... I believe the doctrine of the (United) Church of England (and
Ireland), as therein set forth, to be agreeable to the Word of God ...« mit der »Sub-
scription to be required of such as are to be made ministers« im Canon V der Canons
1604: »... and that he acknowledges all and every the Articles therein contained, being
in number nine and thirty, besides the ratification, to be agreeable to the Word of
God.«

49. The Lambeth Conference 1968, 41 (Res.).

50. Ebd. Daß diese Resolution nur mit »37 dissenters« (ebd.) zustande kam, zeigt,
daß die Bischöfe in dieser Frage durchaus geteilter Meinung waren.

51. Prinzipiell werden Wertung und Autorität der 39 Articles als kirchencharak-
teristisches Lehr- und Bekenntnisdokument für die Kirchen der Anglican Communion
bereits durch das Lambeth Quadrilateral der Lambeth Konferenz 1888 in Frage gestellt, ohne daß jedoch die folgenden Konferenzen die radikalen Konsequenzen der
Konferenz 1968 gezogen hätten. Denn zu den »Articles (which) supply a basis on which
approach may be by God's blessing made towards Home Reunion« – d. h. Vertiefung
der Kirchengemeinschaft innerhalb der Anglican Communion –, werden als Bekenntnis-
dokumente nur »the Apostles' Creed, as the Baptismal Symbol; and the Nicene Creed,
as the sufficient statement of the Christian Faith« (Conference of Bishops of the
Anglican Communion ... 1888, 24, Res.) angeführt, nicht aber die 39 Articles. Vgl. auch
die Bemerkung in Subscription and Assent to the 39 Articles ..., 39: »Assent to the
Articles is not a part of the Lambeth Quadrilateral and is not a necessary distinguishing
mark of other parts of the Anglican Communion.«

52. Conference of Bishops of the Anglican Communion ... 1888, 24 (Res.): »The
Book of Common Prayer is not the possession of one Diocese or Province, but of
all ...«

communion«[53] und »the means by which Anglicanism has been sustained«[54] von kirchenfundamentaler und -charakteristischer Bedeutung für das theologische und ekklesiologische Selbstverständnis der Church of England und der übrigen Kirchen der Anglican Communion nach innen und deren Selbstdarstellung nach außen als apostolisch-katholische Kirche »catholic and reformed/protestant« Charakters in devotionaler, pastoral-seelsorgerlicher, ordnungsbezogener und doktrinaler Hinsicht[55].

Im Gesamtrahmen dieses komprehensiven ekklesiologischen Wesens- und Funktionscharakters ist es auch ein Lehrdokument von kirchenautoritativem Gewicht[56]. Denn »next to the Bible itself«[57] ist der anglikanischen Kirche mit ihm »the authoritative standard of the doctine of the Anglican Communion«[58], der »authoritative expression of that (Anglican) faith and order« gegeben, der »provides our accepted pattern of ... doctrine which is to be everywhere maintain-

53. Lambeth Conference 1948, I. 46 (Res.). Ähnlich auch Conference of Bishops of the Anglican Communion ... 1888, 17 (Letter from the Bishops including the Reports adopted by the Conference): »... the Book of Common Prayer ... has been one principal bond of union among all our Churches.« Conference of Bishops of the Anglican Communion ... 1908, 110 (Rep.): »While fully recognizing ... the importance of retaining it (i. e. Book of Common Prayer) as a bond of union ...« The Lambeth Conference 1958, 1. 25 (Encyclical Letter): »A cherished part of our heritage in the Anglican Communion is the Book of Common Prayer, which is a bond of unity between us ...« Anglican Congress 1954, 197 (Closing Session, Report of the Editorial Committee to the Congress): »The Book of Common Prayer is a principal bond of unity between and within the Anglican Churches« u. ö.

54. Lambeth Conference 1948. Documents ..., Vol. I. A Statement on the Fellowship of the Anglican Churches ..., 10.

55. Anglican Congress 1954, 197 (Closing Session, Report of the Editorial Committee to the Congress): »The Book of Common Prayer ... is of high importance in interpreting our worship and doctrine to other Communions.«

56. Auf seine devotionalen, pastoral-seelsorgerlichen und ordnungsbezogenen Eigenschaften wird weiter unten näher einzugehen sein. Wenn im Rahmen unseres Gesamtthemas sein doktrinaler Charakter im Mittelpunkt unserer Untersuchungen steht, ist damit noch kein Urteil über die Präponderanz des doktrinalen vor den drei übrigen Wesens- und Funktionselementen des Common Prayer Book abgegeben.

57. Conference of Bishops of the Anglican Communion ... 1897, 21 (Encyclical Letter).

58. Ebd. Ähnlich auch Conference of Bishops of the Anglican Communion ... 1888, 18 (Encyclical Letter): »standards of doctrine«, 77 (Rep.): »repository of teaching«. Conference of Bishops of the Anglican Communion ... 1897, 20 (Encyclical Letter): »standards of all our teaching«. Lambeth Conferences 1867–1930, 45 (The Lambeth Conference 1920, Res.): »the Anglican standards of doctrine«. Lambeth Conference 1958. Documents ..., Vol. I. Principles of Prayer Book Revision. The Report of a Select Committee of the Church of India, Pakistan, Burma, and Ceylon ...,IX (Foreword by the Archbishop of Canterbury): »Every Lambeth Conference from 1867 onwards has

ed«[59]. Zwar enthält es nicht alle Lehren der Kirche; doch sind in ihm »in accordance with the best and most ancient types of Christian faith (and worship)«[60] in komprehensiver Weise[61] »the great doctrines of the Faith ... clearly set forth in their true relations. And we hold that it would be most dangerous to tamper with its teaching either by narrowing the breadth of its comprehension, or by disturbing the balance of its doctrine«[62]. Insofern ist das Common Prayer Book »not only an important source of Anglican teaching«[63], sondern darüber hinaus die Verkörperung des komprehensiven, in Schrift und Tradition der ungeteilten alten Väterkirche begründeten und sie unverkürzt und unverfälscht bewahrenden »catholic but reformed, reformed but catholic«[64] Charakters der Kirchen der Anglican Communion.

Die fundamentale Bedeutung des Book of Common Prayer für die anglikanische Lehre beschränkt sich nicht auf sein Wesen und seine Funktion als materiale Lehrnorm, sondern erstreckt sich auch auf seinen Charakter als »embodiment of Anglican teaching«[65] in formaler Hinsicht; denn auch die Art und Weise, wie es Lehre darstellt und vermittelt, ist für das (formale) anglikanische Lehrverständnis von »greatest influence«[66]. Im Unterschied zu den 39 Articles, die, indem sie als explizites »doctrinal formulary possess rational authority«[67] primär den menschlichen Intellekt ansprechen, zielt das Common Prayer Book mit seinem Lehrverständnis primär auf den gesamten gottesdienstlichen Lebensvollzug der Christen als den Mutter- und Nährboden des »Anglican teaching« ab. Denn »it is just because it is not aiming at teaching doctrine but as assisting worship, that it produces these results ... When good Church people attend Matins and Evensong regularly, they come to know the Holy Scriptures which are for us the

referred to the Book of Common Prayer as ... providing ... a classical norm of its (i. e. Anglican Communion's) doctrine.«

59. Lambeth Conference 1948, I. 23 (Encyclical Letter).

60. Conference of Bishops of the Anglican Communion ... 1878, 36 (Rep.).

61. Anglican Congress 1954, 47 (Ph. Carrington: The Structure of the Anglican Communion): »(The Prayer Book) comprehends in a satisfactory way, we think, all its (the primitive tradition's) main features« u. ö.

62. Conference of Bishops of the Anglican Communion ... 1897, 21 (Encyclical Letter).

63. Lambeth Conference 1948, II. 83 (Rep.).   64. Ebd.

65. Lambeth Conference 1948. Documents ..., Vol. I. A Statement on the Fellowship of the Anglican Churches ..., 20. Der Klarheit halber sei bemerkt, daß die Lambeth Konferenzen sich nur ein einziges Mal – bei dieser Gelegenheit 1948 – mit diesem Aspekt des Lehrverständnisses des Common Prayer Book befaßt haben. Er dürfte jedoch auch für die übrigen Konferenzen mehr oder weniger charakteristisch sein.

66. Ebd.

67. Lambeth Conference 1930. Memoranda. Archbishops' Doctrinal Commission Reports No 1 Procedure and Discipline ..., 7.

criteria of doctrine ... Again doctrine ist kept in the minds of Anglicans when they recite the Creeds ... So the knowledge of doctrine has come to the Anglican Christians through the Book of Common Prayer in moments when God and man approach each other in worship, whether in the Sacrament of our Lord's giving of Himself to us or in the contemplation of the written word and the recognition of its claim upon their wills by the people of God gathered before Him«[68]. Damit nehmen auch die Lambeth Konferenzen die seit den reformatorischen Theologen und Kirchenmännern immer wieder zu beobachtenden Bemühungen um eine Entintellektualisierung des anglikanischen Lehrverständnisses in dem Sinne auf, daß die Vermittlung und Aneignung der Lehre nicht auf einen rein verstandesmäßig-intellektuellen Akt eingegrenzt werden darf, sondern eingebettet ist in den Gesamtlebensvollzug des Christen und damit alle Bereiche, Fähigkeiten und Möglichkeiten der glaubenden Existenz »komprehensiv«/umfassend in Anspruch nimmt[69].

Unbeschadet der Tatsache, daß das Common Prayer Book bis heute für zahlreiche Anglikaner »still teaches our tradition«[70], ist seine Bedeutung als gesamtanglikanisches kirchenautoritatives Lehr- und Ordnungsdokument, das in komprehensiver Weite und Fülle alle Bereiche des kirchlichen Lebens im persönlich-privaten und allgemein-öffentlichen Bezirk erfaßt, spätestens seit den 20er Jahren faktisch einem steten Relativierungsprozeß ausgesetzt. Die wichtigsten auslösenden Faktoren dieses Prozesses sind die seither in zahlreichen theologischen wie nichttheologischen, kirchlichen wie säkularen Motiven begründeten Revisionen[71] der in den Diözesen und Kirchenprovinzen der Anglican Communion in Geltung befindlichen Prayer Books, die zunehmend so gravierende formale und materiale Abweichungen vom Prayer Book der Church of England und untereinander aufweisen, daß die bis dahin noch weithin vorhandene Identität ihrer theologischen und ekklesiologischen Substanz in einem solchen Ausmaß verlorenzugehen droht, daß »›Prayer Book‹ is going to be too loose and perplexing a concept to be of much use in distinguishing ourselves from other Christians«[72].

68. Lambeth Conference 1948. Documents ..., Vol. I. A Statement on the Fellowship of the Anglican Churches ..., 20.

69. Vgl. hierzu M. Keller-Hüschemenger: Die Lehre der Kirche im frühreformatorischen Anglikanismus ..., 245 und ders.: Die Lehre der Kirche in der Oxford Bewegung ..., 114 f.

70. Catholicity. A Study in the Conflict of Christian Traditions in the West, being a Report presented to His Grace the Archbishop of Canterbury, 1947, 53. Dieser Report ist das Ergebnis einer »group of Anglicans of the ›Catholic‹ school of thought« (a.a.O. 6), die auf Anregung von Erzbischof G. Fisher vom November 1945 in den folgenden beiden Jahren viermal zusammentrat.

71. Siehe hierzu näher S. 60 ff.

72. Anglican Congress 1963, 184 (St. F. Bayne: The Challenge of the Frontiers: Organizing for Action ..., Theme Address).

Dieser stete Schwund seiner Autorität als einer der anglikanischen Fixpunkte schlägt sich in den Äußerungen der letzten Lambeth Konferenzen und der sie begleitenden Dokumentationen wiederholt nieder. So sieht etwa die Lambeth Konferenz 1958 die Bedeutung des Common Prayer Book für die Einheit der Kirchen der Anglican Communion nur noch in einem »secondary sense«[73] darin, daß es »in its various forms probably the most powerful symbol«[74] ihrer »common history (having a common root)«[75] ist, während die Einheit der Anglican Communion primär »exists because we are a federation of Provinces and Dioceses of One, Holy, Catholic, and Apostolic Church, each being served and governed by a Catholic and Apostolic Ministry, and each believing the Catholic faith. These are the fundamental reasons of our unity«[76]. Auf dem zwischen den beiden letzten Lambeth Konferenzen tagenden Anglican Congress 1963 geht Erzbischof A. M. Ramsey noch einen Schritt weiter, indem er in seiner Ansprache auf der Abschlußsitzung die Vision einer wiedervereinigten universalen apostolisch-katholischen Kirche – einbeschlossen die anglikanischen Kirchen – malt, der auch Kirchen »without being specifically ... ›Prayer Book‹ churches«[77] angehören würden. Und schließlich verzichtet die letzte Lambeth Konferenz 1968 in einer Definition der Anglican Communion im Report der Sektion III »The Renewal of the Church in Unity« als »a familiy of autonomous Churches ..., linked by ties of history, tradition, and living fellowship with the See of Canterbury, the focal point of our communion«[78] gänzlich auf die Erwähnung des Book of Common Prayer als eines der verbindenden Faktoren der anglikanischen Kirchenfamilie und führt so auch diesen »Erosions«-Prozeß zu einem vorläufigen Abschluß, wie sie dies bereits bei den 39 Articles getan hatte[79].

Einen festen und wichtigen Platz in den Lambeth Konferenzen und einen dementsprechenden Niederschlag in den offiziellen Verlautbarungen der einzelnen Konferenzen und den sie begleitenden Dokumentationen beanspruchen die Beratungen der Bischöfe über die Möglichkeit bzw. Notwendigkeit von Revisionen des Book of Common Prayer[80]. Die Lambeth Konferenzen nehmen damit wiederum ein Thema auf, das seit dem Reformationsjahrhundert in der anglikanischen Theologie und Kirche immer wieder ventiliert wird[81]. Auch sie sind, einge-

73. The Lambeth Conference 1958, 2. 79 (Rep.).   74. Ebd.
75. Ebd.   76. Ebd.   77. Anglican Congress 1963, 261.
78. The Lambeth Conference 1968, 141 (Rep.). Zur Entwicklung im Jahrzehnt zwischen den Lambeth Konferenzen 1958 und 1968 siehe etwa: C. O. Buchanan (Hg.): Modern Anglican Liturgies 1958–1968, London / New York / Toronto 1968, 8 ff., 23 ff.
79. Siehe oben S. 53 ff.
80. Zum generellen Problem der Revisionen des Book of Common Prayer bietet R. T. Beckwith: Prayer Book Revision and Anglican Unity, Prayer Book Reform Series, London 1967, eine kurzgefaßte nützliche Handreichung.
81. Siehe hierzu M. Keller-Hüschemenger: Die Lehre der Kirche im frühreformatorischen Anglikanismus ..., 16 ff., 159 f., 163 ff., 170 ff., 179 ff., 217 f.

bettet in den gemeinanglikanischen Traditionsstrom des Denkens in geschichtlichen Kategorien, grundsätzlich offen für den spezifisch geschichtlichen Charakter des Common Prayer Book als eines Lehrformulars, welches »reflects the
chequered history of Anglican divinity over a period of more than a century,
from 1548 to 1662«[82], und dementsprechend seine Betrachtung unter »historical
aspect«. Angesichts seiner kirchenfundamentalen und -charakteristischen Bedeutung für die Church of England und die gesamte Anglican Communion nach
innen und außen und der hieraus für die Kirchen der anglikanischen Kirchenfamilie erwachsenden Probleme in einer in immer rascherem und tiefergreifen-
dem Wandel der innerkirchlichen, ökumenischen, missionarischen und säkular-
profanen Verhältnisse sich befindenden Welt gibt es kaum eine Zusammenkunft
der Bischöfe in Lambeth, die sich nicht mehr oder weniger ausführlich mit den
hier anstehenden Fragen – nicht selten offenbar in recht harten Diskussionen im
Plenum und in den Komitees – auseinandergesetzt hätte[83].

Als wichtigste Gründe für die Notwendigkeit von Revisionen des Prayer
Book lassen sich aus den offiziellen Berichten und den den Konferenzen als Vor-
bereitungs- und Studienmaterial vorliegenden Dokumentationen vornehmlich
zwei Gruppen eruieren: solche wissenschaftlich-theologischer und solche pastoral-
theologisch-seelsorgerlicher Art. Als »a result of new knowledge gained from
Biblical and liturgical studies«[84] befürwortet die Lambeth Konferenz 1958 als
»a chief aim of Prayer Book Revision ... to further that recovery of the worship of the primitive Church which was the aim of the compilers of the first
Prayer Books of the Church of England«[85]. Neben, oder vielmehr eher: vor
solchen liturgiewissenschaftlichen Gründen, das Common Prayer Book in »Conformity with Results of Biblical Research«[86] und »Conformity with Results of
Liturgical Research«[87] zu bringen, sind es vor allem anderen »Pastoral Consid-
erations«[88]: »to meet the real needs of living men and women to-day«[89], die

82. Lambeth Conference 1948. Documents ..., Vol. II. L. Hodgson: The Doctrine in
the Church ..., 7. In ähnlichem Sinne auch Lambeth Conference 1930. Memoranda.
Archbishops' Doctrinal Commission Reports No 1, Procedure and Discipline ..., 14;
The Lambeth Conference 1968, 82 (Rep. I. Addendum).

83. In besonderer Ausführlichkeit behandeln die Lambeth Konferenzen 1897, 1908,
1920 und 1958 diesen Problemkomplex.

84. The Lambeth Conference 1958, 1. 47 (Res.).

85. Ebd.

86. Lambeth Conference 1958. Documents ..., Vol. I. Principles of Prayer Book
Revision. The Report of a Select Committee of the Church of India, Pakistan, Burma,
and Ceylon ..., 18.

87. A.a.O. 23.

88. A.a.O. 14.

89. Conference of Bishops of the Anglican Communion ... 1908, 35 (Encyclical Letter). Es können auch rein sprachliche und grammatische Gründe für Textänderungen

den Lambeth Konferenzen von Anfang an Modifikationen des Buches notwendig erscheinen lassen. Diese Notwendigkeit von Änderungen unter pastoraltheologischem Aspekt mag sich für sie einmal aus neuen Aufgaben der Kirche ergeben, die »hardly seem to have been present to the minds of our great authorities and leaders in compiling that Book«[90]; so etwa die äußere Mission, so daß das »Book of Common Prayer contains very few prayers for missionary work«[91] und darum entsprechender Erweiterungen bedarf. Weitere zahlreiche Änderungen haben ihren Grund in der Notwendigkeit, das Book of Common Prayer den neuen weltweit unterschiedlichen geographisch-völkischen, politischen und geistig-kulturellen Vorgegebenheiten der Gliedkirchen der Anglican Communion anzupassen. Denn es ist den in Lambeth versammelten Bischöfen klar, daß »no Book can supply every possible need of worshippers in every variation of local circumstances«[92] oder den gottesdienstlichen Bedürfnissen der »various races within the Anglican Communion«[93] zu genügen vermag. Darum kann »no Prayer Book, not even that of 1662, be kept unchanged for ever«[94], sowohl als »a safeguard of established doctrine«[95], wie auch als »the one fixed liturgical model«[96] für alle anglikanischen Kirchen – besonders die auf dem Missionsfeld[97].

Weiten Raum in ihren Beratungen über das Common Prayer Book geben die Lambeth Konferenzen den Diskussionen über die Prinzipien und Kriterien seiner Revisionen. Obwohl jede der Konferenzen sich mit diesem Fragenkomplex unter irgendeinem seiner zahlreichen möglichen Aspekte mehr oder weniger ausführ-

---

vorgebracht werden; so etwa Conference of Bishops of the Anglican Communion ... 1908, 52 (Res.): »The change of words obscure or commonly misunderstood«; a.a.O. 113 (Rep.): »... render the forms of public worship more intelligible to uneducated congregations ...«; Lambeth Conference 1958. Documents ..., Vol. I. Principles of Prayer Book Revision. The Report of a Select Committee of the Church of India ... führt als Gründe für Änderungen der Common Prayer Books ebenfalls »Clarification of Obscurities« (S. 10) an; u. ö.

90. Conference of Bishops of the Anglican Communion ... 1897, 27 (Encyclical Letter).

91. Ebd. u. ö.

92. A.a.O. 21 f. (Encyclical Letter).

93. Conference of Bishops of the Anglican Communion ... 1908, 113 (Rep.).

94. The Lambeth Conference 1958, 2. 78 (Rep.).

95. Ebd.

96. Lambeth Conferences 1867–1930, 45 (Lambeth Conference 1920, Res.).

97. Der Report des »Committee upon Missionary Problems« der Lambeth Konferenz 1920 bezieht sich ausdrücklich auf die Beratung der Konferenzen 1867, 1888, 1897 und 1908 über »the need for the adaption and enrichment of the services of the ›Book of Common Prayer‹ to meet the needs and conditions of races and countries overseas« (Lambeth Conferences 1867–1930, 84).

lich auseinandergesetzt hat, ohne daß die Reihe der Konferenzen die Absicht einer langfristig angelegten »Strategie« einer systematischen Behandlung dieses Themas erkennen lassen würde, nötigt ein rückschauender Überblick über die Konferenzen seit 1867 doch den Eindruck einer ebenso zwangsläufig-logischen wie komprehensiv-systematischen Entfaltung dieses Themas über mehr als ein Jahrhundert hinweg auf.

Ausgangspunkt ist der bereits von der Lambeth Konferenz 1867 in der ersten Sitzungsperiode vom 24. bis 27. September in Resolution VIII formulierte »Grund«-Satz: »That, in order to the binding of the Churches of our Colonial Empire and the Missionary Churches beyond them in the closest union with the Mother Church, it is necessary that they receive and maintain without alteration the standard of Faith and Doctrine as now in use in that Church. That, nevertheless, each Province should have the right to make such adaptions and additions to the services of the Church as its peculiar circumstances may require, Provided, that no change or addition be made inconsistent with the spirit and principles of the Book of Common Prayer (of 1662).«[98] Bereits die Konferenz 1888 entfaltet diesen Grundsatz unter dem prozeduralen Aspekt, wenn sie feststellt, daß »inasmuch as the Book of Common Prayer is not the possession of one Diocese or Province, but of all, and that a revision in one portion of the Anglican Communion must therefore be extensively felt, this Conference is of opinion that no particular portion of the Church should undertake revision without seriously considering the possible effect of such action on other branches of the Church«[99]. Offenbar hatten diese Formulierungen in der Folgezeit bei manchen Bischöfen den Eindruck erweckt, als solle das föderalistische Kirchenprinzip, das jede Diözese mit ihrem Bischof als eine unabhängige ekklesiologische Größe und Einheit innerhalb der Anglican Communion wertet, durch die Einschaltung eines übergreifenden höheren synodalen Organes bei Änderungen des Prayer Book ausgehöhlt werden. Darum kommt die Konferenz 1897 nochmals auf dieses Thema zurück, indem sie zunächst hervorhebt, »that this Conference recognizes the exclusive right of each Bishop to put forth or saction additional services for use within his jurisdiction«[100], und daß »this Conference also recognizes in each Bishop within his jurisdiction the exclusive right of adapting the services in the Book of Common Prayer to local circumstances, and also of directing or sanctioning the use of additional prayers«[101], bevor sie die Empfehlungen der Konferenz 1888 präzisiert: »... subject to such limitations as may be imposed by the provincial or other lawful authority«[102]. Schließlich weist auch

98. Conference of Bishops of the Anglican Communion ... 1867, 17 (Res.).
99. Conference of Bishops of the Anglican Communion ... 1888, 24 (Res.).
100. Conference of Bishops of the Anglican Communion ... 1897, 44 (Res.).
101. A.a.O. 45 (Res.).
102. Ebd.

die Lambeth Konferenz 1920 in einer Zusammenfassung der Gesichtspunkte, die bei Änderungen der Common Prayer Books beachtet werden sollten, darauf hin, daß bei Anerkennung der »full liberty«[103] der Diözesanbischöfe in Fragen der »adaptions and additions«[104] des Prayer Book diese Freiheit doch nur in Anspruch genommen werden sollte unter Beachtung von »such limitations as may be imposed by higher synodal authority«[105] und unter »brotherly consideration«, welchen »possible effect their action may have on other Provinces and Branches of the Anglican Communion«[106].

Die von einzelnen Lambeth Konferenzen ad hoc als möglich erachteten verschiedenen formalen Textänderungen des Book of Common Prayer[107] faßt die Lambeth Konferenz 1908 in »the following principles (to) be held in view«[108] zusammen: »a) The *adaption* of rubrics ... to present customs as generally accepted; b) The *omission* of parts of the services to obviate repetition or redundancy; c) The framing of *additions* ... in the way of enrichment; d) The fuller provision of *alterations* in our forms of public worship; e) The provision of greater *elasticity* in public worship; f) The *change of words* obscure or commonly misunderstood; g) The *revision* of the Calendar or Tables prefixed to the Book of Common Prayer.«[109]

Mit der Fixierung dieses Kataloges der Änderungsmöglichkeiten des Common Prayer Book unter formalem Aspekt ist noch keine Antwort gegeben auf die für Charakter und Funktion dieses kirchenkonstitutiven und -charakteristischen Formulars bedeutsame Frage nach der Grenze bzw. den theologisch-ekklesiologischen Kriterien von solchen Revisionen, die seinen Inhalt, seine theologische und

---

103. Lambeth Conferences 1867–1930, 84 (Lambeth Conference 1920, Rep.).

104. Ebd.

105. Ebd.

106. Ebd.; auch die Lambeth Konferenz 1948 (I. 46, Res.): »... great care must be taken to ensure that revisions of the Book (of Common Prayer) shall be in accordance with the doctrine and accepted liturgical worship of the Anglican Communion.« Lambeth Conference 1958. Documents ..., Vol. I. Principles of Prayer Book Revision. The Report of a Select Committee of the Church of India ..., 54: »It is inevitable that, even in Asia and Africa, revisers should endeavour to produce a Liturgy which recognizably belongs to the Anglican family and so affords a link with the other Provinces of the Anglican Communion.«

107. So etwa die Lambeth Konferenzen 1867 (Conference of Bishops of the Anglican Communion ... 1867, 17, Res.: »adaptions or additions«), 1897 (Conference of Bishops of the Anglican Communion ... 1897, 21, Encyclical Letter: »omission or modification«), 1920 (Lambeth Conferences 1867–1930, 84, Lambeth Conference 1920, Rep.: »adaption and enrichment«), 1958 (The Lambeth Conference 1958, 2. 81, Rep.: »modification or addition«) u. ö.

108. Conference of Bishops of the Anglican Communion ... 1908, 52 (Res.).

109. Ebd.

ekklesiologische Substanz betreffen. Zwar hatte bereits die erste Lambeth Konferenz 1867 in ihrer Resolution VIII festgestellt, daß »no change or addition be made inconsistent with the spirit and principles of the Book of Common Prayer (1662)« der Church of England[110], und die Konferenz 1888 wünschte bei Änderungen des Prayer Book »to see the prevalence of a spirit of mutual and sympathetic concession, which will prevent the growth of substantial divergences between different portions of our communion«[111]. Die Konferenz 1897 wollte alle Änderungen ausgeschlossen wissen, welche »the breadth of its comprehension ..., the balance of its doctrine« und/oder die »harmony with the spirit and tenor of the whole book«[112] zerstören würden; und noch die Lambeth Konferenz 1958 möchte bei Revisionen »the doctrinal balance of the Anglican tradition«[113] gewahrt wissen. Doch alle diese und ähnliche Grenzbeschreibungen mehr oder weniger formaler Art bieten angesichts der »successive revisions of our Prayer Books«[114] in den vergangenen Jahrzehnten keine hinreichende Antwort auf die Frage, »what the essence of the Prayer Book itself is«[115], die in keiner der in den anglikanischen Gliedkirchen autorisierten revidierten Ausgaben fehlen oder verfälscht sein darf, wenn das betreffende Prayer Book seinen Charakter und seine Funktion als »a bond between Anglicans«[116] nach innen beibehalten und »of use in distinguishing ourselves from other Christians«[117] nach außen bleiben soll. Wohl hatte auch auf diese Frage bereits eine der frühen Lambeth Konferenzen – 1897 – eine prinzipielle Antwort gegeben in der Feststellung, daß keine Modifikation »the effect of practically denying an article in one of the Creeds«[118] haben dürfe; »for that would be not only dangerous but a direct betrayal of the Faith«[119]. Und die Lambeth Konferenz 1920 hatte als »essential/indispensable

110. Conference of Bishops of the Anglican Communion ... 1867, 17 (Res.).
111. Conference of Bishops of the Anglican Communion ... 1888, 110 (Rep.).
112. Conference of Bishops of the Anglican Communion ... 1897, 21 f. (Encyclical Letter).
113. The Lambeth Conference 1958, 1. 48 (Res.); auch Lambeth Conference 1958. Documents ..., Vol. I. Prayer Book Revision in the Church of England. A Memorandum of the Church of England Liturgical Commission, 1957, 33: »*Prayer Book Revision must be joint and co-operative enterprise of the main schools of thought in the Church of England.*«
114. Anglican Congress 1963, 184 (St. F. Bayne: The Challenge of the Frontiers: Organizing for Action, Theme Address).
115. Ebd.
116. The Lambeth Conference 1958, 2. 79 (Rep.).
117. Anglican Congress 1963, 184 (St. F. Bayne: The Challenge of the Frontiers ..., Theme Address).
118. Conference of Bishops of the Anglican Communion ... 1897, 21 (Encyclical Letter); auch a.a.O. 45 (Res.): »... any such adaption shall not affect the doctrinal teaching or value of the Service or passage thus adapted.«
119. A.a.O. 21 (Encyclical Letter).

elements«[120] für alle autorisierten Prayer Books in den Kirchen der Anglican Communion »to maintain a Scriptural and Catholic balance of Truth«[121] und »to give due consideration to the precedents of the early Church«[122] herausgestellt. Die immer rapider fortschreitende organisatorische Verselbständigung und eigenständige theologische und ekklesiologische Profilierung der anglikanischen Diözesen und Kirchenprovinzen besonders außerhalb des abendländisch-westlichen Kultur- und Zivilisationsbereiches sowie die Erkenntnis der aus dieser Entwicklung erwachsenden Gefahr[123] ständig tiefergehender »substantial divergences between different portions of our communion«[124] veranlaßten die Bischöfe 1948 und – »far more thoughtfully«[125] – 1958 zu einer detaillierten Zusammenstellung der »Features in the Book of Common Prayer which are essential to the safeguarding of the unity of the Anglican Communion«[126], d. h. der den autorisierten Prayer Books gemeinsamen »essential/indispensable elements«, die diese Kirchenfamilie als eine »federation of Provinces and Dioceses of the One, Holy, Catholic, and Apostolic Church«[127] ausweisen: »1. Use of the Canonical Scriptures – 2. Use of the Apostles' and Nicene Creeds – 3. Orders of Holy Baptism with water and the threefold Name – 4. Orders of Confirmation by the Bishop, by prayer with the laying-on of hands – 5. Orders of Holy Communion, with use of bread and wine and explicit intention to obey or Lord's command – 6. Forms of episcopal Ordination to each of the three Holy Orders by prayer with the laying-on of hands.«[128]

Auch für die Lambeth Konferenzen bilden das Book of Common Prayer und die 39 Articles of Religion insofern eine Einheit, als auch sie in Übereinstimmung mit der anglikanischen Tradition seit 1563 die Articles als niemals vom Corpus des eigentlichen Prayer Book losgelösten Anhang sehen[129]. Erst die Lambeth

120. Lambeth Conferences 1867–1930, 84 (Lambeth Conference 1920, Rep.).

121. Ebd.

122. Ebd.

123. The Lambeth Conference 1958, 2. 79 (Rep.): »We must recognize the dangers in this development.«

124. Conference of Bishops of the Anglican Communion ... 1888, 110 (Rep.).

125. Anglican Congress 1963, 184 (St. F. Bayne: The Challenge of the Frontiers ..., Theme Address).

126. The Lambeth Conference 1958, 1. 47 (Res.), 2. 80 (Rep.).

127. A.a.O. 2. 79 (Rep.).

128. A.a.O. 2. 80 (Rep.). In Resolution 73 (a.a.O. 1. 47) wird dieser »Features«-Katalog in einer textlich verkürzten, doch sachlich identischen Version wiedergegeben: »the use of the Canonical Scriptures and the Creeds, Holy Baptism, Confirmation, Holy Communion, and the Ordinal«.

129. Auf das Verhältnis Common Prayer Book – 39 Articles im Laufe der Theologie- und Kirchengeschichte seit der Reformationsepoche wurde bereits ausführlicher eingegangen in unseren früheren Untersuchungen über: Die Lehre der Kirche im früh-

Konferenz 1968 stellte diese Zusammengehörigkeit der beiden Dokumente in Frage, indem sie in ihrer Resolution 43 – allerdings mit 37 Gegenstimmen – im Zusammenhang mit der heiß diskutierten Frage der Verpflichtung der Ordinanden auf die 39 Articles[130] »suggests that each Church of our communion consider whether the Articles need be bound up with its Prayer Book«[131].

In deutlichen Ansätzen bereits seit dem Ausgang des 16. Jahrhunderts bei R. Hooker, in theologisch profilierten »schools of thought within the Anglicanism«[132] spätestens seit den Caroline Divines mit Beginn des 17. Jahrhunderts, sind die anglikanische Theologie und Kirche begleitet von Differenzen und Spannungen in der Frage der theologischen und ekklesiologischen Qualitätsrelationen von Common Prayer Book und 39 Articles[133]: Die eine, reformatorisch/protestantisch-evangelikale Richtung legt das Schwergewicht in der Beziehung beider Dokumente auf die Articles als »a theological framework within which the other formularies (also auch das Book of Common Prayer) are to be set«[134]; für sie haben die übrigen Lehr- und Ordnungsdokumente nur die Bedeutung eines »supplement to the Articles at points where they are silent«[135]. Die andere, hochkirchlich-(anglo-)katholische Gruppe will die Articles interpretiert sehen »in the light of the Prayer Book and Ordinal as representing the continuing tradition of the Church's teaching«[136]; für sie sind die Articles »rather ... corrections within this large context of faith and worship than as themselves providing the framework for theological reflection«[137].

Diese Differenzen sowie die seit der hochkirchlichen Erneuerungsbewegung um die Mitte des vorigen Jahrhunderts fortschreitend stärker sich profilierende und konsolidierende Position der (anglo)-katholischen vor den reformatorisch-evangelikalen Kräften im Anglikanismus[138] schlagen sich auch in den Verlautbarungen der Lambeth Konferenzen und Äußerungen der sie begleitenden Dokumentationen nieder. Im Zeitraum der drei ersten Lambeth Konferenzen verlagert

reformatorischen Anglikanismus ..., 26 ff., 178, 186 ff., 241 und: Die Lehre der Kirche in der Oxford Bewegung ..., 208.

130. Siehe oben S. 55 f.
131. The Lambeth Conference 1968, 41 (Res.).
132. Subscription and Assent to the 39 Articles ..., 15, Ziff. 14.
133. Siehe Anm. 129.
134. Subscription and Assent to the 39 Articles ..., 14, Ziff. 13.
135. Ebd.
136. A.a.O. 15, Ziff. 14.
137. Ebd.
138. Siehe hierzu etwa J. K. Mozley: Some Tendencies in British Theology ..., 17, 24 f., 71 f., 83 f. Aus neuester Zeit wären besonders heranzuziehen A. M. Ramsey: From Gore to Temple, The Development of Anglican Theology between Lux Mundi and the second World War 1889–1939, 3. Aufl., London 1962, und D. L. Edwards: Leaders of the Church of England 1828–1944, London 1971.

sich das Schwergewicht mehr und mehr auf das »katholische« Relat, hinter dem das »reformatorische« entsprechend stärker zurücktritt. In seiner Ansprache zu Beginn der Eröffnungssitzung der ersten Lambeth Konferenz am 24. September 1867 charakterisiert Erzbischof Longley die Konferenz als Versammlung »of the Bishops of the Reformed Church in visible communion with the United Church of England and Ireland«[139], und auch die »Introduction« zu den Resolutions hebt den reformatorischen Charakter der anglikanischen Kirche als »Christ's Holy Catholic Church, in visible communion with the United Church of England and Ireland, professing the faith delivered to us in Holy Scripture, maintained by the primitive Church and by the Fathers of the English Reformation«[140] hervor. Doch schon die nächste Lambeth Konferenz 1878 spricht nur noch in einer verklausulierten Form, die auch mühelos »katholisch« interpretiert werden kann, von den »principles on which the Church of England has reformed itself«[141], und ihre Charakterisierung der Kirchen der Anglican Communion als »United under One Divine Head in the fellowship of the One Catholic and Apostolic Church, holding the One Faith revealed in Holy Writ, defined in the Creeds, and maintained by the Primitive Church«[142] tut der Reformation keinerlei Erwähnung mehr. Im Encyclical Letter und im Committee Report über »Authoritative Standards of Doctrine and Worship« der Lambeth Konferenz 1888 schließlich gelangt die »katholische« »tendency to give greater weight to the witness of the early Church than to that of the Reformers«[143] endgültig zum Durchbruch: In beiden Dokumenten ist nur noch die Rede von dem in der Heiligen Schrift geoffenbarten Glauben als »defined in the Creeds, maintained by the primitive Church, and affirmed by the undisputed Oecumenical Councils«[144] bzw. von der alle Christen einenden »doctrine of the Nicene Faith«[145]; und dementsprechend beschränkt sich das Lambeth Quadrilateral bei der Aufzählung

139. Conference of Bishops of the Anglican Communion ... 1867, 5 (An Address, delivered at the Opening of the Conference, by Charles Thomas, Lord Archbishop of Canterbury).

140. A.a.O. 13 (Res.). Ein Vergleich mit dem der Konferenz vorgelegten Resolutionsentwurf zeigt eine merkliche Verschiebung der vom Plenum der Konferenz gebilligten Fassung nach der »reformatorischen« Seite hin: »We, Bishops of Christ's Holy Catholic Church, professing the faith of the primitive and undivided Church, as based on Scripture, defined by the first four General Councils, and reaffirmed by the Fathers of the English Reformation« (The Lambeth Conferences 1867, 1878, and 1888 ..., R. T. Davidson [Hg.], 57).

141. Conference of Bishops of the Anglican Communion ... 1878, 35 (Rep.).

142. A.a.O. 10 (Rep.).

143. Subscription and Assent to the 39 Articles ..., 15, Ziff. 14.

144. Conference of Bishops of the Anglican Communion ... 1888, 18 (Encyclical Letter).

145. A.a.O. 150 (Rep.).

der Glaubens-/Lehrdokumente, die »supply a basis on which approach may be by God's blessing made towards Home Reunion«[146] auf »the Apostles' Creed, as the Baptismal Symbol, and the Nicene Creed, as the sufficient statement of the Christian faith«[147]. Zwar führen die Lambeth Konferenzen auch über 1888 hinaus als kirchenkonstitutive Lehr- und Ordnungsdokumente nach dem Book of Common Prayer (und Ordinal) gewöhnlich auch die 39 Articles an[148]. Doch sind sie aufgrund ihres eklektischen Charakters gegenüber dem komprehensiven Charakter des Prayer Book – unter ekklesiologischem Aspekt – »in their influence upon the life and thought of the Church inevitably far less normative than the Prayer Book«[149] und nur ein dem Prayer Book »associated document«[150], das – unter theologischem Aspekt – »in accordance with the Book of Common Prayer«[151] interpretiert werden muß. Wenn schließlich die Lambeth Konferenz 1968 die von ihren Vorgängerinnen auch unter ständigen mehr oder weniger starken Spannungen aufrechterhaltene »Catholic and Reformed« Ausgeglichenheit durch ihre Empfehlung an die Kirchen der Anglican Communion, »that assent to the Thirty-nine Articles be no longer required of ordinands«[152] so stark zuungunsten des reformatorischen Relates verändert, daß diesem spezifisch reformatorischen Lehrdokument des Anglikanismus seine Bedeutung als eines der kirchencharakteristischen anglikanischen Formularien abgesprochen wird, dann bildet dieser Schritt einen vorläufigen Endpunkt einer kontinuierlichen theologischen und ekklesiologischen Entwicklung der letzten 100 Jahre, in deren Brennpunkt und repräsentativ für den Gesamtanglikanismus die in diesem Zeitraum zusammengetretenen Lambeth Konferenzen stehen. Diese Entwicklung ist wohl zum einen gekennzeichnet durch die ständigen Bemühungen um die komprehensiv-harmonische Ausgeglichenheit der »katholischen« und »reformatorischen« Tendenzen in ihrer weltweiten Kirchenfamilie, doch zugleich auch durch die – nicht selten bestrittene – Erfahrung, daß diese beiden Kräftegruppen auch im Anglikanismus nicht nur in komplementärer Relation zueinander stehen, sondern auch in konkurrierendem Wettbewerb um die Gestaltung des theologischen und ekklesiologischen Primärcharakters ihrer Kirche. Hat dieser Wettbewerb zur Folge, daß eines der beiden Relate in die sekundäre Rolle eines historisch und sachlich relativierten theologisch-ekklesiologischen Hilfsfaktors gedrängt wird – wie etwa das reformatorische Relat durch die Entwertung der Articles als kir-

146. A.a.O. 24 (Res.).

147. Ebd.

148. Siehe oben S. 50 ff.

149. Anglican Congress 1954, 47 (Ph. Carrington: The Structure of the Anglican Communion).

150. Doctrine in the Church of England ..., 9.

151. Lambeth Conferences 1867–1930, 236 (Lambeth Conference 1930, Rep.).

152. The Lambeth Conference 1968, 41 (Res.).

chenautoritativ-verbindliches Lehrdokument anglikanischer Kirchen in der Resolution 43 der Lambeth Konferenz 1968 –, dann setzen die anglikanische Theologie und Kirche nicht allein die ihnen als spezifische Gabe anvertraute katholisch-reformatorische Comprehensiveness aufs Spiel, sondern damit zugleich auch die in ihrem komprehensiv-viamedialen ekklesiologischen Selbstverständnis begründete »special vocation as one of God's instruments for the restoration of the visible unity of His whole Church«[153] und als Kirche des katholisch-reformatorischen Ausgleichs »the rallying point of Christendom«[154] zu sein.

2. Struktur der Lehre

Eines der Fundamentalelemente des theologischen und ekklesiologischen Erbes der Church of England und der Kirchen der Anglican Communion ist die dreifache Strukturbasis der Lehre auf den Faktoren Schrift/Offenbarung, Geschichte/Tradition und Vernunft/Gewissen[155]. Weil dieses Lehrstrukturschema auch von den Lambeth Konferenzen als unbestrittenes gesamtanglikanisches Erbe seit der Reformationsepoche diskussionslos übernommen wird, finden sich in den offiziellen Verlautbarungen der Konferenzen und in den sie begleitenden Dokumentationen kaum explizit-thematische Erklärungen, doch zahlreiche Äußerungen in andersthematischen Zusammenhängen, die den überlieferten Befund auch für die Lambeth Konferenzen bestätigen.

153. Lambeth Conference 1948, II. 51 (Rep.); ähnlich auch a.a.O. I. 22 (Encyclical Letter): »... special service to render to the whole Church«; Anglican Congress 1954, 206 (The Congress Message): »... the certain assurance of God's calling of us ...« u. ö.

154. Pan-Anglican Congress 1908. Report to Lambeth Conference 1908 ..., 47. Zu diesem durchlaufenden Selbstverständnis der Anglikanischen Kirche(n) siehe etwa auch noch The Lambeth Conferences 1867, 1878, and 1888 ..., R. T. Davidson (Hg.), 245 (Lambeth Conference 1888, Sermon preached by Bishop Whipple of Minnesota ... on July 3, 1888): »I reverently believe that the Anglo-Saxon Church has been preserved by God's providence ... to heal the divisions of Christendom.« Conference of Bishops of the Anglican Communion ... 1908, 41 (Encyclical Letter): »The peculiar position of our Communion, with its power ... of mediating in a divided Christendom ...« The Lambeth Conference 1958, 1. 23 (Encyclical Letter): »We believe that the Anglican Communion has a special ... responsibility to help in the healing of the divisions which hinder the Church's ministry of reconciliation« u. ö.

155. Siehe hierzu M. Keller-Hüschemenger: Die Lehre der Kirche im frühreformatorischen Anglikanismus ..., 48 ff. und ders.: Die Lehre der Kirche in der Oxford Bewegung ..., 49 ff.

a) Schrift

Die fundamentale Bedeutung der Schrift für Lehre, Ordnung und Leben der Kirche ist eines der wesentlichen Charakteristika des Anglikanismus seit der Reformation der Church of England im 16. Jahrhundert[156]. Das gilt in vollem Ausmaß auch für die Lambeth Konferenzen. Auch für sie nimmt die Schrift in Lehre, Ordnung und Leben der Kirche »the dominant place«[157] ein als »basis«[158], »principle«[159], »institutional safeguard«[160] und Kriterium[161] für deren apostolisch-katholische Legitimität.

Darum nimmt es nicht wunder, daß es keine Lambeth Konferenz gibt, die sich nicht in irgendeiner Beziehung mit dem Schriftverständnis der anglikanischen Kirche befaßt. Zwei der Konferenzen, die von 1897 und die im Jahre 1958, setzen sich ausführlich und explizit-thematisch aufgrund der aktuellen theologischen Situation mit diesem Themenkomplex auseinander, speziell im Zusammenhang mit den Fragen um das Inspirationsverständnis sowie den Offenbarungscharakter der Schrift im Licht neuer theologischer und naturwissenschaftlicher Erkenntnisse.

Durch alle Lambeth Konferenzen hindurch zieht sich das Bekenntnis von der »paramount authority«[162], »supreme and unshaken authority«[163], »specific authority of the Holy Scriptures«[164] oder der »supremacy of Scripture«[165] als »the ultimate rule and standard of faith«[166], »our sole rule of faith and prac-

---

156. Siehe hierzu ders.: Die Lehre der Kirche im frühreformatorischen Anglikanismus ..., 48 ff., 98 ff., 113, 182 ff. und ders.: Die Lehre der Kirche in der Oxford Bewegung ..., 91, 160 f., 185. In beiden Arbeiten finden sich auch Hinweise auf anglikanische Literatur zum Thema.

157. The Lambeth Conference 1958, 1. 33 (Res.).

158. Conference of Bishops of the Anglican Communion ... 1888, 24 (Res. 11, Lambeth Quadrilateral) u. ö.

159. Conference of Bishops of the Anglican Communion ... 1878, 35 (Rep.) u. ö.

160. Doctrine in the Church of England ..., 112.

161. The Lambeth Conference 1968, 102 (Rep.).

162. Conference of Bishops of the Anglican Communion ... 1888, 105 (Rep. No 12 – Authoritative Standards).

163. Lambeth Conferences 1867–1930, 163 (Lambeth Conference 1930, Rep.).

164. Lambeth Conference 1930. Memoranda. Archbishops' Doctrinal Commission Reports No 1, 11 (Grounds of Belief). Ähnlich Lambeth Conference 1948, II. 85 (Rep.); The Lambeth Conference 1958, 1. 19 (Encyclical Letter) u. ö.

165. Conference of Bishops of the Anglican Communion ... 1878, 35 (Rep.); Lambeth Conference 1958. Documents ..., Vol. I. Prayer Book Revision in the Church of England ..., 39; Doctrine in the Church of England ..., 8 u. ö.

166. Conference of Bishops of the Anglican Communion ... 1878, 35 (Rep.); Conference of Bishops of the Anglican Communion ... 1897, 109 (Rep.); Lambeth Conference 1948, II. 85 (Rep.).

tice«[167]. Sie ist »our main instrument«[168] und »the standard of all our teaching«[169], »the supreme rule ... of Christian doctrine«[170] oder schließlich »the
primary criterion of its (the Church of England's) teaching and the chief source
of guidance for its religious life«[171]. Ebenso einmütig bekennen die Konferenzen
auch die heilstheologische, soteriologisch-christologische »sufficiency«[172], die »fulness«[173] der Bibel als – so gewöhnlich in wörtlichem Bezug auf Art. VI: Of the
Sufficiency of the Scriptures for Salvation der 39 Articles – »containing all
things necessary to salvation«[174]. Darum soll die Kirche »teach nothing as

167. The Lambeth Conferences 1867, 1878, and 1888, R. T. Davidson (Hg.), 214
(Sermon preached by Bishop Stevens, of Pennsylvania in St. Paul's Cathedral on
July 27th, 1878; nach Abschluß der Konferenz). Bereits die Formulierung der »Introduction« der Resolution I der Lambeth Konferenz 1867 (Conference of Bishops of the
Anglican Communion ... 1867, 13 f.): »... we do here solemny record our conviction
that unity will be most effectually promoted by maintaining the Faith in its purity and
integrity – as taught in the Holy Scriptures ...« hatte den Widerspruch hochkirchlicher
Kreise hervorgerufen, da dieser Wortlaut interpretiert werden könne in dem Sinne, daß
»the Bible is the sole rule of Faith in the Church of England« (The Rule of Faith as
professed by the Church of England, adopted at the Lambeth Conference, and applicable to the Solution of our present Difficulties. A Letter to the Right Rev. The Lord
Bishop of Oxford by a Priest in the Oxford Diocese, Oxford / London 1867, 3); vielmehr seien neben der Schrift als weitere »Rules of Faith« (a.a.O. 4) die »three Creeds«
(a.a.O. 5) sowie die »authority of the Church« (ebd.) zu berücksichtigen. Auf die hier
angeschnittene Frage nach dem Verhältnis von Schrift und Tradition wird weiter unten
noch ausführlich einzugehen sein.
168. The Six Lambeth Conferences 1867–1920, R. T. Davidson (Hg.), Conference
of Bishops of the Anglican Communion ... 1888, London 1920, Committee on Definite
Teaching of the Faith to various classes and the means thereto ..., 9. Dieser Committee
Report wurde vom Plenum der Konferenz nicht angenommen; doch ist er im Encyclical
Letter der Konferenz im Abschnitt »Definite Teaching of the Faith« mit verarbeitet.
169. Conference of Bishops of the Anglican Communion ... 1897, 20 (Encyclical
Letter); a.a.O. 22 (Encyclical Letter): »... such a Church as ours which founds all her
teaching on Scripture (and Antiquity).«
170. A.a.O. 64 (Rep.). Ähnlich auch The Lambeth Conference 1958, 1. 18 (Encyclical
Letter): »... the supreme importance which is attached to the authority of the Bible in
the formulation of doctrine«; Doctrine in the Church of England ..., 9: »... as supplying
the standard of doctrine« u. ö.
171. Doctrine in the Church of England ..., 31.
172. Conference of Bishops of the Anglican Communion ... 1878, 35 (Rep.).
173. Conference of Bishops of the Anglican Communion ... 1897, 65 (Rep.). The
Lambeth Conferences 1867, 1878, and 1888, R. T. Davidson (Hg.), 214 (Sermon
preached by Bishop Stevens, of Pennsylvania ... 1878): »... and it is a perfectly com-
pleted book.«
174. Conference of Bishops of the Anglican Communion ... 1878, 10 (Letter from

›necessary for eternal salvation but what may be concluded and proved by the Scripture‹«[175]. Und »where some beliefs might be taught even if they lacked the clear warrant of Scripture«[176], dann ist solches Lehren der Kirche nur so weit legitim, »as they were natural deductions from Scripture or were at least not contrary to its teaching«[177].

Die zunehmende, auch von den Lambeth Konferenzen wiederholt geforderte kritische Beschäftigung mit biblischen Studien historischer, exegetischer und systematisch-dogmatischer Natur[178] seit der Mitte des 19. Jahrhunderts im Anglikanismus[179] läßt verständlicherweise auch die Lambeth Konferenzen nicht un-

---

the Bishops including the Reports adopted by the Conference, Rep.). Conference of Bishops of the Anglican Communion ... 1888, 24 (Res. 11, Lambeth Quadrilateral). Diese Formulierung findet sich auch noch in der Lambeth Konferenz 1897 (Conference of Bishops of the Anglican Communion ... 1897, 64 [Rep.], 109 [Rep.]), unter Berufung auf das Lambeth Quadrilateral 1888. Die Lambeth Konferenz 1920 änderte den Wortlaut: »as the record of God's revelation of Himself to man ... (Lambeth Conferences 1867–1930, 39: An Appeal to all Christian People) und ebenso ersetzte die Konferenz 1968 den Wortlaut gemäß Art. VI der 39 Articles durch die neue Fassung: »... the uniquely authoritative record of God's revelation of himself to man« (The Lambeth Conference 1968, 123 [Rep.]).

175. The Lambeth Conference 1958, 1. 33 (Res.).

176. Lambeth Conference 1958. Documents ..., Vol. I. The Commemoration of Saints and Heroes of the Faith in the Anglican Communion. The Report of a Commission appointed by the Archbishop of Canterbury, London 1957, 16.

177. Ebd. Der Report bezieht sich hier auf die Artikel XX und XXII der 39 Articles.

178. So bereits die Conference of Bishops of the Anglican Communion ... 1878, 35 (Rep.): »We proclaim the sufficiency and supremacy of the Holy Scriptures as the ultimate rule of faith, and commend to our people the diligent study of the same.« Conference of Bishops of the Anglican Communion ... 1897, 20 (Encyclical Letter): »The critical study of the Bible by competent scholars is essential to the maintenance in the Church of a healthy faith.« The Lambeth Conference 1958, 1. 19 (Encyclical Letter): »We invite the Churches of the Anglican Communion to make a new effort to extend and deepen the quality of both the personal and the corporate study of the Bible.« The Lambeth Conferenc 1968, 120 (Rep.): »We welcome the formation of associations for biblical study ... and we urge our scholars to take an even greater part in such studies.« Der Committee Report: The Critical Study of Holy Scripture der Lambeth Konferenz 1897 (Conference of Bishops of the Anglican Communion ... 1897, 63) betont ausdrücklich »the unfaltering conviction that the Divine authority and unique inspiration of the Holy Scriptures cannot be injuriously affected by the reverent and reasonable use of criticism in investigating the structure and composition of the different books«.

179. Siehe hierzu u. a. etwa L. E. Elliot-Binns: The Development of English Theology in the Later Nineteenth Century ..., 67 ff. J. K. Mozley: Some Tendencies in British Theology from the publication of Lux Mundi to the present day ..., 59 f. A. M. Ramsey: From Gore to Temple ..., 5 f., 92 ff., 129 ff., 169.

berührt. Hinterlassen die inneranglikanischen theologischen Spannungen in der noch verhältnismäßig wenig umstrittenen Frage der Autorität der Schrift für die Lehre(n) der Kirche bereits deutliche Spuren, so ist das in den bedeutend strittigeren Fragen des Inspirations- und Offenbarungscharakters der Schrift in noch viel einschneidenderem Maße der Fall.

Die mit der Inspiration eng verbundene Frage der Irrtumslosigkeit der Schrift hatte bereits im Colenso-Streitfall[180] im Vorbereitungsstadium zur ersten Lambeth Konferenz 1867 die Gemüter stark entzweit. Die Meinungsunterschiede innerhalb des anglikanischen Episkopats waren noch auf der Lambeth Konferenz 1888 offensichtlich so unüberbrückbar, daß die Bischöfe sich nicht auf einen vom Plenum gebilligten Report zu dem im Encyclical Letter dieser Konferenz kurz angeschnittenen Themenkreis über »Definite Teaching of the Faith« aufgrund der divergierenden Meinungen in der Frage des Inspirationsverständnisses der Schrift einigen konnten. Ein erster Entwurf, der dem Plenum von einem Komitee unter dem Vorsitz von Bischof Fr. Temple von London vorgelegt worden war, wurde mit großer Mehrheit »recommitted«, d. h. an das Komitee zur nochmaligen Überarbeitung zurückverwiesen. Aber auch der überarbeitete zweite Entwurf fand nicht die Billigung des Konferenzplenums, so daß im offiziellen Konferenzberichtsband 1888 ein Committee Report über das Konferenzthema »Definite Teaching of the Faith« fehlt[181]. Erst auf den folgenden Konferenzen gelangte man zu gemeinsamen Aussagen in der Frage der Inspiration der Schrift, allerdings auch dann noch nicht in den von der jeweiligen Konferenz als ganzer autorisierten Encyclical Letters und Resolutions, sondern in den Reports, die zwar mit Billigung der Gesamtkonferenz in die jeweiligen Konferenzberichte aufgenommen werden, für die jedoch nur das betreffende Committee die Verantwortung trägt. Zudem verzichten auch die Reports zu diesem Thema mehr oder weniger darauf, »to make any final pronouncements on critical questions«[182], und vermeiden, sich auf bestimmte theologische »theories« festzulegen, so daß ihre Formulierungen von einer deutlichen Ambiguität geprägt sind, die »komprehensiv« unterschiedlichen Interpretationsmöglichkeiten auch noch dort Raum läßt, wo die Reports konkretere Aussagen zum In-

180. Siehe oben S. 13 f. A. M. G. Stephenson: The First Lambeth Conference: 1867, 126 f.

181. Zu den Vorgängen auf der Lambeth Konferenz 1888 siehe etwa W. Hobhouse: A Sketch of the First Four Lambeth Conferences 1867–1897, 41. B. Heywood: About the Lambeth Conference 1930, 90. Der Text des vom Konferenzplenum nicht gebilligten Committee Report »On Definite Teaching of the Faith to various classes and the means thereto« ist abgedruckt in: The Six Lambeth Conferences 1867–1920, R. T. Davidson (Hg.), Lambeth Conference 1888.

182. Conference of Bishops of the Anglican Communion ... 1897, 67 (Rep.). Diese Feststellung trifft auch für die späteren Konferenzen zu.

spirationsverständnis der Schrift bieten. Innerhalb dieses komprehensiven Rahmens können dann auch die Reports nicht nur summarisch-formal vom (einzigartigen) Faktum der Inspiration der Schrift sprechen[183], sondern gelangen auch in wichtigen Teilfragen zu gemeinsamen Aussagen. So bemerkt etwa der Report No 3 »The Critical Study of Holy Scripture« der Lambeth Konferenz 1897 zur Frage, inwieweit die moderne Bibelkritik den Inspirationscharakter der Schrift in Frage stellt, daß das Committee »do not hold that a true view of Holy Scipture forecloses any legitimate question about the literary character and literal accuracy of different parts or statements of the Old Testament; but keeping in view the example of Christ and His Apostles, they hold that we should refuse to accept any conclusion which would withdraw any portion of the Bible from the category of ›God-inspired‹ Scripture, profitable for doctrine, for reproof, for correction, for instruction in righteousness«[184]. Der Committee Report »The Holy Bible: Its Authority and Message« der Lambeth Konferenz 1958 nimmt nicht nur dieses heils-(lehr-)theologisch orientierte Inspirationsverständnis auf mit der Feststellung, daß »the Bible ... as a whole ... is inspired by God«[185] bzw. »is the work of God's inspiration, without ascribing inerrancy to every statement which the Bible contains«[186], sondern geht in einem wichtigen Teilpunkt noch über die Position von 1897 hinaus, insofern als er den Inspirationscharakter primär den biblischen Schreibern beimißt: »... inspiration means that the Spirit of God has been at work in a writer«[187] und so einen legitimen Freiheitsraum sieht für offensichtliche »degrees within the Bible: degrees of significance as between books or portions of books, and degrees of religious and moral approximations to the full revelation of Jesus Christ«[188], ohne diese Abstufungen mit »degrees of inspiration«[189] identifizieren zu müssen.

Auch in der Frage des Offenbarungscharakters der Schrift lassen die Äußerungen der Lambeth Konferenzen theologische Differenzen von beträchtlichem Ausmaß zwischen den anwesenden Bischöfen erkennen, die wiederum wohl im Sinne der »Catholic and Reformed comprehensiveness« durch den Verzicht auf »final pronouncements on critical questions«[190] (theologisch minimalisiernd) überdeckt werden, doch hinsichtlich ihrer theologischen und ekklesiologischen Implikatio-

183. Conference of Bishops of the Anglican Communion ... 1897, 63 (Rep.): »... unique inspiration of the Holy Scriptures ...« The Lambeth Conference 1958, 2. 5 (Rep.): »... the Holy Scriptures are inspired.« Doctrine in the Church of England ..., 28: »The Bible is unique, as being the inspired record of a unique revelation« u. ö.

184. Conference of Bishops of the Anglican Communion ... 1897, 67. Die Spannungen und Schwierigkeiten bei den Beratungen über diesen Report müssen immens gewesen sein, wie ein Vergleich seines definitiven Wortlautes mit dem Entwurf zeigt, der sich über weite Strecken hin vom endgültigen Text unterscheidet.

185. The Lambeth Conference 1958, 2. 8 (Rep.).   186. Ebd.

187. Ebd.   188. Ebd.   189. Ebd.

190. Conference of Bishops of the Anglican Communion ... 1897, 67 (Rep.).

nen für die anglikanischen Kirchen nach innen und außen keineswegs zu Ende diskutiert sind. So steht auch für die Lambeth Konferenzen das formale Faktum des göttlich inspirierten Offenbarungscharakters der Bücher des Alten und Neuen Testamentes[191], durch die Gott[192] bzw. »the Holy Ghost speaks both to the Church as a whole and to individuals«[193], fest. Die Bibel »presents«[194] Gottes »self-revelation«[195], »self-disclosure«[196] »in the various ages covered by the Old (and New) Testament Scriptures«[197] und »discloses the truths about the revelation of God and Man«[198] unter – so die Lambeth Konferenz 1968 – dem dreifachen Aspekt von Gottes »Nature, Will, and Purpose«[199]. In weiteren, gerade auch für den ekklesiologischen Standort der anglikanischen Kirche(n) im ökumenischen Horizont heute bedeutsamen Fragen üben die Konferenzen jedoch offensichtlich starke Zurückhaltung und lassen inkompatible Äußerungen nebeneinander bestehen. Das gilt für unsern Problemkomplex etwa für eine so wichtige Frage wie die nach der Exklusivität der (Heils-)Offenbarung Gottes (in Jesus Christus) in der Schrift. Hier stehen gelegentliche Aussagen über die Schrift als *the* unique and classical record of the revelation of God in His relation and deelings with man«[200] anderen Aussagen gegenüber, die die Bibel charakterisieren als »*a* Revelation of God«[201] oder »*a* means by which the Holy Spirit speaks both to the Church as a whole and to individuals«[202]. Diese und ähnliche Beobachtungen[203] können in der Tat dazu veranlassen, die kritischen Bemerkungen Bischof A. C. Headlams zur Lambeth Konferenz 1920 auf die Gesamtheit der Lambeth Konferenzen zu beziehen: »We find always the desire to obtain a solution; but we do not always find that the problem before the Conference has been really thought out. Much more generally what we find is the presence of

191. A.a.O. 65 (Rep.): »... the Bible is a Divine Library rather than a single Book.«

192. The Lambeth Conference 1958, 1. 18 (Res.): »... the Bible, through which God has spoken ...«   193. The Lambeth Conference 1968, 124 (Rep.).

194. Conference of Bishops of the Anglican Communion ... 1897, 64 (Rep.).

195. Doctrine in the Church of England ..., 28.

196. The Lambeth Conference 1968, 124 (Rep.).

197. Conference of Bishops of the Anglican Communion ... 1897, 66 (Rep.). Lambeth Conferences 1867–1930, 163 (Lambeth Conference 1930, Res.): »its ... revelation, both throughout the Old and New Testament.«

198. The Lambeth Conference 1958, 1. 33 (Res.). Ähnlich auch Lambeth Conference 1948, II. 85 (Rep.): »... Scripture, which is authoritative because it is the ... record of the revelation of God in His relation and dealings with man.«

199. A.a.O. II. 30 (Rep.).

200. A.a.O. II. 85 (Rep.). Ähnlich auch Doctrine in the Church of England ..., 28: »The Bible is unique, as being the inspired record of a unique revelation.«

201. Conference of Bishops of the Anglican Communion ... 1897, 64 (Rep.).

202. The Lambeth Conference 1968, 124 (Rep.).

203. Ein ähnlicher Tatbestand ließe sich auch aus den Verlautbarungen der Lambeth Konferenzen zum Inhalt der Schriftoffenbarung erheben.

two or three different views put before us, presented but not conciliated«[203a] und – mit den Worten Headlams – die Frage zu stellen, ob das von den Konferenzen auch hier angestrebte Ziel einer »Comprehensiveness«-Einheit wirklich um den hohen Preis »(of) a certain failure of intellectual precision in the treatment of many problems«[204] erkauft werden sollte.

Wie sehr die Lambeth Konferenzen mit ihrem Schriftverständnis in den geistes- und theologiegeschichtlichen Traditionsstrom der Anglikanischen Kirche eingebettet sind, zeigt sich nicht zuletzt an dem Gewicht, das auch sie dem Geschichtscharakter der Schrift mit dem ihm inhärenten Entwicklungsmoment beimessen[205]. Der »permanent value of the several books of the Old, as well of the New Testament« wird nur dann in seiner vollen Bedeutung erfaßt, »when each is placed in its historical environment, and in relation to the ruling ideas of its time«[206]. Und immer wieder begegnen Charakterisierungen der Schrift als »a revelation of God, progressively given«[207], »progressive revelation, both throughout the Old Testament and the New«[208], »progressive self-revelation of God in history«[209], oder es ist die Rede vom »continuous growth shown in the Bible«[210]. Diese in der Heiligen Schrift bezeugte überlieferte progressiv-kontinuierliche Offenbarung Gottes in dem von den Büchern des Alten und Neuen Testamentes umschriebenen Geschichtsraum hat ihr Herzstück und ihr Ziel in Gottes Selbstoffenbarung in Jesus Christus: In ihm, in »the Person and teaching and the works of the Lord Jesus Christ«[211], findet die Offenbarung Gottes ihre Vollendung/»completion«[212], ihren Höhepunkt[213], ihre »climax«[214]. Er ist als »God's

203a. A. C. Headlam: The Lambeth Conference, The Church Quarterly Review, Vol. XCI, 1920, 140.   204. Ebd.

205. Vgl. hierzu M. Keller-Hüschemenger: Die Lehre der Kirche im frühreformatorischen Anglikanismus ..., 79 ff., 97 ff. und ders.: Die Lehre der Kirche in der Oxford Bewegung ..., 67 ff.

206. Conference of Bishops of the Anglican Communion ..., 1897, 65 (Rep.).

207. A.a.O. 63 (Rep.); a.a.O. 65 (Rep.): »The progressiveness of Divine Revelation in the various ages covered by the Old Testament Scriptures.«

208. Lambeth Conferences 1867–1930, 163 (Lambeth Conference 1930, Res.).

209. Lambeth Conference 1930. Memoranda. Archbishops' Doctrinal Commission Reports No 1, 11 (Grounds of Belief). Ähnlich auch Doctrine in the Church of England ..., 28: »a self-revelation of God through history and experience« – a self-revelation which develops ...«, 31: »progressive self-revelation of God in history« u. ö.

210. Conference of Bishops of the Anglican Communion ... 1897, 65 (Rep.).

211. A.a.O. 64 (Rep.).   212. Ebd.

213. Lambeth Conference 1930. Memoranda. Archbishops' Doctrinal Commission Reports No 1, 12 (Grounds of Belief): »that progressive self-revelation of God in history which culminates in Jesus Christ.« So wörtlich auch in: Doctrine in the Church of England ..., 31. Ähnlich Lambeth Conferences 1867–1930, 149 (Lambeth Conference 1930, Encyclical Letter): »... culminates in the coming of our Lord Himself.«

214. Doctrine in the Church of England ..., 8: »Our attention must be fastened on

ultimate/final Word to man«[215] nicht nur »the crown«, sondern auch »the criterion of all revelation«[216]. Darum ist »in his light all Holy Scripture ... to be (seen and) interpreted«[217]. Dieser soteriologisch-christologische Fundamental- und Zentralaspekt der Schrift als Gottes progressiv-kontinuierliche geschichtliche Heilsoffenbarung in Jesus Christus setzt schließlich auch den Maßstab für das Verhältnis von Altem und Neuem Testament: Im Licht dieser Christusoffenbarung »can we read the Old Testament as God's Word of Promise and the New Testament as God's Word of Fulfilment«[218]. Der Weg von der Verheißung Gottes im Alten Testament zur Erfüllung seiner Verheißung im Neuen Testament in Jesus Christus ist der einer bruchlos-kontinuierlichen Entwicklung in einem bruchlos-kontinuierlichen Geschichtsprozeß, in der »the Old Testament was not left behind ... but the first stage in a revelation of which the New Testament was the fulfilment«[219]. Damit erweist sich die Lambeth Konferenz 1958 – wohl mehr oder weniger stellvertretend auch für die übrigen Lambeth Konferenzen – auch in diesem Punkt ihres Schriftverständnisses dem bereits in anderem Zusammenhang aufgewiesenen[220] gemeinanglikanischen Denken in den letztlich aus griechisch-platonischen Wurzeln genährten Kategorien eines bruchlos-harmonischen, progressiv-kontinuierlichen Geschichts- und Entwicklungsdenkens verpflichtet.

the trend of the Scripture as a whole and upon its climax in the record of the Word made flesh.«

215. The Lambeth Conference 1958, 1. 19 (Encyclical Letter).
216. Lambeth Conferences 1867–1930, 163 (Lambeth Conference 1930, Res.).
217. The Lambeth Conference 1958, 1. 19 (Encyclical Letter), 1. 33 (Res.); ähnlich Doctrine in the Church of England ..., 8.
218. The Lambeth Conference 1958, 2. 7 f. (Rep.). Das Gewicht, das die Lambeth Konferenz 1958 auf die Charakterisierung des Verhältnisses von Altem und Neuem Testament in der Kategorie von Weissagung und Erfüllung legt, geht auch daraus hervor, daß diese Charakterisierung sich nicht nur im Report findet, sondern auch im Encyclical Letter (a.a.O. 1. 19: »Our Lord Jesus Christ is God's ultimate Word to man. In his light all Scripture is to be interpreted, the Old Testament in terms of Promise, the New in terms of Fulfilment«) sowie in den Resolutions (a.a.O. 1. 33: »The Conference affirms that our Lord Jesus Christ is God's final Word to man, and that in his light all Holy Scripture must be seen and interpreted, the Old Testament in terms of Promise and the New Testament in terms of Fulfilment«). Der (nicht in den offiziellen Berichtsband aufgenommene) Committee Report: On Definite Teaching of the Faith der Lambeth Konferenz 1888 geht über die vage Formulierung: »... we accept the Old Testament as the introduction to the New« (The Six Lambeth Conferences 1867–1920, R. T. Davidson [Hg.], 11) nicht hinaus.
219. The Lambeth Conference 1958, 2. 5 (Rep.).
220. Siehe oben S. 38 ff.

b) Geschichte/Tradition

Für den gesamten Anglikanismus seit der Reformationsepoche nimmt neben der Schrift die Geschichte/Tradition den Rang eines fundamental-konstitutiven Seins- und Funktionselementes ein[221]. Als solches wird sie auch von den Lambeth Konferenzen eingestuft.

Der konstitutiv-fundamentale Seins- und Funktionscharakter der Geschichte/ Tradition für die anglikanische(n) Kirche(n) im Urteil der Lambeth Konferenzen und der sie begleitenden Dokumentationen gründet sich auf ihrer generellen Wertung als Wirk- und Offenbarungsfeld Gottes in der Welt. Das ist für die Heilige Schrift bzw. den von ihr umfaßten Zeitraum selbst der Fall insofern, als die Bücher des Alten und Neuen Testamentes als der spezifische Ort und das einzigartige Zeugnis der Heilsoffenbarung Gottes in Jesus Christus (entwicklungs-)geschichtlichen Charakter haben, Geschichte darstellen bzw. bezeugen und Teil der allumfassenden Geschichte Gottes mit und in seiner Schöpfung sind[222]. Doch auch über den von den Büchern des Alten und Neuen Testaments erfaßten geographischen und zeitlichen Raum hinaus ist die Geschichte nicht nur allgemein »the sphere for the free activity of the Living God«[223], sondern auch außerhalb seiner in der Schrift bezeugten Selbstoffenbarung in Jesus Christus »makes (God) himself known to men in history«[224] sowohl in »the self-revealing activity of God all through the long story of man's quest to understand him«[225] in dem Wirken großer religiöser Persönlichkeiten wie Mohammed, Buddha oder Zoroaster[226] und in »the great non-Christian religions and systems«[227], wie auch »in nature (and) beyond this ... in varying degrees in the course of historical events and in the experience and character both of nations and of individuals«[228]. So scheint auch »the light of the Gospel through the religious, political and cultural dynamics of this present age ...«[229]. Diese außerchristlichen/außer-

---

221. Siehe hierzu M. Keller-Hüschemenger: Die Lehre der Kirche im frühreformatorischen Anglikanismus ..., 66 ff.; ders.: Die Lehre der Kirche in der Oxford Bewegung ..., 74 ff.

222. Siehe oben S. 77 f.

223. Lambeth Conference 1948, II. 9 (Rep.).

224. The Lambeth Conference 1958, 2. 77 (Rep.).

225. Anglican Congress 1963, 21 (M. A. C. Warren: The Church's Mission to the World on the religious Frontier, Theme Address).

226. A.a.O. 20.

227. Lambeth Conferences 1867–1930, 189 (Lambeth Conference 1930, Rep.).

228. Lambeth Conference 1930. Memoranda. Archbishops' Doctrinal Commission Reports No 1, 35 (Revelation); so wörtlich auch Doctrine in the Church of England ..., 43.

229. Anglican Congress 1963, 238 (W. Coleman: The Anglican Heritage and the Common Christian Calling). Ähnlich auch Lambeth Conference 1948, II. 2 (Rep.):

biblischen Offenbarungen sowohl in den großen nichtchristlichen Religionen und (philosophischen) Systemen wie in den »historical facts« politischer, kultureller und moralischer Entwicklungen einzelner Völker und »the human race as a whole«[230] stehen zur Selbstoffenbarung Gottes in Jesus Christus nicht – wie in der kontinental-reformatorischen Theologie – in einem dialektischen Bezug zueinander, sondern in einem komplementär/evolutionären, überhöhend/vollendenden Bezug. Das gilt für das Verhältnis der außerchristlichen (Hoch-)Religionen zum Christentum, die »approaches to the truth of God revealed in Christ«[231] sind, in denen Gott »through lower phases and half-truths ... has made himself known to men and has trained the race«[232] und die im Christentum ihre »completion«[233] erfahren bzw. in Christus »in a quite unique way«[234] kulminieren[235], und es trifft ebenso für das Verhältnis der Offenbarungen Gottes in der Geschichte und Entwicklung der menschlichen Gesellschaft zur »revelation of God in Christ« zu, die »not so much an addition to, as the consummation of all God's revelation in the individual, the family, and the State«[236] ist.

»We think it possible, from the Christian standpoint, to trace the finger of God in some contemporary trends.« Lambeth Conference 1968. Preparatory Essays, A. M. Allchin: Faith and Spirituality, 139: »The Church and the Scripture may not have a monopoly of God's saving presence and truth.«

230. Lambeth Conference 1930. Memoranda. Archbishops' Doctrinal Commission Reports No 1, 35 (Revelation): »A self-disclosure of God must also be recognized in the religious and moral development of the human race as a whole.«

231. Lambeth Conferences 1867–1930, 189 (Lambeth Conference 1930, (Rep.).

232. Pan-Anglican Congress 1908. Report to Lambeth Conference 1908, 4.

233. Ebd.

234. Anglican Congress 1963, 20 (M. A. C. Warren: The Church's Mission to the World ..., Theme Address).

235. Lambeth Conference 1930. Memoranda. Archbishops' Doctrinal Commission Reports No 1, 11 (Grounds of Belief).

236. Pan-Anglican Congress 1908. Report to Lambeth Conference 1908, 10. Es darf nicht übersehen werden, daß die hier notwendigerweise nur kurz und summarisch nachgezeichnete Linie des Verhältnisses von Christentum/Schriftoffenbarung und außerchristlichen Religionen/natürlichen Offenbarungen auch im Umkreis der Lambeth Konferenzen in der anglikanischen Theologie und Kirche auch auf mancherlei Kritik stößt; siehe hierzu etwa Anglican Congress 1963, 41 ff. (Diskussionsbeiträge zum Thema: The Church's Mission to the World: On the religious Frontier) oder auch das Referat von D. L. Munby: Christian Appraisal of the Secular Society in: Lambeth Conference 1968, Essays on Faith, 102 ff. Anmerkungsweise und um früher bereits ausführlich Dargelegtes nicht zu wiederholen sei auch hier kurz hingewiesen auf die frühreformatorischen anglikanischen Theologen und Kirchenmänner, die das hier anstehende Problem der »theologia naturalis« unter dem Einfluß der kontinentalen reformatorischen – speziell der Wittenberger – Theologen unter dem Gesichtspunkt der Dialektik von Schrift-/Christusoffenbarung und natürlicher Offenbarung angehen; siehe hierzu etwa M. Keller-

Für die Anglikanische Kirche als »a Church for which the authority of Scripture and tradition stands high«[237] zählt seit der frühreformatorischen Periode die Geschichte bzw. Tradition zu den konstitutiv-fundamentalen Strukturfaktoren auch der Lehre[238]. Dieses theologie- und lehrgeschichtliche Erbe der Väter nehmen auch die Lambeth Konferenzen auf und entfalten es unter verschiedenen Aspekten, die die Konferenzen ebenfalls als in den lehrgeschichtlichen Traditionsstrom ihrer Kirche fest eingebunden erweisen. So ist etwa auch für sie die Lehre nicht statischen, sondern dynamisch-evolutionären Charakters. Sie macht in der Geschichte einen Entwicklungsprozeß durch, der in der Schrift als dem »standard of all our teaching«[239] seinen Anfang nimmt – einen Anfang allerdings, der in sich selbst bereits einen lehrgeschichtlichen Entwicklungsraum nicht nur vom Alten zum Neuen Testament hin darstellt, sondern auch im Neuen Testament selbst »by the enlightening of the Aposteles to unterstand more fully and more clearly what they had already learned from the teaching of our Lord Himself«[240] – und in dessen weiterem Verlauf in der Geschichte der Kirche diese apostolische Lehre »gradual and progressive«[241] kontinuierlich »develops and grows«[242]. Diese Entwicklung vollzieht sich unter der von Christus der Kirche verheißenen »guidance of the Holy Spirit within the life of the Church«[243], der »after the Cross and Ressurrection (of Christ) did ... come upon the Church«[244]

Hüschemenger: Die Lehre der Kirche im frühreformatorischen Anglikanismus ...; ders.: Die Lehre der Kirche in der Oxford Bewegung ... unter den Stichworten: Denk- und Vorstellungsstrukturen: Dialektisches Geschichtsdenken, Offenbarung und Theologie: theologia naturalis.

237. The Lambeth Conference 1968, 106 (Rep.).

238. Siehe hierzu M. Keller-Hüschemenger: Die Lehre der Kirche im frühreformatorischen Anglikanismus ..., 66 ff.; ders.: Die Lehre der Kirche in der Oxford Bewegung ..., 74 ff.

239. Conference of Bishops of the Anglican Communion ... 1897, 20 (Encyclical Letter). Vgl. oben S. 71 ff.

240. The Lambeth Conferences of 1867, 1878, and 1888 ..., The Lambeth Conference of 1897 ..., R. T. Davidson (Hg.), 119 (Sermon preached by the Archbishop of York, at the Opening of the Lambeth Conference of Bishops in Westminster Abbey, on Wednesday, June 30, 1897, Joh. XVI, 13). Lambeth Conferences 1867–1930, 163 (Lambeth Conference 1930, Res.) u. ö.

241. The Lambeth Conferences of 1867, 1878, and 1888 ..., The Lambeth Conference of 1897 ..., R. T. Davidson (Hg.), 119 (Sermon preached by the Archbishop of York ...).

242. The Lambeth Conference 1968, 64 (Rep.). Ähnlich The Six Lambeth Conferences 1867–1920, R. T. Davidson (Hg.), Lambeth Conference 1888, Committee Report: On Definite Teaching of the Faith ..., 14. Lambeth Conference 1930. Memoranda. Archbishops' Doctrinal Commission Reports No 1, 35 (Revelation). Anglican Congress 1954, 154 (L. S. Hunter: A Church in Action) u. ö.

243. The Lambeth Conference 1968, 68 (Rep.).

244. Lambeth Conference 1948, II. 110 (Rep.).

und in ihr das Werk Christi fortsetzt[245] als »an interpreter«[246] der Lehre Christi für »His faithful people in the Church«[247]. Zwar nicht in den Verlautbarungen der Lambeth Konferenzen selbst, wohl aber in einigen der sie begleitenden Dokumente kann darauf hingewiesen werden, daß dieser Wachstums- und Entwicklungsprozeß nicht immer frei ist von »error or defect, narrowness or extravagance, mistakes inseparable from all human operations even when associated with the working of Divine Power«[248] oder daß »the contemporary understanding of doctrinal development must include not merely the idea of an organic growth and enlargement, but also that of some occasional pruning the tree«[249]. Doch auch wenn die Geschichte der christlichen Lehre oft genug »appears as a zig-zag course«[250], so zeigt ihr Studium doch »a consistency of fundamental purpose«[251] und daß »there remains the precious residuum of the spiritual truth into which the Holy Ghost has guided the Church«[252].

Charakter und Gehalt dieser lehrgeschichtlichen Entwicklung in der Kirche sind bestimmt durch das Verständnis der Schrift als das komprehensiv-suffiziente Zeugnis des Heilswillens und der Selbstoffenbarung Gottes in Jesus Christus für die Welt[253]. Das impliziert, daß über die Schrift hinaus keine weiteren heilsnotwendigen Lehren mehr zu erwarten oder zu fordern wären und daß darum auch »the Holy Ghost had no new revelation to make to mankind«[254]. Seine »mission ... as an interpreter and guide[255] besteht vielmehr darin, die ein für alle Male den

245. Lambeth Conferences 1867–1930, 163 (Lambeth Conference 1930, Res.): »We believe that the work of our Lord Jesus Christ is continued by the Holy Ghost ...« A.a.O. 149 (Lambeth Conference 1930, Encyclical Letter). Lambeth Conference 1948, II. 84 f. (Rep.). The Lambeth Conference 1958, 2. 4 (Rep.) u. ö.

246. The Lambeth Conferences of 1867, 1878, and 1888 ..., The Lambeth Conference of 1897 ..., R. T. Davidson (Hg.), 119 (Sermon preached by the Archbishop of York ...).

247. Lambeth Conference 1948, II. 84 f. (Rep.).

248. The Lambeth Conferences of 1867, 1878, and 1888 ..., The Lambeth Conference of 1897 ..., R. T. Davidson (Hg.), 119 (Sermon preached by the Archbishop of York ...).

249. Lambeth Conference 1968. Lambeth Essays on Faith, 31 (H. Chadwick: The ›Finality‹ of the Christian Faith).

250. Ebd.

251. A.a.O. 30 f.

252. The Lambeth Conferences of 1867, 1878, and 1888 ..., The Lambeth Conference of 1897 ..., R. T. Davidson (Hg.), 119 (Sermon preached by the Archbishop of York ...).

253. Siehe oben S. 71 ff.

254. The Lambeth Conferences of 1867, 1878, and 1888 ..., The Lambeth Conference of 1897 ..., R. T. Davidson (Hg.), 119 (Sermon preached by the Archbishop of York ...).

255. Ebd.

Aposteln von Christus anvertraute Heilswahrheit/-lehre zu entfalten, »opening up new aspects of the truth, enlarging our conceptions of words and events already familiar, declaring to us their special message for each particular age, building up from generation to generation the great temple of truth«[256]. Dieser Prozeß ist auch gegenwärtig noch nicht abgeschlossen. Er setzt sich vielmehr fort bis zur Realisierung der alle völkisch-nationalen und geistig-kulturellen Regionen und Bereiche in komprehensiver Weise umfassenden »fulness« der Universal Apostolic and Catholic Church, in der alle Partikularkirchen ihre »treasures of faith and order«[257], »rich diversity of life and devotion«[258], »spiritual treasures«[259], »all the spiritual gifts and insights by which the particular Churches live to his (Christ's) glory«[260] beitragen. Solange diese Fülle noch nicht erreicht ist, steht die Lehre stets in der Gefahr, »erroneous and disproportionate systems«[261] zu bilden. Die im Verlauf der Geschichte der partikularen Kirchen herangewachsenen und für diese Kirchen spezifisch-eigentümlichen »elements of truth about which differences have arisen« schließen sich gegenseitig grundsätzlich nicht aus, sondern ergänzen sich in komplementärer Weise als »essential to the fulness of the witness of the whole Church«[262]. So ist auch die apostolisch-katholische Lehre der Kirche in den zeitlich, geographisch-ethnisch und geistig-kulturell universal-geschichtlichen Rahmen der »fulness of the nations«[263] einbezogen.

Der Geschichte bzw. Tradition eignet im Anglikanismus der Charakter und die Funktion eines Fundamentalfaktors der Lehre nicht nur als der lehrwertfreie Raum, das formal-lehrwertneurale »Vehikel« des lehrgeschichtlichen Entwicklungs-/Entfaltungsprozesses. Sie ist als solche auch materiales Strukturelement der Lehre, zumindest in dem Sinne, daß sich die Lehre der Kirche in ihrem apostolisch-katholischen Wahrheitsgehalt am kritischen Maßstab der Geschichte/

256. Ebd.
257. Lambeth Conferences 1867–1930, 39 (Lambeth Conference 1920, Res.).
258. Ebd.
259. A.a.O. 217 (Lambeth Conference 1930, Rep.).
260. The Lambeth Conference 1958, 2. 22 (Rep.) u. ö.
261. Conference of Bishops of the Anglican Communion ... 1908, 36 (Encyclical Letter).
262. Lambeth Conferences 1867–1930, 25 (Lambeth Conference 1920, Encyclical Letter). Von den »differences« ist hier im Zusammenhang mit den Bemühungen der Konferenz um die »Reunion of Christendom« die Rede, also von Differenzen in Lehre und Ordnung der Kirchen, die mehr oder weniger zur Aufspaltung in die Konfessions-/Partikularkirchen beigetragen haben. Wie schwer andererseits für sie diese Spaltungen wiegen, zeigt sich u. a. darin, daß sie auch sehr ernst von »the sins of division« der Kirche sprechen können, so etwa Conference of Bishops of the Anglican Communion ... 1908, 66 (Res.); Lambeth Conferences 1867–1930, 122 (Lambeth Conference 1920, Rep.) u. ö.
263. Lambeth Conferences 1867–1930, 32 (Lambeth Conference 1920, Encyclical Letter).

Tradition neben dem der Heiligen Schrift ausweisen muß. Diese Dignität wird allerdings – auch hier machen sich die Lambeth Konferenzen zum Sprecher der gemeinanglikanischen Lehrtradition – nur dem Geschichtsraum der ungeteilten »Primitive/Early Church« der »Antiquity« bzw. nur der in diesem Geschichtsraum fixierten und in der Folgezeit bis zur Gegenwart unverfälscht und rein bewahrten »early/primitive tradition« des biblisch-apostolischen Zeugnisses in Lehre, Ordnung und Praxisvollzug der Kirche zugesprochen aufgrund des dieser Kirche und ihren Funktionen eignenden spezifisch geistgeführten Charakters, der in der bruchlos-kontinuierlichen vertikal-geschichtlichen Apostolizität und der umfassend-komprehensiven horizontal-territorialen Katholizität der Kirche jener Epoche seine sichtbaren Kennzeichen hat[264]. So bildet auch für sämtliche Lambeth Konferenzen von 1867 bis 1968 neben der »Scripture/Holy Writ« die »Primitive Church«[265], »early Church«[266], »undivided Curch of the early centuries of the Christian era«[267], »antiquity«[268], »primitive tradition«[269] nach gemeinanglikanischem Verständnis ein fundamental-konstitutives Wesens- und Funktionselement der Kirche und deren Lehre, Ordnung und Leben.

Diese exzeptionelle Dignität der Primitive Church/Antiquity erweist sich speziell an den Knotenpunkten, in denen sich die geistgeführte Lehrfunktion der Alten Kirche zu ihren autoritativ-verbindlichen Lehrformulierungen verdichtet: den »Catholic Creeds« der »undisputed General Councils«[270] der Alten Kirche.

264. Zum Verständnis der Apostolizität und Katholizität in der anglikanischen Theologie und Kirche siehe ausführlicher M. Keller-Hüschemenger: Die Lehre der Kirche im frühreformatorischen Anglikanismus ..., 66 ff., 74 ff., 161 ff., 166 ff.; ders: Die Lehre der Kirche in der Oxford Bewegung ..., 80 ff., 234 ff., 239 ff., 262 ff. Dort finden sich auch Hinweise auf anglikanische Literatur zu diesen Begriffen.

265. Conference of Bishops of the Anglican Communion ... 1867, 13, 15 (Res.), 22 (Address of the Bishops). Conference of Bishops of the Anglican Communion ... 1878, 10, 35 (Rep.). Conference of Bishops of the Anglican Communion ... 1888, 18 (Encyclical Letter). The Lambeth Conference 1958, 1. 47 (Res.) u. a. m.

266. Lambeth Conferences 1867–1930, 84 (Lambeth Conference 1920, Rep.). The Lambeth Conference 1968, 102 (Rep.).

267. Lambeth Conference 1948, II. 84 (Rep.). Conference of Bishops of the Anglican Communion ... 1867, Entwurf der »Introduction« zu den »Resolutions« der Konferenz, Bodleian Library, Oxford. Lambeth Conferences 1867–1930, 155 (Lambeth Conference 1930, Res.) u. a. m.

268. Conference of Bishops of the Anglican Communion ... 1897, 22 (Encyclical Letter). Lambeth Conferences 1867–1930, 156 (Lambeth Conference 1930, Encyclical Letter) u. a. m.

269. The Lambeth Conference 1958, 2. 4 (Rep.) u. a. m.

270. Conference of Bishops of the Anglican Communion ... 1867, 13 (Resolution I. Introduction). Conference of Bishops of the Anglican Communion ... 1888, 18 (Encyclical Letter). Auf der ersten Lambeth Konferenz 1867 war es zu heftigen Kontroversen zwischen evangelikal-reformatorischen und anglo-katholischen Bischöfen über die

Auch für die Lambeth Konferenzen ist die theologische und ekklesiologische Dignität der »Ancient Catholic Creeds« begründet in der spezifisch geistgewirkten, heilssuffizient-komprehensiven[271] Identität der Lehren der Alten Kirche mit der Lehre der Apostel bzw. der Interpretation der Lehre Christi durch die Apostel. Denn »the formulation of the Creeds themselves was in strict accordance with the interpretation of Christ's promise. There was nothing to be found in them which was not already contained in the teaching of the Apostles and afterwards in the Holy Scriptures; but under the guidance of the Holy Spirit the Creeds present these truths in a concentrated and practical form«[272]. So bewahren die Creeds in ihrer Doppelfunktion als »summary descriptions of the revealed truth of God's Word spoken in Christ«[273] und als »authoritative answers ... that the Church gave in the first centuries ... to some basic questions implicit in Scripture«[274] generell das Christentum vor der »danger of degenerating into a nerveless altruism«[275] und das »sacred deposit« der apostolisch-katholischen Lehre »from some prevalent error or from some practical defect«[276]. Darum darf etwa auch in der Gegenwart – so im Hinblick auf zwischenkirchliche Unionsverhandlungen – für die klassischen Fundamentallehren der apostolisch-

Zahl der Ökumenischen Konzilien der Alten Kirche gekommen, die in der »Introduction« angeführt werden sollten. Der Streit, ob das Dokument auf die ersten vier oder sechs Ökumenischen Konzilien der Alten Kirche Bezug nehmen sollte – die Evangelikalen wünschten eine Bezugnahme auf die ersten vier, die Anglo-Katholiken auf die ersten sechs –, wurde durch die Kompromißformulierung der »undisputed general councils« beigelegt, die zwar mehr dem anglo-katholischen Standpunkt entgegenkam, aber doch auch den Evangelikalen so akzeptabel erschien, daß sie nemine contradicente vom Plenum gebilligt wurde. Siehe hierzu ausführlicher: A. M. G. Stephenson: The First Lambeth Conference: 1867, 10, 249 ff., 254, 266, 282 f.

271. Anglican Congress 1954, 35 (J. W. C. Wand: The Position of the Anglican Communion in History and Doctrine): »That they are themselves comprehensive is recognized by every modern historian of doctrine.« Der Aufbau dieses Abschnittes läßt nicht recht erkennen, ob sich diese Charakterisierung nur auf die altkirchlichen Creeds bezieht oder auf die Creeds, die Articles und den Catechism als Einheit.

272. The Lambeth Conferences of 1867, 1878, and 1888 ..., The Lambeth Conference of 1897, R. T. Davidson (Hg.), 120 (Sermon preached by the Archbishop of York ...).

273. Anglican Congress 1954, 14 (A. M. Ramsey: Address, St. John 8, 31.32).

274. The Lambeth Conference 1968, 124 (Rep.). Ähnlich auch Doctrine in the Church of England ..., 38: »... the Gospel story – which story the Creeds summarize and interpret – ...«

275. Conference of Bishops of the Anglican Communion ... 1908, 29 (Encyclical Letter).

276. The Lambeth Conferences of 1867, 1878, and 1888 ..., The Lambeth Conference of 1897 ..., R. T. Davidson (Hg.), 120 (Sermon preached by the Archbishop of York ...).

katholischen Kirche: Gottheit Christi und Trinität »no text of Christianity ... be exacted, no theory of the undefinable be imposed which is posterior or subordinate to the great historic Eucharistic Creed of the Catholic Church«[277]. Wenn diese Bewertung der altkirchlichen Bekenntnisse zu dem auch sonst für die anglikanische Theologie und Kirche charakteristischen Nebeneinander von »Scripture/Holy Writ and (Catholic) Creeds (of the Church)«[278] als zwei kirchenkonstitutiv-charakteristischen »features ... which are essential to the safeguarding of our unity«[279] führt, werden die Creeds zwar als eine in sich geschlossene Einheit gesehen; doch legen ihnen die Konferenzen im Einzelfall innerhalb ihres Dreierverbandes offensichtlich eine abgestufte Dignität bei[280]. Denn wenn sie den kirchenautoritativen Charakter eines einzelnen altkirchlichen Bekenntnisses betonen oder auf ihn aufmerksam machen, geschieht das stets nur bei dem Apostolicum und/oder Nicaenum; aber nie wird – soweit wir feststellen konnten – in diesem Zusammenhang auf das Athanasianum/Quicunque Vult Bezug genommen[281].

277. The Six Lambeth Conferences 1867–1920, R. T. Davidson (Hg.), Lambeth Conference 1920, 46 h (Sermon preached by the Dean of Westminster, and former Bishop of Winchester, the Right Rev. Bishop Ryle, Opening Service in Westminster). Siehe hierzu etwa auch den Vorwurf gegen die Presbyterianer in dem vertraulichen Memorandum zu den Beratungen der Lambeth Konferenz 1920 über das Konferenzthema »Relations and Reunion with other Churches« (Lambeth Conference 1920. Relation to Non-Episcopal Churches. A Digest. Private No 40, 5): »Their method is always to draw up a doctrinal statement, covering much more than the Nicene Creed.«

278. Conference of Bishops of the Anglican Communion ... 1867, 13 (Res.). Conference of Bishops of the Anglican Communion ... 1878, 17, 35 (Rep.). Conference of Bishops of the Anglican Communion ... 1888, 18 (Encyclical Letter) ... Lambeth Conference 1948, II. 84 (Rep.). The Lambeth Conference 1958, 1. 47 (Res.). The Lambeth Conference 1968, 64, 124 (Rep.). Doctrine in the Church of England ..., 38. Pan-Anglican Congress 1908, Report to Lambeth Conference 1908, 54. Anglican Congress 1954, 14 (A. M. Ramsey: Address ...) u. ö.

279. The Lambeth Conference 1958, 1. 47 (Res.).

280. Die wichtigste Belegstelle hierfür ist das Lambeth Quadrilateral in seinen Fassungen von 1888 (Conference of Bishops of the Anglican Communion ... 1888, 24, Res. 11), 1897 (Conference of Bishops of the Anglican Communion ... 1897, 109: Report No 6) und 1920 (Lambeth Conferences 1867–1930, 39: An Appeal to All Christian People); die Lambeth Konferenz 1968 bezieht sich auf das Lambeth Quadrilateral mit der generellen Formulierung (The Lambeth Conference 1968, 123, Rep.): »in the primitive Creeds.«

281. In einer auf die kurz bevorstehende Lambeth Konferenz 1888 ausgerichteten Predigt (The Present Work of the Anglican Communion. Sermon I. The Maintenance of the Faith: Jude 3. Preached in Canterbury Cathedral On the Sunday preceding the Meeting of the Episcopal Conference of 1888. By the Rev. the Hon. W. H. Fremantle, Canon of Canterbury, London 1888) stuft der Prediger das Athanasianum in die Kategorie der Bekenntnisse von rein historischer Bedeutung ein (S. 10): »... those of

In den bisher angeführten Äußerungen der Lambeth Konferenzen zum Verhältnis von Schrift und Geschichte/Tradition wurde nur das rein formale Faktum des Neben- und Miteinander von Schrift und Geschichte/Tradition als konstitutiver Strukturfaktoren der Lehre festgestellt, ohne wertende Stellungnahme zur Frage der qualitativen Relation beider Faktoren. Seit der Reformationsepoche ist jedoch die Theologie- und Kirchengeschichte des Anglikanismus durchzogen und auf weite Strecken hin geprägt von Spannungen bezüglich der Prävalenz des »reformatorischen« Wort- oder des »katholischen« Tradtition-Relates im »Reformed and Catholic« Charakter der anglikanischen Kirche(n). So heftig sich diese Spannungen bisweilen zwischen beiden Standpunkten im Laufe der Geschichte seit dem 16. Jahrhundert entladen mochten, führten sie doch nie zum Alleinvertretungsanspruch der jeweils dominierenden und zur Eliminierung der jeweils nachgeordneten theologisch-ekklesiologischen Position in der Church of England bzw. den Gliedkirchen der Anglican Communion; vielmehr erkannten und erkennen sich beide gegenseitig auf der gemeinanglikanischen Basis komprehensiver reformatorisch-katholischer Komplementarität als integrale Elemente ihrer Kirche[282] an.

Wie sehr auch die Lambeth Konferenzen von Anfang an in diese Spannungen mit einbezogen sind, mag am Beispiel der von der Konferenz 1867 verabschiedeten Resolution über den Verhandlungsgegenstand des ersten Tages »Intercommunion between the Churches of the Anglican Communion« deutlich werden. In dem von Erzbischof Longley am 23. August 1867 versandten Einladungsschreiben zur Bischofskonferenz, das das definitive Tagungsprogramm mit Resolutionsentwürfen zu den einzelnen Beratungsthemen enthält, lautet der Eingangssatz des Resolutionsentwurfes zum Thema der inneranglikanischen Interkommunion: »We, Bishops of Christ's Holy Catholic Church, professing the faith of the primitive and undivided Church, as based on Scripture, defined by the first four General Councils, and reaffirmed by the Fathers of the English Reformation, now assembled ...«[283]. Diese Formulierung erregte noch vor Beginn

them which merely recall past controversies, like the Athanasian Creed, should be little insisted on.« Zur ekklesiologischen Wertung des Athanasianums im Anglikanismus vgl. etwa E. J. Bicknell: A Theological Introduction to the Thirty-Nine Articles of the Church of England ..., New Impression, April 1950, 206 ff. und W. H. G. Thomas: The Principles of Theology. An Introduction to the Thirty-Nine Articles ..., 4. Aufl., London 1951, 149 ff. Hier finden sich auch ausführliche Literaturangaben aus evangelikaler und anglo-katholischer Sicht.

282. Wo sich radikale Kreise diesem »Spirit of Anglicanism« widersetzen, etwa die Disziplinarier/Presbyterianer des 16. und 17. Jahrhunderts oder die Jung-Traktarianer um Newman im 19. Jahrhundert, führt dies gewöhnlich zu deren Ausscheiden aus der anglikanischen Kirche.

283. Official Arrangements for the Conference of Bishops of the Anglican Communion to be holden at Lambeth Palace, on September 24, 1867 and following days;

der Konferenz[284] den Widerspruch evangelikal-reformatorischer Kreise: »To speak of the Bishops as ›professing the faith of the primitive and undivided Church as based on Scripture‹, putting the Church before the Scripture ... is entirely opposed to all the testimony we have as to the foundation on which our Reformation was placed. The appeal of the Church of England is directly to Holy Scripture, not to the early Church as the authoritative interpreter of Scripture.«[285] In seiner definitiven Fassung, die nach langen und offenbar recht engagiert geführten Diskussionen vom Plenum der Konferenz gebilligt wurde und die den evangelikalen Bedenken sichtlich Rechnung trägt, heißt es: »We, Bishops of Christ's Holy Catholic Church, in visible Communion with the United Church of England and Ireland, professing the faith delivered to us in Holy Scripture, maintained by the primitive Church and by the Fathers of the English Reformation, now assembled ...«[286] Dieser Wortlaut stieß nun wieder auf Ablehnung bei Anglo-Katholiken, weil er in dem Sinne interpretiert werden könne, daß »the Bible ... the sole rule of Faith in the Church of England«[287] sei und damit die Bedeutung der Tradition sowie die Autorität der Kirche als weiterer fundamentaler Elemente der »Rule of Faith« in Frage gestellt würden.

Seinen, in den Grenzen der »moral authority« der Lambeth Konferenzen verbindlichen Ausdruck findet die Relationsbestimmung von Schrift und Geschichte/Tradition in den beiden ersten Artikeln des Lambeth Quadrilateral[288]

mitgeteilt in: The Lambeth Conferences of 1867, 1878, and 1888 ..., R. T. Davidson (Hg.), 57.

284. Das Schreiben war vor Beginn der Konferenz der Presse zugeleitet worden.

285. Remarks on the Approaching Lambeth Episcopal Conference, and its proposed ›Arrangements‹. By W. Goode, DD, FSA, Dean of Ripon, London 1867, 5.

286. Conference of Bishops of the Anglican Communion ... 1867, 13 (Res. I. Introduction). Eine ausführliche Schilderung der Vorgänge bietet nach dem neuesten Forschungsstand A. M. G. Stephenson: The First Lambeth Conference: 1867, 249 ff.

287. The Rule of Faith as professed by the Church of England, adopted at the Lambeth Conference ... A Letter to the Right Rev. The Lord Bishop of Oxford by a Priest in the Oxford Diocese 1867, 3 ff. Vgl. auch oben S. 71 ff.

288. Lt. Oxford Dictionary, Vol. VIII, 7 bezeichnet »Quadrilateral« »the space lying between, and defended by, four fortresses, spec. that in North Italy formed by the fortresses of Mantua, Verona, Peschiera, and Legnano«. Dieser Begriff wurde von W. R. Hutingdon, einem Geistlichen der American Episcopal Church, in seiner 1870 veröffentlichten Schrift »The Church Idea – An Essay towards Unity« aufgegriffen zur Charakterisierung der anglikanischen Position: »The true Anglican position, like the City of God in the Apocalypse, may be said to lie foursquare« (zitiert nach H. G. G. Herklots: The Origins of the Lambeth Quadrilateral, The Church Quarterly Review, Vol. CLXIX, 1968, 61). Als diese vier »Festungen« der anglikanischen Kirche führt er an: »1. The Holy Scripture of the Word of God – 2. The Primitive Creeds as the Rule of Faith – 3. The two Sacraments ordained by Christ himself – 4. The Episcopate as the keystone of Governmental unity. These four points, like the four fortresses of Lom-

von 1888 und dessen – interpretierenden – Modifikationen durch die Lambeth Konferenzen 1897, 1920 und 1968 (s. S. 90).

Die Formulierungen dieser Artikel sind hinsichtlich der Schrift-Geschichte/ Tradition-Relation durch zwei theologisch und ekklesiologisch für den Anglikanismus bedeutsame Faktoren gekennzeichnet: Erstens durch das Fehlen der in der »Introduction« der Resolution I der Lambeth Konferenz 1867 ausdrücklich genannten »Fathers of the English Reformation« neben »Holy Scripture« und »Primitive Church/undisputed General Councils« als einem der kirchenkonstitutiv-charakteristischen Faktoren der Church of England bzw. der Anglican Communion. Das durch das Übergehen der Reformation des 16. Jahrhunderts zum Ausdruck gebrachte ekklesiologische Prinzip: »We must go behind the Reformation to the teaching of (ancient) Christianity«[289] bietet den »Anglicans of the ›Catholic‹ school of thought« die Möglichkeit, die anglikanische(n) Kirche(n) nicht als reformatorische Kirche(n) im Sinne der kontinentalen Reformationskirchen des 16. Jahrhunderts zu verstehen, die gelegentlich bereits von einigen der hochkirchlichen Caroline Divines[290] des 17. Jahrhunderts, in verstärktem Maße von anglokatholischen Kreisen seit der Mitte des 19. Jahrhunderts des Abfalls von der »katholischen« Kirche geziehen wurden und denen damit der Charakter als Kirche proprie dicta abgesprochen werden konnte[291]. Zweitens durch das Herausstellen der Prävalenz der Schrift als die heilssuffiziente Selbstoffenbarung Gottes und »rule and ultimate standard of faith« vor den Creeds (d. i. der Tradition) der Alten Kirche als den »sufficient statements of the Christian Faith«. Damit bleibt andererseits für die evangelikal-reformatorischen Kreise im Anglikanismus die Möglichkeit der Charakterisierung der Church of England bzw. der Anglican Communion als »biblisch«-reformatorischer Kirche(n) im Horizont der Reformationsbewegungen des 16. Jahrhunderts unter Wahrung des Sondercharakters der »English Reformation« in deren spezifischer Zuordnung von Schrift und Geschichte/Tradition (der Primitive Church) belassen. So sind die die kontroversen theologischen und ekklesiologischen Fragen

bardy, make the Quadrilateral of pure Anglicanism« (a.a.O.). Erst eineinhalb Jahrzehnte später griff die General Convention der Protestant Episcopal Church in the United States of America in Chicago 1886 Hutingdon's Quadrilateral in einer etwas modifizierten Form wieder auf. Dieses »Chicago Quadrilateral« bildet dann die direkte Vorlage für das von der Lambeth Konferenz 1888 erarbeitete »Lambeth Quadrilateral« mit seiner vierfachen »basis on which approach may be by God's blessing made towards Home Reunion« (Conference of Bishops of the Anglican Communion ... 1888, 24, Res. 11).

289. –: The Lambeth Conference and the Union of the Churches, The Church Quarterly Review, Vol. LXVI, 1908, 270.

290. Vgl. hierzu etwa M. Keller-Hüschemenger: Die Lehre der Kirche in der Oxford Bewegung ..., 142 f.

291. A.a.O. 181 ff., 247 ff., 254 ff.

Lambeth Konferenz 1888[292]	Lambeth Konferenz 1897[293]	Lambeth Konferenz 1920[294]	Lambeth Konferenz 1968[295]
1. The Holy Scriptures of the Old and the New Testament, as »containing all things necessary to salvation«, and as being the rule and ultimate standard of faith.	1. The general and loving acceptance of the Holy Scriptures of the Old and New Testament, as containing all things necessary to Salvation and as being the rule and ultimate standard of faith.	1. The Holy Scriptures, as the record of God's revelation of Himself to man, and as being the rule and ultimate standard of faith;	1. Common submission to Scripture as the Word of God, the uniquely authoritative record of God's revelation of himself to man.
2. The Apostles' Creed, as the Baptismal Symbol; and the Nicene Creed as the sufficient statement of the Christian Faith.	2. It is cheering to find that not only the Apostles' Creed but also the Nicene Creed is received by so many holy and gifted minds among our separated brethren. In the Nicene Creed ... they acknowledge the essential Christianity necessary for eternal life, more particularly the full truth concerning the person of our Lord Jesus Christ.	2. and the Creed commonly called Nicene, as the sufficient statement of the Christian faith, and either it or the Apostles' Creed as the Baptismal confession of belief.	2. Common profession of the faith derived from that revelation, especially as witnessed to in the primitive Creeds.

292. Conference of Bishops of the Anglican Communion ... 1888, 24 (Res.).
293. Conference of Bishops of the Anglican Communion ... 1897, 109 (Rep.).
294. Lambeth Conferences 1867–1930, 38 (Lambeth Conference 1920, Res. 9: An Appeal to All Christian People).
295. The Lambeth Conference 1968, 123 (Rep.).

überspielenden komprehensiven Formulierungen der verschiedenen Versionen des Lambeth Quadrilateral, die sowohl von den Low Church-Evangelikalen wie von den High Church-Anglokatholiken jeweils in ihrem Verständnis interpretiert werden können, für beide Gruppen gleicherweise akzeptabel.

Eine vergleichende Analyse der beiden ersten Artikel der Lambeth Konferenzen in den Fassungen von 1888, 1920 und 1968 zeigt, daß diese Artikel, wie die bereits an anderer Stelle erwähnte Ersetzung des Wortlautes gemäß Art. VI der 39 Articles seit 1920 durch einen »konfessions«-neutralen Text ausweist[296], eine Entwicklung in Richtung auf ein wachsendes Gewicht des »katholischen« Relates gegenüber dem »reformatorischen« durchlaufen. Diese Entwicklung innerhalb der Lambeth Konferenzen ist nicht Ausdruck und Ergebnis einer Art »pressure group«-Strategie der »katholischen« Bischöfe, um über die moralische Autorität der Konferenzen die reformatorisch-katholische Ausbalanciertheit der Church of England bzw. der Anglican Communion zugunsten des »katholischen« Faktors zu verändern – wenn auch von ihnen gelegentlich auf Ansätze zu stärkeren »reformatorischen« Tendenzen mit dem Druckmittel, die Konferenz verlassen zu wollen, reagiert wurde[297] –; sie ist vielmehr Teil einer im geistes-, theologie- und kirchengeschichtlichen Erbe der Ecclesia Anglicana verwurzelten theologischen und ekklesiologischen Tendenz in der Church of England bzw. der Anglican Communion, die in ihren Ansätzen bereits im frühreformatorischen Anglikanismus vorhanden ist[298] und seit den Caroline Divines des 17. Jahrhunderts und erneut und verstärkt seit den hochkirchlichen Erneuerungsbewegungen des 19. Jahrhunderts[299] den theologisch-ekklesiologischen Charakter und das äußere Erscheinungsbild des Anglikanismus in den letzten 100 Jahren weitgehend geprägt hat und in Gestalt des heutigen gemäßigt-versöhnlichen Anglo-

296. Siehe oben Anm. 174.

297. So z. B. 1888, als dem (vertraulichen) Entwurf des Committee Report für »Home Reunion« auf Initiative des Bischofs von St. Andrews, der Unionsverhandlungen mit den schottischen Presbyterianern anstrebte, ein Passus beigegeben wurde, daß für eine gewisse Übergangszeit der Amtscharakter auch der nicht-bischöflich ordinierten Geistlichen anerkannt werden sollte. Als man den Entwurf, der durch einen Vertrauensbruch vor seiner Beratung im Konferenzplenum in der Times veröffentlicht wurde, dem Plenum vorlegte, forderte eine Anzahl »katholischer« Bischöfe seine Rückverweisung an das Komitee mit der Auflage, den Passus über die interimistische Anerkennung des Amtes nicht-bischöflich Ordinierter zu streichen. Die Annahme des Entwurfes in seiner ursprünglichen Fassung würde – nach Aussage eines Bischofs der Protestant Episcopal Church der Vereinigten Staaten – »have occasioned the immediate withdrawel from the Conference of a large number of the assembled Bishops and would have tended to the immediate disruption of the Church« (zitiert nach: B. Heywood: About the Lambeth Conference 1930, 37).

298. M. Keller-Hüschemenger: Die Lehre der Kirche im frühreformatorischen Anglikanismus ..., 92 ff., 98 f.

299. Ders.: Die Lehre der Kirche in der Oxford Bewegung ..., 95 ff.

Katholizismus[300] noch prägt. Diese Tendenz wirkt sich in den Verlautbarungen der Lambeth Konferenzen und den Äußerungen der sie begleitenden Dokumentationen über den Komplex Schrift-Tradition/Geschichte darin aus, das »katholische« Relat der Tradition/Geschichte gegenüber dem »reformatorischen« Relat der Schrift im »Catholic and Reformed«-Spannungsfeld der anglikanischen Theologie und Kirche in dreifacher Hinsicht stärker zu artikulieren.

Das geschieht einmal in der Neigung, die authentische *Zeugnis*funktion der Tradition der Alten Kirche mit ihrer lehrmäßigen Zusammenfassung in den Creeds in eine authentische *Interpretations*funktion umzuwandeln und die durch eine besondere »guidance of the Holy Spirit«[301] ausgezeichnete Tradition (der Alten Kirche) offenbarungs- und heilstheologisch qualitativ der Schrift zumindest stark anzugleichen als die conditio sine qua non, den Schlüssel, der erst den Zugang zum vollen apostolisch-katholischen Schriftverständnis öffnet. Wohl streift einmal der Encyclical Letter der Lambeth Konferenz 1897 das Prinzip des »scriptura sui ipsius interpres«, um aber zugleich den Schwerpunkt der Aussage auf die notwendig-integrale Funktion der altkirchlichen Tradition für die Interpretation der Schrift zu legen: »The great means provided by God for instructing the conscience of the human race ist the Bible, and for interpreting the Bible, next to the Bible itself, the study of the writings and practices of the Primitive Church is of paramount importances[302]. Zwar geht keine der Lambeth Konferenzen so weit, die Interpretationsfunktion der Tradition/Antiquity/Primitive Church im Sinne eines authentisch-verbindlichen Kriteriums und Maßstabes für die apostolisch-katholische Legitimität des Schriftverständnisses auszulegen; aber das auch von Lambeth Konferenzen gelegentlich als theologiegeschichtliches Erbe der anglikanischen Reformation aufgenommene Theologoumenon[303], daß Schrift *und* Lehr- und lehrbezogene Ordnungsentscheidungen der Alten Kirche als »divinely given gifts«[304] und »expressions of the rule of the Holy Spirit in the Church«[305] gemeinsam als komplementäre Einheit der »primitive tradition«[306] – zumindest entwicklungsgeschichtlich – zuzurechnen sind, gibt

300. Vgl. hierzu etwa die Beurteilung Lambeth Conference 1958. Documents ..., Vol. I. Prayer Book Revision in the Church of England ..., 21: »... a generation ago, the different schools of thought were organized in opposing groups, and the divisions between them were fairly clear-cut; to day there is much cooperative thinking.«

301. The Lambeth Conferences of 1867, 1878, and 1888 ..., The Lambeth Conference of 1897 ..., R. T. Davidson (Hg.), 120 (Sermon preached by the Archbishop of York ...); diese Bemerkung bezieht sich speziell auf die altkirchlichen Creeds.

302. Conference of Bishops of the Anglican Cummunion ... 1897, 22.

303. M. Keller-Hüschemenger: Die Lehre der Kirche im frühreformatorischen Anglikanismus ..., 97 ff.

304. The Lambeth Conference 1958, 2. 4 (Rep.).   305. Ebd.

306. Ebd. Ähnlich auch Lambeth Conferences 1867–1930, 218 (Lambeth Conference 1930, Rep.).

doch zumindest die Möglichkeit frei, die theologische und ekklesiologische Autorität der altkirchlichen Tradition als Interpretationsfaktor der Schrift als integrales Element der »wholeness of Scriptural authority«[307] zu werten und damit auf die qualitative Ebene der Schrift anzuheben.

Der Trend, das »katholische« Geschichts-Relat gegenüber dem »reformatorischen« Schrift-Relat im »Catholic and Reformed«-Spannungsfeld des Anglikanismus stärker herauszuheben, kommt in den Äußerungen der Lambeth Konferenzen und der sie begleitenden Dokumentationen ferner zum Ausdruck in der Tendenz, die authentische *Zeugnis*funktion der altkirchlichen *Tradition* umzufunktionieren in die authentische *Interpretations*funktion der gesamtkirchlichen Tradition und damit der *Geschichte* der Kirche als ganzer.

Diese Tendenz aktualisiert sich am eindringlichsten und für das theologisch-ekklesiologische Selbstverständnis des Anglikanismus wohl am charakteristischsten in dem von den Lambeth Konferenzen als wesentliches Element des gemein-anglikanischen Erbes[308] übernommenen Verständnis des auf Christus und seine Apostel zurückreichenden und in geschichtlich bruchlos-kontinuierlicher Kette bis in die Gegenwart fortgeführten »historischen Episkopats« der anglikanischen Kirche(n) als des Garanten und Symbols der Kirchen- und Lehrkontinuität seit der Alten Kirche.

In Übereinstimmung mit dem Grundtenor der anglikanischen Lehrtradition werten auch die Lambeth Konferenzen und die auf ihre Initiativen zurückgehenden Dokumentationen den »historic episcopate« durchweg als »an essential part of its (i. e. Anglican tradition) Catholic inheritance«[309] und »a treasure which it (Church of England/Anglican Communion) holds in trust for the Church universal, as one of the contributions which it has to bring into a reunited Christendom«[310], ohne sich jedoch mit »one rigid doctrine of its origin and nature«[311] zu

307. So Catholicity ..., 44.

308. M. Keller-Hüschemenger: Die Lehre der Kirche im frühreformatorischen Anglikanismus ..., 67 ff., 149 ff.; ders.: Die Lehre der Kirche in der Oxford Bewegung ..., 104 ff.

309. The Lambeth Conference 1968, 137 (Rep.).

310. Lambeth Conference 1948. Documents ..., Vol. II. L. Hodgson: The Doctrine of the Church as Held and Taught in the Church of England ..., 26. Doch weist etwa R. P. C. Hanson in seinem Beitrag »The Nature of the Anglican Episcopate« in den »Lambeth Essays on Ministry« zur Lambeth Konferenz 1968 darauf hin, daß »the earliest Anglican apologists, Jewel and Hooker, clearly do not regard this (›the Apostolic Succession‹) as an important doctrine« (S. 82) oder daß »the early Anglican Divines make quite clear that they do not regard (historic) episcopacy as an articulus stantis aut cadentis ecclesiae« (S. 80).

311. Lambeth Conference 1958. Documents ..., Vol. I. Conversations between the Church of England and the Methodist Church. An Interim Statement, London 1958, 24. Diese Aussage bezieht sich zwar auf die Church of England; sie gilt jedoch ebenso für die Lambeth Konferenzen.

identifizieren. So charakterisiert das Lambeth Quadrilateral von 1888 in seinem IV. Artikel den »Historic Episcopate« nach seiner funktionalen »nature« recht allgemein als »locally adapted in the methods of its administration to the varying needs of the nations and peoples called of God into the unity of His Church«[312] und geht auf seinen geschichtlichen Ursprung/»origin« überhaupt nicht ein. Erst im Encyclical Letter der Konferenz 1908 äußern sich die Bischöfe – allerdings mehr indirekt als direkt – zur Frage des Ursprungs des historischen Episkopats in ihrer Selbstcharakterisierung als »bearers of the sacred commission of the ministry given by our Lord through His Apostles to the Church«[313]. Da die in dieser Formel ausgesprochene historische Zurückführung des apostolischen Bischofsamtes auf »Christus durch seine Apostel« und die aus diesem historischen Ursprung gefolgerte Interpretation und Wertung dieses Amtes »as of divine institution«[314] mit dem Anspruch der Bischöfe, in Christi Namen zu sprechen[315], auch über die evangelikalen Kreise hinaus lebhaften, sowohl historisch, exegetisch wie systematisch begründeten Widerspruch auslöste[316], läßt die Konferenz 1930 die Formulierung des Encyclical Letter durch ihr Committee »The Unity of the Church« dahingehend interpretieren, daß »we must insist on the Historic Episcopate but not upon any theory or interpretation of it ... What we uphold is the Episcopate, maintained in successive generations by continuity of succession and consecration, as it has been throughout the history of the Church from the earliest times.«[317] In der Folgezeit beschränken sich die Konferenzen, wo sie die Fragen nach dem geschichtlichen Ausgangspunkt des historischen Episkopats, der sachlichen Begründung/Stiftung sowie der Weitergabe dieses Amtes von Bischof zu Bischof anschneiden, mit der Feststellung des Faktums seines Vorhandenseins »from primitive Christian times«[318], »given to the Church by Divine Providence«[319] als »an extension of the apostolic office and function in time and space«[320] und »maintained ... by continuity of succession and conse-

312. Conference of Bishops of the Anglican Communion ... 1888, 24.

313. Conference of Bishops of the Anglican Communion ... 1908, 21 (Encyclical Letter). Die gleiche Formulierung kehrt wieder in den Encyclical Letters der Lambeth Konferenzen 1920 (Lambeth Conferences 1867–1930, 23) und 1930 (a.a.O. 147).

314. A. C. Headlam: The Lambeth Conference (1920), The Church Quarterly Review, Vol. XCI, 1920, 151.

315. Lambeth Conferences 1867–1930, 156 (Lambeth Conference 1930, Encyclical Letter): »We who as Bishops of His Church have some title to speak in His name ...«

316. So z. B. J. R. Cohu: Addresses on the Lambeth Conference 1920, 37: »Lightfoot, Gwatkin, and scores of able Biblical scholars do-day agree with them that there is not a tittle of historical evidence for such a claim.« Ähnlich etwa auch A. C. Headlam: The Lambeth Conference (1920), The Church Quarterly Review, Vol. XCI, 1920, 150 f.

317. Lambeth Conferences 1867–1930, 219 (Lambeth Conference 1930, Rep.).

318. So z. B. The Lambeth Conference 1958, 2. 22 (Rep.) u. ö.

319. Ebd.

320. The Lambeth Conference 1968, 137 (Rep.).

cration«[321]–»komprehensive« Formulierungen, die, indem sie kontroverse Fragen mit Stillschweigen übergehen – etwa den Modus der Stiftung des historischen Episkopates durch Christus – oder unterschiedliche Positionen theologisch unreflektiert nebeneinanderstellen – etwa die historische Kontinuität des Amtes als »succession of office« oder »succession of consecration« –, sowohl die Low Church-evangelikalen wie die High Church-(anglo)katholischen Bischöfe jeweils in ihrem Sinn und Verständnis interpretieren konnten.

Wenn die Lambeth Konferenzen so in der Tat »do not insist on any theory of episcopacy«[322], schließt das jedoch nicht aus, daß ihren Äußerungen ein sehr konkretes theologisches Verständnis des historischen Episkopats unterliegt. Seit der Lambeth Konferenz 1920 – konkreter: seit dem »Appeal to All Christian People« dieser Konferenz – wird in den Äußerungen der Konferenzen und der sie begleitenden Dokumentationen häufiger und mit größerem Nachdruck als durch die früheren Konferenzen hingewiesen auf den für die Anglikanische(n) Kirche(n) und eine wieder vereinigte universale katholische Kirche kirchencharakteristischen und -konstitutiven Charakter des durch seine bruchlose geschichtliche Kontinuität ausgezeichneten historischen Episkopates, wie die anglikanische Kirche ihn durch alle Zeiten hindurch bewahrt hat[323] als »a token of the guidance of the Church by the Holy Spirit and of the Divine purpose«[324], »expression of the rule of the Holy Spirit in the Church«[325], »safeguard (of the) historic continuity within the Church«[326] und damit nicht zum wenigsten als »one of Christ's instru-

---

321. Lambeth Conferences 1867–1930, 219 (Lambeth Conference 1930, Rep.).

322. F. Th. Woods, F. Weston, M. L. Smith: Lambeth and Reunion. An Interpretation of the Mind of the Lambeth Conference of 1920, London 1921, 91.

323. In den Versionen des Lambeth Quadrilateral von 1920 und 1968 ist zwar nicht mehr die Rede vom »Historic Episcopate« – wie 1888 und 1897 –, sondern von »a ministry acknowledged by every part of the Church as possessing not only the inward call of the Spirit, but also the commission of Christ and the authority of the whole body« (Lambeth Conferences 1867–1930, 39: Lambeth Conference 1920, Res.), bzw. »Common acknowledgement of a ministry through which the grace of God id given to his people« (The Lambeth Conference 1968, 123, Rep.). Aber da allein »the (Historic) Episcopate is the one means of providing such a ministry« (Lambeth Conferences 1867 bis 1930, 39: Lambeth Conference 1920, Res.), bzw. da es nur »a ministry within the historic episcopate« (The Lambeth Conference 1968, 123, Rep.) sein kann, weicht die in Blickrichtung auf die nicht-episkopalen Kirchen vorgenommene Redaktion dieses vierten Artikels des Lambeth Quadrilateral sachlich nicht von den beiden ersten Versionen ab.

324. The Church of England and the Free Churches. Proceedings of Joint Conferences held at Lambeth Palace, 1921–1925, G. K. A. Bell and W. L. Robertson (Hg.), London 1925, 69.

325. The Lambeth Conference 1958, 2. 4 (Rep.).

326. The Lambeth Conference 1968, 124 (Rep.).

ments for perpetuating among men ... the revelation He brought from the Father«[327] und Garant für die »continuity of the true teaching«[328]. Dieser Charakter bzw. diese Funktion eignen dem historischen Episkopat allerdings nicht als isoliertem ekklesiologischen Fundamentalfaktor[329] »apart from the faith and corporate life (of the Church) in which (it is) set«[330], sondern wie alle Versionen des Lambeth Quadrilateral ausweisen, nur im Zusammenhang und Zusammenwirken mit den kirchenkonstitutiven Fundamentalfaktoren Schrift, altkirchliche Symbole und den beiden von Christus selbst eingesetzten Sakramenten Taufe und Abendmahl.

Wird dem historischen Episkopat somit auch keine exklusive Autorität als Interpret und Wächter/Garant für das apostolisch-katholische Schriftverständnis vindiziert, so setzt das doch nicht außer Kraft, daß die historische Nachweisbarkeit seiner »unbroken continuity in the organized life of the Church ... from the earliest days until now«[331] *eine* zumindest unter menschlichem Aspekt unabdingbare Voraussetzung[332] und Garantie für die Identität der heutigen Kirche und ihrer Lehre mit der Alten Kirche und deren apostolisch-katholischer Lehre ist. So tritt auch für die speziell im Lambeth Quadrilateral bzw. Appeal to All Christian People »from history, experience and the facts of the present situation«[333] her argumentierenden Lambeth Konferenzen der Zeit-Raum der Geschichte als der unter der Führung des Heiligen Geistes stehende Wirkraum der göttlichen Providenz und damit die Geschichte als »geheiligte Geschichte«[334] neben die

327. F. Th. Woods, F. Weston, M. L. Smith: Lambeth and Reunion ..., 79.

328. The Lambeth Conference 1958, 2. 4 (Rep.).

329. Siehe etwa Lambeth Conference 1958. Documents ..., Vol I. Conversations between the Church of England and the Methodist Church ..., 19 (The Anglican Inheritance and Episcopacy. A Statement by the Members of the Church of England Committee): »... the unity of legitimate succession is after all of little value if taken apart from the continuity of Scripture, the rule of faith, and the Sacraments.« Lambeth Conference 1968, Lambeth Essays on Ministry, 83 (R. P. C. Hanson: The Nature of the Anglican Episcopate): »... historical continuity of apostolic succession of bishops alone is no guarantee of soundness of doctrine and vitality in itself alone ...« u. ö.

330. Lambeth Conference 1948, II. 63 (Rep.).

331. Lambeth Conference 1958. Documents ..., Vol. I. Conversations between the Church of England and the Methodist Church ... 1958, 19 (The Anglican Inheritance and Episcopacy ...). The Church of England and the Free Churches ..., 69: »... which ›from the Apostles' time‹ has always been provided for the Church«.

332. The Lambeth Conference 1958, 2. 88 (Rep.): »... the principle of continuity by succession, which appears indispensable, at least from the human point of view.«

333. F. Th. Woods, F. Weston, M. L. Smith: Lambeth and Reunion ..., 74.

334. Siehe hierzu für das anglikanische Geschichtsverständnis seit der Reformationsepoche M. Keller-Hüschemenger: Die Lehre der Kirche im frühreformatorischen Anglikanismus ..., 82 ff.; ders.: Die Lehre der Kirche in der Oxford Bewegung ..., 90 ff.

Schrift als Unterpfand (und Kriterium) für den apostolisch-katholischen Charakter der Kirche und ihrer Lehre[335].

In den Äußerungen der Lambeth Konferenzen und der sie begleitenden Dokumentationen zeichnet sich schließlich noch eine dritte Tendenz der Umwandlung der authentischen *Zeugnis*funktion der *Tradition* der Alten Kirche für Schrift und apostolisch-katholische Schriftlehre in Richtung auf eine *Interpreten-* und *Wächter*funktion der *Kirche* als solche ab. Das Verhältnis von Heiliger Schrift bzw. Neuem Testament und Kirche wird auch von den Lambeth Konferenzen in Übereinstimmung mit der übrigen gesamtanglikanischen Lehrüberlieferung insofern in einem gewissen dialektischen Bezug gesehen, als unter historischem Aspekt »the Church preceded the New Testament in time«[336]; denn die Kirche »was the first direct result of Christ's activities ... (and) was in active existence for some years before any of the books of the New Testament were written«[337]. Unter theologisch-ekklesiologischem Gesichtspunkt dagegen ist »the Church not ›over‹ the Holy Scriptures, but ›under‹ them, in the sense that the process of canonization was not one whereby the Church confirmed authority on the books but one whereby the Church acknowledged them to possess authority. The books were recognized as giving the witness of the Apostles to the life, teaching, death, and ressurrection of the Lord and the interpretation by the Apostles of these events. To that apostolic authority the Church must ever bow.«[338] Lehre, Ordnung und Wirken der Kirche müssen also stets »in response to the Holy Spirit and in obedience to the gospel«[339] stehen. Darum sind zur Erhaltung des »healthy faith« in der Kirche »the critical study of the Bible by competent scholars«[340] und, wie »the use of the Scriptures by the early teachers of the Church ... as an example to us«[341] zeigt, »the combination of minute fidelity to Holy Writ with great freedom in its treatment«[342] notwendig. Auf der Basis dieser Sachprävalenz der Schrift übt die Kirche ihre Funktion, die Schrift/das

---

335. In diesem Zusammenhang sollte auf den historischen Episkopat nur unter dem historischen Gesichtspunkt der geschichtlichen Kontinuität dieses Amtes eingegangen werden; sein Charakter und seine Funktion unter theologisch-ekklesiologischem Aspekt werden weiter unten (Seite 114 ff.) zu analysieren sein.

336. The Lambeth Conference 1958, 2. 4 (Rep.).

337. Th. Strong: Lambeth Conference 1930, The Church Quarterly Review, Vol. CXIV, 1932, 80.

338. The Lambeth Conference 1958, 2. 5 (Rep.).

339. The Lambeth Conference 1968, 75 (Rep.).

340. Conference of Bishops of the Anglican Communion ... 1897, 20 (Encyclical Letter).

341. A.a.O. 67 (Rep.).

342. Ebd.

Wort Gottes zu lehren und zu interpretieren, nach dem jeweiligen Stand wissenschaftlicher Erkenntnis[343] aus.

In bzw. seit den 30er Jahren, dem »heyday of Anglo-Catholicism«[344], macht sich in den Äußerungen der Lambeth Konferenzen unter dem Einfluß dieser »›Catholic‹ school of thought« im Anglikanismus, theologisch begründet auf der Betonung des »sacramental character«[345] der Kirche als der die Inkarnation Christi fortsetzende mystische »Spirit-filled Body of Christ«[346] in der Welt[347], eine gewisse Tendenz bemerkbar, das an Schrift und Tradition der Alten Kirche ausgerichtete Lehr- und Zeugnisamt der Kirche zu ergänzen – und in gewissem Ausmaß zu ersetzen – durch die Funktion der Kirche als »the repository and trustee of a Revelation of God, given by Himself«[348] und in »the Church ... therefore both guardian and interpreter of Holy Scripture«[349] zu sehen – Funktionen, zu denen die Kirche befähigt ist, weil »Jesus Christ lives in his Church through the Holy Spirit according to his promise«[350]; und selbst wenn »there may have been error or defect, narrowness or extravagances ..., there remains the precious residuum of the spiritual truth into which the Holy Ghost has guided the Church«[351]. Indem einige der späteren Lambeth Konferenzen – zwar weniger in den offiziellen Verlautbarungen ihrer Encyclical Letters und Resolutions als vielmehr in Committee Reports und sonstigen Äußerungen von Personen und in Dokumentationen in ihrem Umkreis – auch solchen Vorstellungen

343. Conference of Bishops of the Anglican Communion ... 1867, 13 (Res.). Conference of Bishops of the Anglican Communion ... 1878, 10 (Rep.). Conference of Bishops of the Anglican Communion ... 1897, 111 (Rep.). Lambeth Conferences 1867–1930, 155 (Lambeth Conference 1930, Encyclical Letter). Lambeth Conference 1848, II. 33 (Rep.). The Lambeth Conference 1958, 1. 33 (Res.) u. ö.

344. D. L. Edwards: Leaders of the Church of England 1828–1944, 315.

345. Doctrine in the Church of England ..., 139.

346. Lambeth Conference 1948, II. 26 (Rep.).

347. Lambeth Conferences 1867–1930, 149 (Lambeth Conference 1930, Encyclical Letter).

348. A.a.O. 136 (Lambeth Conference 1930, Res.).

349. The Lambeth Conference 1958, 1. 33 (Res.). Wenn diese Resolution (No 3) fortfährt (ebd.): »... nevertheless the Church may teach nothing as ›necessary for eternal salvation but what may be concluded and proved by the Scripture‹«, hebt die weiter Interpretation fähige Formulierung »concluded and proved by Scripture« unsere kritischen Bedenken nicht auf. Sollte das in ›...‹ gesetzte Zitat als Hinweis auf Artikel VI der 39 Articles gemeint sein, so wäre darauf hinzuweisen, daß in diesem Artikel nur das als »necessary to salvation« anerkannt wird, was »may be proved therein« (d. i. in der Schrift), nicht aber was »may be *concluded* and proved by the Scripture.«

350. The Lambeth Conference 1958, 1. 33 (Res.).

351. The Lambeth Conferences of 1867, 1878, and 1888 ..., The Lambeth Conference of 1897 ..., R. T. Davidson (Hg.), 120 (Sermon preached by the Archbishop of York ...).

Raum geben, die dahin tendieren, die auf »the continuing experience of the Holy Spirit through His faithful people in the Church«[352] basierende »geheiligte« Autorität der Kirche mit zu bewerten als einen die apostolisch-katholische Identität der Kirche und ihrer Lehre, Ordnung und Praxis sichernden »repository and trustee ... guardian and interpreter«, streifen sie zumindest die gleiche Gefahr, der einige der Traktarianer-Väter der anglokatholischen Bewegung erlegen waren[353], das genuin »anglikanische« Prinzip der »Heiligung der Geschichte« zu erweitern um (oder gar zu ersetzen durch) das »römische« Prinzip der »Heiligung der Kirche« und damit ein der anglikanischen Theologie und Kirche im ökumenischen Horizont spezifisch eignendes Element in Frage zu stellen[354].

c) Vernunft/Gewissen

In den offiziellen Verlautbarungen der Lambeth Konferenzen finden sich zwar keine thematisch abgehandelten Feststellungen zur Wertung von Wesen und Funktion der Vernunft bzw. des Gewissens im anglikanischen Denken und für die anglikanische Theologie und Kirche. Doch zahlreiche Äußerungen in andersthematischen Zusammenhängen sowohl in den offiziellen Berichtsbänden der Konferenzen wie in den begleitenden Dokumentationen lassen deutlich erkennen, daß auch die Lambeth Konferenzen durchaus die gemeinanglikanische Hochschätzung der Vernunft als eines der drei Fundamentalfaktoren anglikanischer Theologie und Ekklesiologie neben Schrift und Tradition[355] teilen. Diese fundamentale Bedeutung der Vernunft als integrales Element anglikanischer Theologie und Ekklesiologie erweist sich vor allem in ihrer Wertung als Strukturfaktor der Lehre(n) der Kirche durch die Lambeth Konferenzen und in den

352. Lambeth Conference 1948, II. 84 f. (Rep.); vgl. auch ähnlich Lambeth Conference 1930. Memoranda. Archbishops' Doctrinal Commission Reports No 1, 13 (The Church as specific Authority): »The Authority of the Church, so far as it is a case of *consensus*, rests on the range and quality of its experience and the accumulated testimony of theologians and Christian people generally both in doctrine and in devotion or other practice.«

353. Siehe hierzu ausführlicher M. Keller-Hüschemenger: Die Lehre der Kirche in der Oxford Bewegung ..., 242 ff. u. ö.

354. Daß die Gefahr, die in dieser Richtung für die anglikanische Kirche und Theologie erwachsen kann, im Anglikanismus selbst empfunden wird, darf aus der apologetischen Bemerkung von Bischof A. E. J. Rawlinson (Theology in the Church of England, in: The Genius of the Church of England, London 1947, 22) geschlossen werden: »The Church, though authoritative, is not infallible, in any oracular sense.«

355. Vgl. hierzu M. Keller-Hüschemenger: Die Lehre der Kirche im frühreformatorischen Anglikanismus ..., 102 ff.; ders.: Die Lehre der Kirche in der Oxford Bewegung ..., 112 ff., 140 ff. Hier finden sich auch Belege aus der neueren und jüngsten anglikanischen Theologie.

sie begleitenden Dokumentationen. Auch für sie bilden »Scripture ..., the testing of history and the free action fo reason«[356] das dreigliedrige Strukturskelett des »Catholic and Reformed« Charakters der anglikanischen Kirche, ihrer Lehre und lehrbezogenen Ordnungen.

Wenn die Konferenzen und die sie begleitenden Dokumentationen feststellen, daß »the Anglican Communion ... appeals to reason«[357], oder sie gezielter »commend the results of this our Conference (1878) to the reason and conscience of our brethren«[358], dann bezieht sich diese positive Einschätzung der Vernunft bzw. des Gewissens – zumindest für die Konferenzen bis 1897 – allerdings nicht auf die »natürliche«, autonome Vernunft in Sinn und Verständnis des Rationalismus der Aufklärung, sondern auf »the reason and conscience ... as enlightened by the Holy Spirit of God«[359], »inspired reason«[360], »the enlightened conscience«[361]. Diese positive Wertung der (»enlightened/inspired) reason« – und damit verbunden des Gewissens – für Theologie und Kirche erweist ihre Gültigkeit in spezifischer Weise für den Bereich der Glaubensdinge darin, daß keine Offenbarung Gottes begriffen/»apprehended« werden kann »apart from an activity of human reason«[362]. Die Auslegung der Schrift – besonders im Blick auf »the questions raised by modern knowledge and modern criticism«[363] – muß be-

356. The Lambeth Conference 1968, 82 (Rep. I. Addendum). Ähnlich auch Lambeth Conference 1958. Documents ..., Vol. I. Conversations between the Church of England and the Methodist Church ..., 18. A.a.O. Vol. I. Prayer Book Revision in the Church of England ..., 1957, 39. Anglican Congress 1954, 36 (J. W. C. Wand: The Position of the Anglican Communion in History and Doctrine).

357. Lambeth Conference 1948, II. 78 (Rep.); ähnlich auch Lambeth Conference 1958. Documents ..., Vol. I. Conversations between the Church of England and the Methodist Church ..., 18. The Lambeth Conference 1968, 82 (Rep. I. Addendum) u. ö.

358. Conference of Bishops of the Anglican Communion ... 1878, 42 (Encyclical Letter).

359. Ebd.

360. The Six Lambeth Conferences 1867–1920, R. T. Davidson (Hg.), Lambeth Conference 1888, 31 (»Address« von Erzbischof Benson zu Beginn der Konferenz am 30. Juni 1888 in der Kathedrale zu Canterbury).

361. The Lambeth Conferences 1867, 1878, and 1888 ..., The Lambeth Conference of 1897 ..., R. T. Davidson (Hg.), 123 (Sermon preached by the Archbishop of York ...). Es ist auffallend, daß sich diese Apostrophierung der Vernunft bzw. des Gewissens als »enlightened/inspired« in den Äußerungen der späteren Lambeth Konferenzen nicht mehr findet; hier ist – soweit wir feststellen können – nur noch einfach von »reason« bzw. »conscience« die Rede.

362. Doctrine in the Church of England ..., 44; ähnlich auch a.a.O. 9: »We are called upon to handle these questions as best as we could in the light of reason«; hier im Zusammenhang mit der Frage nach der Bedeutung der 39 Articles bzw. des Common Prayer Book für die anglikanische Kirchengemeinschaft.

363. The Lambeth Conference 1958, 1. 33 (Res.).

trieben werden »with intellectual integrity«[364], wie andererseits die Bibel »the great means provided by God für instructing the conscience of the human race«[365] ist. Und sogar für Fragen, für die die Schrift nur Andeutungen bietet – etwa über das Leben nach dem Tode oder das Gebet für Verstorbene – und für die wir keine weiteren Offenbarungen zu erwarten haben, können uns »in the instincts of the enlightened conscience«[366] Erleuchtungen gegeben werden, die auf »the darkness of this hidden world« Licht zu werfen vermögen[367]. Wo die Konferenzen – wie etwa die Konferenz 1968 – einmal auf das Verhältnis von Glaube und Vernunft zu sprechen kommen, wird wohl als Unterschied zwischen beiden herausgestellt, daß »any kind of faith and therefore, even more Christian faith ... a commitment that goes beyond man's intellectual endeavour«[368] involviert. Doch werden beide weniger in einem dialektischen Verhältnis zueinander gesehen, wie dies bei zahlreichen von der kontinentalen Reformationstheologie beeinflußten Theologen und Kirchenmännern der englischen Reformationsepoche bis hin zu J. Jewel der Fall ist[369], als vielmehr – unter dem seit R. Hooker, den Oxford und Cambridge Platonists sowie den Caroline Divines zu beobachtenden stetig steigenden Einfluß platonisch-neuplatonischen Denkens[370] – in reziprok-komplementärer Beziehung; denn »Faith and reason are complementary«[371].

Es entspricht durchaus der bereits mehrfach beobachteten »komprehensiven« Intention der Lambeth Konferenzen, wenn sie sich in ihren von der Verantwor-

364. Ebd.

365. Conference of Bishops of the Anglican Communion ... 1897, 22 (Encyclical Letter). Erzbischof Benson kann in seiner Ansprache zu Beginn der Konferenz 1888 die Schrift in ähnlichem Sinne charakterisieren als »the fountain-head of inspired reason« (The Six Lambeth Conferences 1867–1920, R. T. Davidson [Hg.], Lambeth Conferene 1888, 31).

366. The Lambeth Conferences of 1867, 1878, and 1888 ..., The Lambeth Conference of 1897 ..., R. T. Davidson (Hg.), 123 (Sermon preached by the Archbishop of York ...).

367. Ebd.

368. The Lambeth Conference 1968, 68 (Rep.).

369. Siehe hierzu M. Keller-Hüschemenger: Die Lehre der Kirche im frühreformatorischen Anglikanismus ..., 103 ff., 107 f.

370. A.a.O. 11 f.; ders.: Die Lehre der Kirche in der Oxford Bewegung ..., 117 ff., 144 ff.

371. Lambeth Conference 1968. Preparatory Essays ..., 105. (O. Brandon: The Psychology of Faith); ebd.: »Faith is a volitional surrender to an intellectual conviction. But human knowledge is limited, and it is sometimes possible to apprehend (by faith) what we cannot comprehend (by reason); and sometimes an object of faith can be authenticated by reason or at least supported by reason, though it could not have been discovered by reason alone.« Diese Vorstellung Brandons von der reziproken Komplementarität von Glaube und Vernunft hat im Abschnitt »The Insights of Psychology« des Committee Report III keinen Niederschlag gefunden.

tung der jeweiligen Gesamtkonferenz getragenen Verlautbarungen in den Encyclical Letters (bzw. der »Message« 1968) und Resolutions auf die Feststellung einiger weniger gemeinanglikanischer Grundfakten des Themenkomplexes »Vernunft/Gewissen« als eines der drei Fundamentalfaktoren für die anglikanische Kirche und ihre Theologie beschränken und auf konkretere theologische Äußerungen zu so wichtigen und innerhalb des Anglikanismus kontroversen Fragen wie denen nach dem Verhältnis von Glaube und Vernunft, »inspirierter« und »natürlicher« Vernunft oder der Art und dem Grade der Interdependenz von Schrift, Geschichte/Tradition und Vernunft[372] verzichten. So gelangen die Konferenzen auch in diesem Komplex durch das Aussparen nicht ausdiskutierter strittiger erkenntniskritischer und theologischer Fragen zu einer komprehensiven Harmonisierung differenter theologischer und ekklesiologischer Positionen der evangelikal-reformatorischen, anglokatholischen und liberalen Gruppen innerhalb der Church of England/Anglican Communion.

3. Funktionen der Lehre

a) Personal-heilsbezogene Funktion

Auch die Lambeth Konferenzen reflektieren – wenn auch in unterschiedlicher Intensität – nach zwei Richtungen hin über den Funktionscharakter der Lehre: einmal im Blick auf ihre personal-heilsbezogene Funktion für den einzelnen Gläubigen und zum andern hinsichtlich ihrer Funktion als kirchenkonstitutives Strukturelement der Kirche[373].

Zwar sprechen die Lambeth Konferenzen nicht wie die anglikanischen Formularies der Reformationsepoche und gelegentlich noch anglikanische Theologen bis ins 19. Jahrhundert hinein direkt von »wholesome doctrine«[374] oder »necessary doctrines ... required for salvation«[375]. Doch sehen auch sie Lehre und Heil

---

372. Die in die theologische Nähe R. Hookers (siehe hierzu M. Keller-Hüschemenger: Die Lehre der Kirche im frühreformatorischen Anglikanismus ..., 113 f.) führende Bemerkung in dem der Lambeth Konferenz 1958 als Arbeitsmaterial vorgelegten Memorandum »Conversations between the Church of England and the Methodist Church ...« (Lambeth Conference 1958, Documents ..., Vol. I. ..., 18): »The Anglican appeal to history is always checked by the appeal to Scripture and reason« ist weder vom Encyclical Letter oder den Resolutions noch von einem der Committee Reports dieser Konferenz aufgenommen worden.

373. Zum Gesamtkomplex der Funktionen der Lehre im Anglikanismus seit der Reformationsepoche sei verwiesen auf M. Keller-Hüschemenger: Die Lehre der Kirche im frühreformatorischen Anglikanismus ..., 37 ff.; ders.: Die Lehre der Kirche in der Oxford Bewegung ..., 158 ff.

374. Ders.: Die Lehre der Kirche im frühreformatorischen Anglikanismus ..., 38 ff.

375. Ders.: Die Lehre der Kirche in der Oxford Bewegung ..., 113.

des einzelnen Christen in engem Bezug. Denn die Heilige Schrift, die als »a means of grace to the individual«[376] »all things necessary to salvation«[377] enthält, ist selbst lehrhaften Charakters, da sie als einen zentralen Gehalt »the teaching of our Lord Jesus Christ« und seiner Apostel enthält, und zwar sowohl im Sinne des Lehrens wie der Lehre als Objekt des Lehrens[378]. Das qualifiziert sie nicht nur instrumental als »our main instrument in all our teaching«[379], sondern auch material als »authoritative source/the ultimate rule and standard of all our teaching/the doctrine of the Church«[380]. Die kirchenautoritativen Zusammenfassungen der Lehre in den altkirchlichen Creeds und den Formularies der Reformationsepoche für die anglikanische(n) Kirche(n) beinhalten somit die in eine »concentrated and practical form«[381] gefaßten »Definitions« des »One (Catholic and Apostolic) Faith revealed in Holy Writ«[382], so daß die wichtigsten von ihnen, wie Trinität und Inkarnation Christi, in den Äußerungen der Konferenzen oder den die begleitenden Dokumentationen hin und wieder als »central«, »essential« oder »fundamental« für das geistliche Leben des einzelnen Gläubigen charakterisiert werden können[383]. Diese Lehren sind nicht nur in positiv-affirmativer Hinsicht als »concentrated and practical« Antworten und Zeugnisse der Kirche auf den in der Schrift geoffenbarten Heilswillen Gottes in Jesus Christus für den

376. The Lambeth Conference 1958, I. 19 (Encyclical Letter).

377. Conference of Bishops of the Anglican Communion ... 1878, 10 (Rep.) u. ö.

378. Conference of Bishops of the Anglican Communion ... 1897, 63 (Rep.). The Lambeth Conferences of 1867, 1878, and 1888 ..., The Lambeth Conference of 1897 ..., R. T. Davidson (Hg.), 119 f. (Sermon preached by the Archbishop of York ...). Lambeth Conferences 1867–1930, 163 (Lambeth Conference 1930, Res.). Doctrine in the Church of England ..., 32 u. ö.

379. The Six Lambeth Conferences 1867–1920, R. T. Davidson (Hg.), Lambeth Conference 1888, Committee on Definite Teaching of the Faith ..., 9.

380. Belegstellen siehe S. 71 ff.

381. The Lambeth Conferences of 1867, 1878, and 1888 ..., The Lambeth Conference of 1897 ..., R. T. Davidson (Hg.), 120 (Sermon preached by the Archbishop of York ...).

382. Conference of Bishops of the Anglican Communion ... 1878, 10 (Rep.). Ähnlich Conference of Bishops of the Anglican Communion ... 1888, 18 (Encyclical Letter); Lambeth Conference 1948, II. 33 (Rep.); The Lambeth Conference 1968, 64 (Rep.) u. ö.

383. So etwa die Lambeth Konferenz 1888: The Six Lambeth Conferences 1867–1920, R. T. Davidson (Hg.), Lambeth Conference 1888, Committee on Definite Teaching of the Faith ..., 2 (dieser Committee Report wurde jedoch auch nach zweimaliger Überarbeitung nicht in den offiziellen Berichtsband aufgenommen). The Lambeth Conferences of 1867, 1878, and 1888 ..., The Lambeth Conference of 1897 ..., R. T. Davidson (Hg.), 122 (Sermon preached by the Archbishop of York ...). The Six Lambeth Conferences 1867–1920, R. T. Davidson (Hg.), Lambeth Conference 1920, 46 h (Opening Service, Bischof J. C. Ryle).

Heilsbezug des einzelnen bedeutungsvoll, sondern auch insofern, als sie den einzelnen Gläubigen auch vor der Gefährdung oder gar dem Verlust seines Heiles schützen, da sie das uns in der Schrift gegebene »sacred deposit from some prevalent error or from some practical defect«[384] bewahren (»guard«) und verhindern, daß »Christianity would be in danger of degenerating into a nerveless altruism«[385].

b) Kirchenkonstitutive Funktion

Äußern sich die Lambeth Konferenzen über die personal-heilsbezogene Funktion der Lehre für den einzelnen Gläubigen nur gelegentlich und hierbei oft auch nur indirekt, so geschieht dies hinsichtlich ihres Charakters und ihrer Funktion als kirchenkonstitutiver und -charakteristischer Faktor nicht allein bedeutend häufiger, sondern auch eingehender in thematisch-explizitem Zusammenhang.

Sowenig in den Verlautbarungen der Lambeth Konferenzen von der Lehre als einem Real- und Materialgrund des Heils für den einzelnen Gläubigen die Rede ist, so wenig wird ihr auch, wenn von ihr als einem kirchenkonstitutiv-fundamentalen Faktor die Rede ist, die Bedeutung eines Material-/Realgrundes der Kirche beigemessen. Real- und Materialgrund der Kirche ist auch für sie einzig und allein Jesus Christus[386] als ihr »Divine Head and King«[387], »at once its foundation and living head«[388]. Als »a gift of God to man«[389], die »its origin not in the will of man but in the will of our Lord Jesus Christ«[390] hat, ist sie »not something made by men«[391], sondern »a divinely created Society, the Spirit-filled body of Christ through which He is still working in the world«[392], in der »He dwells and through which He wills to save the world«[393] und die er beauftragt

384. The Lambeth Conferences of 1867, 1878, and 1888 ..., The Lambeth Conference of 1897 ..., R. T. Davidson (Hg.), 120 (Sermon preached by the Archbishop of York ...).

385. Conference of Bishops of the Anglican Communion ... 1908, 29 (Encyclical Letter).

386. Siehe hierzu auch M. Keller-Hüschemenger: Die Lehre der Kirche im frühreformatorischen Anglikanismus ..., 43 ff.; ders.: Die Lehre der Kirche in der Oxford Bewegung ..., 91, 152 f., 218.

387. Conference of Bishops of the Anglican Communion ... 1878, 10 (Rep.). Conference of Bishops of the Anglican Communion ... 1888, 105 (Rep.). Lambeth Conferences 1867–1930, 25 (Lambeth Conference 1920, Encyclical Letter).

388. Lambeth Conference 1948, II. 26 (Rep.); ähnlich The Lambeth Conference 1958, 2. 21 (Rep.) u. ö.

389. The Lambeth Conference 1968, 122 (Rep.).

390. The Lambeth Conference 1958, 2. 21 (Rep.).

391. Lambeth Conference 1948, I. 16 (Encyclical Letter).

392. A.a.O. II. 26 (Rep.).

393. Ebd.

»to portray and to represent Him amongst men«[394]. Die Weise, in der er und die Mittel, mit denen er in seiner Kirche gegenwärtig ist und durch die er seinen Heilswillen und sein Heilswerk wirkt, sind seine beiden »means of grace«: sein »Word« und »the two Sacraments ordained by Christ Himself – Baptism and the Supper of the Lord – ministered with unfailing use of Christ's words of Institution, and of the elements ordained by Him«[395]. Insofern sind auch Wort/ Word und Sakramente/Sacraments auch für die Lambeth Konferenzen zwei kirchenkonstitutive »notae« im Sinn des Real- und Materialgrundes der Kirche.

Es entspricht der komprehensiven Intention der Lambeth Konferenzen, wenn beide »notae« gewöhnlich mit- und nebeneinander aufgeführt und in wechselseitigem Bezug gesehen werden, in dem eines das andere in seiner jeweiligen Validität bedingt und zu seiner vollen Entfaltung bringt[396]. Doch erhebt sich auch hier die bereits mehrfach gestellte Frage, ob die Konferenzen die theologische und ekklesiologische Balance im Sinne der beide Relate gleich stark betonenden reformatorisch-katholischen viamedialen Comprehensiveness einer »Kirche des Wortes und der Sakramente« haben durchhalten können. Wohl ist auch für die Lambeth Konferenzen das »Word (of the Scriptures)« als primäres Lehr-, Ordnungs- und Lebenskriterium von »paramount authority« und nimmt in der Kirche »a dominant place«[397] ein. Doch treten in der Abfolge der Konferenzen immer stärker die beiden Sakramente Taufe und Abendmahl als die spezifischen

394. Conference of Bishops of the Anglican Communion ... 1908, 24 (Encyclical Letter); ähnlich Lambeth Conference 1948, II. 26 (Rep.) u. ö.

395. Conference of Bishops of the Anglican Communion ... 1888, 24 (Res. 11, Lambeth Quadrilateral III. Artikel). Vgl. auch die späteren Formulierungen dieses Artikels: Conference of Bishops of the Anglican Communion ... 1897, 109 (Rep. No 6 Church Unity); »As to the two Sacraments ordained by Christ Himself: many to whom the question has been referred not only assent to the necessity of the unfailing use of Christ's words of Institution and of the elements appointed by Him; but in accordance with our Prayer Book, seen in the one ordinance the Sacrament of life, in the other the Sacrament of growth.« Lambeth Conferences 1867–1930, 39 (Lambeth Conference 1920, Res. 9, An Appeal to All Christian People): »The divinely instituted sacraments of Baptism and the Holy Communion, as expressing for all the corporate life of the whole fellowship in and with Christ.« The Lambeth Conference 1968, 123 (Rep. III. Renewal in Unity): »Common acceptance of the divinely instituted sacraments of Baptism and Holy Communion«. Auch Conference of Bishops of the Anglican Communion ... 1878, 10 (Rep.). Lambeth Conference 1948, II. 84 (Rep.). The Lambeth Conference 1958, 2. 16 (Rep.) u. ö.

396. So z. B. The Lambeth Conference 1958, 2. 14 (Rep.): »Thus the Word in the Scriptures is the more vivid on account of the nearness of Jesus (in the Eucharist) who is the Word in the sacramental presence and gift. So the Eucharist is illuminated by the Scriptures; and the power of Scriptures is enhanced by their use within the Eucharist.«

397. Belege siehe oben S. 72 f.

»God-given means of grace«[398], »the focus both of the operation of God's grace and of man's response in repentance and faith«[399], »Christ's appointed pledges to assure us that He thereby bestows on all who rightly receive them divine forgiveness, life, and power«[400] in den Vordergrund. Das trifft speziell für das Herrenmahl/»Eucharist« zu, das nicht nur »the climax«[401], »the centre of all worship«[402], sondern »the focus of a constant, reciprocal relationship with God and our fellow men«[403], ja, der Welt/Gesellschaft ist; denn »in the Eucharist the whole life of the Church and the world is gathered and expressed«[404]. Zwar darf diese »centrality of the Eucharist in the life of the Church«[405] nicht dahingehend mißinterpretiert werden, als solle damit die komprehensive »Reformed and Catholic« Bipolarität von »Wort und Sakrament« in Frage gestellt werden zugunsten eines einseitigen »katholischen« Sakramentalismus, der Gottes Gnade nur auf die Sakramente[406] beschränkt und die Gegenwart Christi allein als »sacramental presence« und nicht zugleich auch in seinem Wort[407] gegeben sehen möchte. Wenn die Lambeth Konferenzen darum auch offensichtlich eine explizite Charakterisierung der Kirche als sakerdotal-sakramentale Fortsetzung und Erfüllung der Inkarnation Christi vermeiden, so signalisieren die wiederholten Äußerungen besonders der Konferenzen seit den 20er Jahren zu diesem Komplex mit dem Herausstellen des sakramentalen Faktors vor dem Wort in den Reports und Resolutions doch unverkennbar eine immer klarer hervortretende Tendenz auf ein »katholisch«-sakramentales Grundverständnis hin, das schon bald den berechtigten Widerspruch evangelikaler Kreise auslöste[408].

398. Lambeth Conferences 1867–1930, 38 (Lambeth Conference 1920, Res.: Appeal to All Christian People).

399. Lambeth Conference 1948, II. 108 (Rep.).

400. A.a.O. II. 109 (Rep.).

401. Lambeth Conferences 1867–1930, 194 (Lambeth Conference 1930, Rep.).

402. Lambeth Conference 1948, II. 31 (Rep.); so auch Doctrine in the Church of England ... 159: »the central act of worship in the Christian Church«.

403. The Lambeth Conference 1968, 65 (Rep.).

404. A.a.O. 101 (Rep.).

405. A.a.O. 124 (Rep.).

406. Etwa Lambeth Conference 1948, II. 108 (Rep.): »While not limiting God's grace to the sacraments...«

407. Z. B. The Lambeth Conference 1958, 2. 16 (Rep.): »It is the rôle of the Word and the Sacraments to be the means of Christ's presence within the Christian community.«

408. So etwa im Rahmen des Generalthemas der Lambeth Konferenz 1930 »The Christian Doctrine of God« im Zusammenhang einer Kritik an einer Überbewertung der »Eucharistic worship« im Anglikanismus: Lambeth Conference 1930. Memoranda. Worship in relation to the Christian Doctrine of God (ohne Seitenangabe): »Even more important perhaps just now is a realisation of the Omnipresence of God, and of the Presence of Christ in the members of his Body. Emphasis on the Eucharistic Presence

Wenn die Lambeth Konferenzen und die sie begleitenden Dokumentationen die Lehre als einen kirchenkonstitutiven und -charakteristischen Faktor werten, geschieht dies also nicht in dem Sinne, als sei die Lehre Real- und Materialgrund der Kirche. Vielmehr dient ihnen diese Wertung zur Charakterisierung ihrer Bedeutung als verbindliches Zeugnis und interpretative Rechenschaftsgabe der Kirche über den in Heiliger Schrift und (altkirchlicher) Tradition geoffenbarten und authentisch bewahrten und weitergegebenen Heilswillen Gottes in Jesus Christus und damit als Kennzeichen/»nota« und Kriterium sichtbarer und organisch-korporativer kirchlicher Einheit und Gemeinschaft in dreifacher Hinsicht.

In den Beratungen der ersten Lambeth Konferenzen, die, wie die Berichtsbände dieser Konferenzen ausweisen, vor allem inneranglikanische Probleme zum Gegenstand haben[409], nimmt der Fragenkomplex um die geistliche, theologische und organisatorische Einheit der Kirchen der Anglican Communion stets einen weiten Raum ein. Der Charakter der Anglican Communion als »a federation of self-governing Churches«[410] oder »a family of autonomous Churches, varied and flexible«[411] gibt aber auch den späteren Lambeth Konferenzen mit ihren starken zwischenkirchlichen und ökumenischen Interessen immer wieder genügend Veranlassung, sich mit den alten inneranglikanischen Problemen mehr oder weniger eingehend beschäftigen zu müssen. Ein Thema, das in diesem Zusammenhang fast jedesmal auftaucht, betrifft die Bedeutung der Lehre für die Selbstdarstellung sowie die Einheit der in der »Familie«, »Föderation« der Anglican Communion zusammengeschlossenen anglikanischen Gliedkirchen. Die Konferenz von 1888 spricht für sämtliche übrigen Konferenzen, wenn einer ihrer Reports feststellt, daß »the Authoritative Standards of Doctrine (and Worship) ... are the primary means of securing internal union amongst ourselves and of setting forth our Faith before the rest of Christendom«[412]. Dem entspricht es,

easily obscures this. It might be right to genuflect towards the consecrated Bread and Wine of the Holy Communion; but if so, must it not be equally right to genuflect towards the congregation of the faithful? ... In the recent emphasis on Eucharistic worship there has been a real danger of losing the sense of God's infinity.« Zum Verhältnis von Wort und Sakrament und seiner Bedeutung für das anglikanische Kirchenverständnis siehe weiter unten S. 125 f., 129 f.

409. Wie stark die Teilnehmer schon der ersten Lambeth Konferenz 1867 doch auch bereits vom »ökumenischen« Anliegen der Einheit der Gesamtchristenheit bewegt sind, geht aus dem Wortlaut der »Introduction« der Resolutionen dieser Konferenz deutlich hervor (Conference of Bishops of the Anglican Communion ... 1867, 13): »... we desire to express the deep sorrow with which we view the divided condition of the flock of Christ throughout the world, ardently longing for the fulfilment of the prayer of our Lord: ›That all may be one, as thou, Father, art in me ...‹«

410. Lambeth Conferences 1867–1930, 122 (Lambeth Conference 1920, Rep.).

411. The Lambeth Conference 1968, 141 (Rep.).

412. Conference of Bishops of the Anglican Communion ... 1888, 105 (Rep.).

wenn schon die erste Lambeth Konferenz 1867 betont, daß »in order to the binding of the Churches of our Colonial Empire and the Missionary Churches
beyond them in the closest union with the Mother Church (i. e. Church of England), it is necessary that they receive and maintain without alteration the standards of Faith and Doctrine as now in use in that Church«[413]. Wenn auch die
folgenden Konferenzen und die sie begleitenden Dokumentationen wiederholt
auf diese kirchenfundamentale und -charakteristische Bedeutung der Lehre für
den Anglikanismus und als Einheitsband der Kirchen der Anglican Communion
hinweisen[414], ist damit nicht eine minutiöse Einheitlichkeit und verbale Uniformität in den Lehren bis ins geringste Detail gefordert, sondern daß die Gliedkirchen »hold substantially the same form of doctrine as ourselves«[415]; denn
Kirchengemeinschaft bzw. Kircheneinheit erfordert keine Übereinstimmung *aller*
Lehren, sondern »we need agreement in fundamental doctrine«[416].

Von kirchenkonstitutiv-/-charakteristischer Bedeutung ist die Lehre für die
Lambeth Konferenzen zum andern hinsichtlich ihrer Funktion zum Nachweis
der Identität des apostolisch-katholischen Charakters der anglikanischen Kir-
che(n), ihrer Lehren, lehrbezogenen Ordnungen und ihres Lebens in ihrer jeweiligen spezifischen geschichtlichen Situation mit der reinen, ungeteilten apostolisch-katholischen »Primitive Church« und deren Lehre, Ordnung und Praxis. Der
Aufweis der Übereinstimmung, zumindest der Kompatibilität ihrer Lehre mit
dem Lehrzeugnis von »Schrift und Tradition« der Alten Kirche ist für »a Church
as ours which founds all her teaching on Scripture and antiquity«[417] von ganz
besonderem Gewicht. Darum können die Konferenzen nicht nur generell »the
precedence of the early Church«[418] bzw. ihrer »tradition«[419] für die Anglican
Communion betonen, sondern in speziellem Bezug auf die Lehre darauf verweisen, daß das Prinzip des »nexus of the Ancient Church«[420] mit ihren »by no

413. Conference of Bishops of the Anglican Communion ... 1867, 17 (Res.).

414. So z. B. Conference of Bishops of the Anglican Communion ... 1878, 17 (Rep.):
»The Churches teach the same Word of God ...« Lambeth Conferences 1867–1930, 154
(Lambeth Conference 1930, Encyclical Letter): »The Anglican Communion is a group
of Churches bound together by very close ties of ... doctrine ...« u. ö.

415. Conference of Bishops of the Anglican Communion ... 1888, 19 (Encyclical
Letter).

416. Pan-Anglican Congress 1908. Report to Lambeth Conference 1908, 51 (Sek-
tionsbericht: The Anglican Communion). Diese Forderung wird im Blick auf die sehr
verschiedenartige Entstehungssituation der Formularies des 16. Jahrhunderts in England im Vergleich zur gegenwärtigen Situation der anglikanischen Kirchen etwa in
Japan und China erhoben.

417. Conference of Bishops of the Anglican Communion ... 1897, 22 (Encyclical
Letter).

418. Lambeth Conferences 1867–1930, 84 (Lambeth Conference 1920, Rep.).

419. A.a.O. 154 (Lambeth Conference 1930, Encyclical Letter).

420. A.a.O. 246 (Lambeth Conference 1930, Rep.).

administrative bond«[421] zusammengefaßten Kirchen und Kirchenprovinzen, nämlich »a common life resting upon a common faith«[422], auch das Prinzip ist, auf dem die Einheit/Gemeinschaft der Anglican Communion beruht. Denn deren Kirchen und Kirchenprovinzen, die ebenfalls »independent in their self-government«[423] sind, sind zu einer Gemeinschaft zusammengeschlossen, in der alle »preserve apostolic doctrine (and order)«[424], »confess (their faith) in the words of the ancient Catholic creeds«[425] und »refuse ... to accept any statement ... which is not consistent with the Holy Scriptures and the understanding and practice of our religion as exhibited in the undivided Church«[426].

Bereits die Lambeth Konferenz 1897 macht in einem ihrer Reports im Zusammenhang mit der Feststellung, daß »the *circumstances* of our Christendom are rapidly producing the *condition* which is antagonistic to separation«[427] darauf aufmerksam, daß »movements which enlarge and correct men's knowledge of primitive Church history«[428] in besonderer Weise die Bedingungen schaffen, »in which union will be as natural as disunion has been for some centuries«[429]. Damit wissen sich die anglikanische Theologie und Kirche gerade auch aufgrund ihres integralen Interesses für die Alte Kirche in spezifischer Dringlichkeit berufen und verpflichtet zu theologischem und ekklesiologischem Pionierdienst zur Wiedervereinigung der getrennten Kirchen in der Universal Catholic Church. In der Tat gibt es keine Lambeth Konferenz seit 1888, die sich nicht in ökumenischem Sendungs- und Verantwortungsbewußtsein[430] mit Energie und Leidenschaft die-

421. Ebd.
422. Ebd.
423. Ebd.   424. Ebd.
425. Conference of Bishops of the Anglican Communion ... 1878, 36 (Rep.).
426. Lambeth Conferences 1867–1930, 155 (Lambeth Conference 1930, Encyclical Letter).
427. Conference of Bishops of the Anglican Communion ... 1897, 111 (Rep. No 6 Church Unity).
428. Ebd. Zur Frage des Verhältnisses der »systematischen Theologie« nach dem Verständnis der kontinentalen reformatorischen Kirchen zu der in kirchen- und dogmen-/lehrhistorischen Studien spezifisch engagierten »systematic divinity« der anglikanischen Theologie und Kirche vgl. etwa M. Keller-Hüschemenger: Die Lehre der Kirche im frühreformatorischen Anglikanismus ..., 38, 246 f. und ders.: Die Lehre der Kirche in der Oxford Bewegung ..., 45, 52.
429. Conference of Bishops of the Anglican Communion ... 1897, 111 (Rep.).
430. Dem Lambeth Quadrilateral der Konferenz von 1888 unterlag ursprünglich-primär die inneranglikanisch-ekklesiologische Intention der Intensivierung und Vertiefung der kirchlichen, theologischen und geistlichen Gemeinschaft der weltweiten anglikanischen Kirchenfamilie auf dem gemeinsamen Fundament des in den vier »Principles« dieses Dokumentes umrissenen theologischen Selbstverständnisses der Anglican Church(es). Schon die nächste Konferenz 1897 rückte die »ökumenische« Funktion dieses Dokumentes in den Vordergrund als die conditio sine qua non und Basis einer »United Universal

ser Aufgabe gewidmet hätte. Im Rahmen dieser Bemühungen um Intensivierung und Vertiefung der zwischenkirchlichen Beziehungen jeglicher Art von der lockeren Form einer wechselseitigen gastweisen Zulassung zu Predigt und Abendmahl bis hin zur »visible corporate/organic« Einheit bisher getrennter Kirchen nehmen die Gespräche und Verhandlungen der von den Lambeth Konferenzen bzw. dem Erzbischof von Canterbury auf Veranlassung der Lambeth Konferenzen berufenen »(Joint) Doctrinal Commissions« mit den Repräsentanten der Gesprächspartnerkirchen über Lehr- und lehrbezogene Ordnungsfragen einen primärwichtigen Platz ein[431]. Denn sowohl jedwede Kirchengemeinschaft zwischen zwei

Apostolic and Catholic Church of Christ« (Conference of Bishops of the Anglican Communion ... 1897, 109 f., Rep. No 6 Church Unity). Als einige weitere Beispiele dieses besonderen Verantwortungs- und Sendungsbewußtseins der Lambeth Konferenzen für die ökumenischen Einigungsbestrebungen seien angeführt: Conference of Bishops of the Anglican Communion ... 1908, 41 (Encyclical Letter): »There is no subject of more general or more vivid interest than that of Reunion and Intercommunion ... The peculiar position of our Communion, with its power and hope of mediating in a divided Christendom, has long been recognized by members of our own Churches and by others.« Lambeth Conferences 1867–1930, 38 (Lambeth Conference 1920, Appeal to All Christian People; Präambel): »We, Archbishops, Bishops Metropolitan, and other Bishops of the Holy Catholic Church in full communion with the Church of England ... realizing the responsibility which rests upon us at this time ... make this appeal to all Christian people.« Lambeth Conference 1948, I. 22 (Encyclical Letter): »As Anglicans we believe that God has entrusted to us in our Communion ... a special service to render to the whole Church.« The Lambeth Conference 1958, 1. 23 (Encyclical Letter): »We believe that the Anglican Communion has a special opportunity and a corresponding responsibility to help in the healing of the divisions ...« Lambeth Conference 1968. Lambeth Essays on Unity, 50 (G. Baum: Anglican-Roman Catholic Relations): »It seems to me that the Anglican Communion has an altogether unique position in the Christian world ... The Anglican Communion serves as a link between several interpretations of the Christian gospel.« Vgl. etwa auch sinngemäße Äußerungen auf den verschiedenen Anglican Congresses: Pan-Anglican Congress 1908. Report to Lambeth Conference 1908, 47: »The work of the Anglican Communion *to be the rallying point of Christendom.*« Anglican Congress 1954, 9 (H. K. Sherrill: Address): »We can have the conviction that God has forged a mission for the Anglican Communion and have given us a trust.« Anglican Congress 1963, 238 (W. R. Coleman: The Anglican Heritage and the Common Christian Calling): »The vocation of the Anglican Communion, then, is the manifestation in its own life of the vocation of the whole people of God.«

431. So machen etwa F. Th. Woods, F. Weston, M. L. Smith in ihrer ausführlichen Interpretation der Lambeth Konferenz 1920 (Lambeth and Reunion ..., 67) darauf aufmerksam, daß »the Appeal makes it quite clear that the question of faith must come first.« Und im Committee Report »The Unity of the Church« der Lambeth Konferenz 1948 steht bei der Aufzählung von »Some Principles to guide further progress (to reunion)« an erster Stelle: »The theological issues ... should be faced at the outset« (a.a.O. II. 63, Rep.).

getrennten Kirchen wie auch die in »the divine purpose«[432] angelegte »visible unity amongst Christians«[433] in dem »ideal of a united and truly Catholic Church«[434] haben ihr gemeinsames Fundament in den »doctrinal standards of the undivided Church«[435]. Wenn es in diesen Lehrgesprächen darum geht, »to ascertain the precise doctrinal position«[436] der Partnerkirche bzw. »to clarify on both sides the doctrinal positions which require further examination«[437], dann involviert das nicht die Forderung der »acceptance of all doctrinal opinion, sacramental devotion or liturgical practice of the other, but implies that each believes the other to hold all the essentials of the Christian Faith«[438]. So erweist sich für die Lambeth Konferenzen auch im Horizont der heutigen ökumenischen Situation die Lehre als ein kirchenkonstitutives und -charakteristisches Element, das »must not be ignored«[439].

Die inhaltlich-materiale Fixierung des kirchenkonstitutiven und -charakteristischen Lehr- und lehrbezogenen Ordnungskomplexes sowohl zur theologisch-ekklesiologischen Selbstdarstellung wie zur theologisch-ekklesiologischen Identifikation der Gliedkirchen der Anglican Communion bzw. der Anglican Communion als ganzer nach außen hin als Partikularkirchen der apostolisch-katholischen Kirche ist in der Abfolge der Lambeth Konferenzen Modifikationen unterworfen, die den allgemeinen theologischen und ekklesiologischen Trend im Anglikanismus seit den hochkirchlichen Erneuerungsbewegungen im 19. Jahrhundert in Richtung auf ein verstärktes anglikanisches »Katholizitäts«-Bewußtsein widerspiegeln. Wohl sind auch die Äußerungen und Verlautbarungen der Lambeth Konferenzen mit geprägt durch die Auswirkungen eines durch Aufklärung und moderne Natur- und Geisteswissenschaften beeinflußten theologischen Denkens und durch die Konfrontation der Gliedkirchen der weltweiten anglikanischen Kirchenfamilie in ihrer jeweiligen konkreten Situation mit neuen und z. T. recht unterschiedlichen geographisch-ethnischen und geistig-kulturellen Gegebenheiten – zwei Motive und Impulse, die zweifellos dazu beitragen, die Bedeutung des »Reformed« Relates der »Reformed but Catholic, Catholic but Reformed« Comprehensiveness der anglikanischen Theologie und Kirche zu relati-

432. Conference of Bishops of the Anglican Communion ... 1897, 25 f. (Encyclical Letter).

433. Ebd.

434. Lambeth Conferences 1867–1930, 26 (Lambeth Conference 1920, Encyclical Letter).

435. F. Th. Woods, F. Weston, M. L. Smith: Lambeth and Reunion ..., 91; ähnlich auch Lambeth Conferences 1867–1930, 25 (Lambeth Conference 1920, Encyclical Letter), 38 (Lambeth Conference 1920, Res.: Appeal to All Christian People) u. ö.

436. Conference of Bishops of the Anglican Communion ... 1908, 61 (Res.).

437. The Lambeth Conference 1958, 2. 55 (Rep.).

438. Lambeth Conference 1948, I. 43 (Res.), II. 73 (Rep.).

439. F. Th. Woods, F. Weston, M. L. Smith: Lambeth and Reunion ..., 105.

vieren als das Ergebnis einer zeitlich und territorial in den kirchlichen Verhält-
nissen des England des 16. Jahrhunderts begrenzten partiellen Reform der universalen apostolisch-katholischen Kirche. Der wesentliche Impuls für diese Entwicklung muß jedoch gesehen werden in der durch R. Hooker eingeleiteten, von
den Caroline Divines des 17. Jahrhunderts historisch begründeten und der seit
der Mitte des 19. Jahrhunderts im hochkirchlichen Anglo-Katholizismus syste-
matisch-theologisch vertieften Rückbesinnung auf den in der bruchlosen Identität mit der ungeteilten Primitive Church beruhenden »Katholizitäts«-Charak-
ter[440] als das theologisch-ekklesiologische Spezifikum des Anglikanismus.

Dieses wachsende Gewicht des »katholischen« Relates gegenüber dem »reformatorischen« im theologisch-ekklesiologischen Selbstverständnis des Anglikanismus ist auch in den Lehr- und lehrbezogenen Verlautbarungen der Lambeth
Konferenzen seit 1878 deutlich zu beobachten, speziell im Zusammenhang der
von den Konferenzen, besonders seit der Lambeth Konferenz 1920 in ihrem
»Appeal to All Christian People« angeregten zwischenkirchlichen Lehrverhand-
lungen und Gespräche über lehrbezogene Ordnungs- und Lebensfragen. So werden in den offiziellen Verlautbarungen der Lambeth Konferenzen seit 1878 im
Kontext der zwischenkirchlich-ökumenischen Thematik die 39 Articles als für
das ekklesiologische Selbstverständnis der Anglican Communion kirchenkonsti-
tutiv-charakteristischer Faktor nicht mehr erwähnt[441]. Ganz deutlich tritt dies
zutage in den beiden wichtigsten Dokumenten, die auch für die Lambeth Konferenzen bis heute die Basis für die zwischenkirchlich-ökumenischen Verhandlungen und Gespräche bilden: dem Lambeth Quadrilateral von 1888 und seinen
Versionen von 1897, 1920 und 1968 sowie dem Appeal to All Christian People
von 1920. In beiden Dokumenten wird nur noch Bezug genommen auf die
»katholischen« Lehrdokumente der altkirchlichen Creeds; die Formularies der
Reformationsepoche aber, die nach Intention und Verständnis ihrer Kompilato-
ren und der Church of England ihrer Tage die ursprüngliche reine, biblisch-apo-
stolische »katholische« Lehre darstellen wollen[442], werden völlig negiert.

440. Zum mehrschichtigen Katholizitätsverständnis im Anglikanismus des 19. und
20. Jahrhunderts siehe ausführlicher M. Keller-Hüschemenger: Die Lehre der Kirche
in der Oxford Bewegung ..., 239 ff.

441. Doch stellt für den Bereich der Church of England das Upper House der
Canterbury Convocation in einer Stellungnahme zum »Report of the Archbishops'
Commission on Doctrine« 1938 fest: »(This House) thinks it well to state that the
doctrine of the Church of England is now, as it has been in past time, the doctrine set
forth in the Creeds, in the Prayer Book, and in the Articles of Religion« (Acts of the
Convocation of Canterbury and York 1921–1970, Revised and enlarged to 1970, London 1971, 126).

442. Vgl. etwa M. Keller-Hüschemenger: Die Lehre der Kirche im frühreformatorischen Anglikanismus ..., 161 ff., 181 ff., 229 f. u. ö.

c) Ordnungsbezogene Funktion

(a) Lehre – Ordnung. Die Lambeth Konferenzen stehen durchaus im Traditionsstrom der anglikanischen Theologie und Kirche seit der Reformation, wenn auch sie die Lehre nicht als einziges kirchenkonstitutiv-charakteristisches Element werten[443], sie ihre Kirche also nicht als einseitig »doctrinal church« verstanden wissen möchten, wie die kontinentalen reformatorischen Kirchen oftmals von anglikanischen Theologen und Kirchenmännern qualifiziert werden[444]. Vielmehr sehen auch sie für ihre »comprehensive Anglican Church«[445] noch weitere kirchenkonstitutiv-charakteristische Faktoren gegeben, die sie in Übereinstimmung mit der genuin anglikanischen Tradition unter dem Sammelbegriff der Ordnung/Order/Discipline zusammenfassen. So stoßen wir in den offiziellen Äußerungen der Lambeth Konferenzen und der sie begleitenden Dokumentationen immer wieder auf das Begriffspaar »doctrine/faith and order/discipline«[446], wenn in diesen Dokumenten eine Charakterisierung der für die Church of England bzw. Anglican Communion oder der für eine angestrebte Kirchengemeinschaft notwendigen gemeinsamen fundamentalen theologischen und ekklesiologischen Wesens- und Strukturfaktoren geboten werden soll. Diese integrale und material gleichdimensionale Zusammengehörigkeit von Lehre und Ordnung – die auch letztere als von »a spiritual significance and power«[447] ausweist – als kirchencharakteristisch-fundamentale Faktoren vindiziert auch dem Ordnungsfaktor die funktionale und materiale Qualität einer Kirchen»nota« in dem Sinne, daß sie die theologisch-ekklesiologische Substanz und die Grenze einer Kirche(ngemeinschaft) in Lehre, Ordnung und Leben fixiert. Das involviert aber auch, daß Korruption der kirchlichen Ordnung bzw. fundamentale Divergenzen in kirch-

443. Vgl. hierzu a.a.O. 122 ff.; ders.: Die Lehre der Kirche in der Oxford Bewegung ..., 186 ff.

444. Siehe hierzu etwa ders.: Die Lehre der Kirche im frühreformatorischen Anglikanismus ..., 241, 248 u. ö.; ders.: Die Lehre der Kirche in der Oxford Bewegung ..., 232 u. ö.   445. Siehe oben S. 41 ff.

446. Conference of Bishops of the Anglican Communion ... 1867, 15 (Res.). The Lambeth Conferences of 1867, 1878, and 1888, R. T. Davidson (Hg.), 147 (Lambeth Conference 1878, Letter of the Archbishop of Canterbury to the Bishops of the Protestant Episcopal Church of the United States of America, June 7, 1875). Conference of Bishops of the Anglican Communion ... 1888, 16 (Res.). Conference of Bishops of the Anglican Communion ... 1897, 58 (Rep.) ... Lambeth Conferences 1867–1930, 39 (Lambeth Conference 1920, Res.: Appeal to All Christian People), 173 (Lambeth Conference 1930, Res.). Lambeth Conference 1948, I. 21 (Encyclical Letter). Lambeth Conference 1958. Documents ..., Vol. I. Conversations between the Church of England and the Methodist Church ... 1958, 18 f. Anglican Congress 1954, 32 (J. W. C. Wand: The Position of the Anglican Communion ...) u. ö.

447. Lambeth Conference 1958. Documents ..., Vol. I. Conversations between the Church of England and the Methodist Church ..., 1958, 18.

lichen Ordnungsfragen ebenso den apostolisch-katholischen Charakter einer Kirche gefährden bzw. kirchentrennend wirken wie Korruption der Lehre oder fundamentale Divergenzen in Lehrfragen.

Diese konstitutiv-charakteristische Wertung des Ordnungselementes neben der Lehre für die Kirche schürzt sich auch für die Lambeth Konferenzen – die auch hier wieder die gesamtanglikanische Tradition aufnehmen[448] – in den beiden in der Church of England bzw. den Kirchen der Anglican Communion gültigen Ordnungsfaktoren, die aufgrund ihrer bruchlosen historischen Kontinuität und sachlichen Identität mit ihren Ausgangspunkten in der Stiftung Christi und seiner Apostel bzw. im geistlichen Lebensvollzug der ungeteilten Alten Kirche Anspruch auf universal-katholische Legitimität und kirchenkonstitutiv-charakteristische Dignität haben: im pastoral-seelsorgerlichen Ordnungsfaktor des Amtes/Ministry in seiner Gestalt als »threefold apostolic ministry within the historic episcopate« und im devotionalen Ordnungsfaktor des an den Vorbildern der Primitive Church ausgerichteten Gottesdienstes/Worship im weiten Sinne des geistlichen Gesamtlebensvollzuges des einzelnen und der Kirche. Die theologische und ekklesiologische Gleichrangigkeit von Amt/Ministry und Gottesdienst/Worship mit der Lehre als kirchencharakteristische Faktoren findet in den Verlautbarungen der Lambeth Konferenzen und der sie begleitenden Dokumentationen wiederum ihren Niederschlag in wiederholten Zusammenstellungen beider als »(catholic) faith/doctrine and (apostolic) ministry«[449] bzw. »faith/doctrine and worship/liturgy«[450] oder auch in ihrer alleinigen Erwähnung als kirchencharakteristischer Faktoren der Church of England/Anglican Communion und unaufgebbarer Struktur- und Funktionselemente angestrebter partikularer Kirchengemeinschaften oder einer wiedervereinigten universalen katholischen Kirche[451].

In unseren vorangehenden Untersuchungen über die Struktur und Funktion

---

448. M. Keller-Hüschemenger: Die Lehre der Kirche im frühreformatorischen Anglikanismus ..., 124 ff., 159 ff.; ders.: Die Lehre der Kirche in der Oxford Bewegung ..., 194 ff., 210 ff.

449. So wörtlich oder sinngemäß etwa Conference of Bishops of the Anglican Communion ... 1878, 10 (Rep.). Conference of Bishops of the Anglican Communion ... 1908, 178 (Rep.). Lambeth Conferences 1867–1930, 25 (Lambeth Conference 1920, Encyclical Letter), 171 (Lambeth Conference 1930, Res.). Lambeth Conference 1968, Lambeth Essays on Unity, 2 f. (A. M. Ramsey: Principles on Christian Unity). Pan-Anglican Congress 1908. Report to Lambeth Conference 1908, 53. Anglican Congress 1954, 14 (G. F. Fisher: Address) u. ö.

450. Conference of Bishops of the Anglican Communion ... 1867, 10 (Ch. T. Longley: Opening Address). Conference of Bishops of the Anglican Communion ... 1878, 17 (Rep.). Conference of Bishops of the Anglican Communion ... 1888, 18 (Res.), 106, 108 (Rep.). Lambeth Conference 1958. Documents ..., Vol. I. Prayer Book Revision in the Church of England ... 1958, 39. Anglican Congress 1954, 32 (J. W. C. Wand: The Position of the Anglican Communion in History and Doctrine) u. ö.

451. Zu Einzelheiten hierzu siehe S. 116 ff.

der Lehre in der anglikanischen Theologie und Kirche seit der Reformation konnten wir feststellen, daß Lehre/Doctrine/Faith und Ordnung/Order/Discipline im Anglikanismus wohl zwei als solche eigenständige kirchenfundamentale Struktur- und Funktionselemente für das anglikanische Kirchenverständnis darstellen. Das bedeutet aber nicht, daß beide gleichsam als zwei monadisch-erratische theologische und ekklesiologische Struktur- und Funktionselemente nebeneinander stünden; vielmehr werden beide stets in »close relation«[452] gesehen. Dieser Bezug von Lehre und Ordnung in der anglikanischen Theologie- und Kirchengeschichte seit der Reformationsepoche manifestierte sich im Rahmen der bisherigen Untersuchungen über den theologischen und ekklesiologischen Stellenwert der Lehre im Interdepedenzgeflecht der kirchenkonstitutiv-charakteristischen Elemente und Faktoren im Anglikanismus in zweifacher Hinsicht: funktional, insofern die Ordnungselemente Amt/Ministry und Gottesdienst/Worship in den Dienst der Lehre genommen werden, d. i. Amt/Ministry und Gottesdienst/Worship Lehre ausüben/lehren[453]; material, insofern beiden Ordnungsfaktoren selbst qualitativ lehrhafter Charakter eignet, d. i. sie Lehre darstellen/sind[454]. Den gleichen funktionalen und materialen Doppelbezug von Lehre und Ordnung weisen auch die Verlautbarungen der Lambeth Konferenzen und Äußerungen der sie begleitenden Dokumentationen auf.

(b) Pastoral-seelsorgerlicher Funktionsfaktor: Lehre – Amt/Ministry. Dem komprehensiven Charakter des Amtes sowohl in seiner dreifachen Funktionsstruktur als »the work of a priest ..., pastor ..., prophet«[455] wie auch bezüglich seines Funktionsobjektes als »a ministry for the whole man«[456] entspricht die Bandbreite seiner Funktionen in den Bereichen von Lehre, Ordnung und Praxis/Leben für den einzelnen Christen und die Kirche. Diese Funktionen sind in Übereinstimmung mit der anglikanischen Tradition seit der Reformationsepoche[457] gewöhnlich zusammengefaßt in den drei Funktionsgruppen des »teach-

452. Lambeth Conference 1958. Documents ..., Vol. I. Prayer Book Revision in the Church of England ... 1958, 39.

453. M. Keller-Hüschemenger: Die Lehre der Kirche im frühreformatorischen Anglikanismus ..., 124 ff., 152 f., 195 f. (Lehre – Amt); 161 ff., 175 ff., 195 f. (Lehre – Gottesdienst); ders.: Die Lehre der Kirche in der Oxford Bewegung ..., 46 f., 106 ff., 229 f., 231 f. (Lehre – Amt); 199 ff. (Lehre – Gottesdienst).

454. Ders.: Die Lehre der Kirche im frühreformatorischen Anglikanismus ..., 131 ff., 152 f., 193 ff. (Lehre – Amt); 161 ff., 176 ff., 193 f., 242 ff. (Lehre – Gottesdienst); ders.: Die Lehre der Kirche in der Oxford Bewegung ..., 216 ff., 228 ff. (Lehre – Amt); 195 ff. (Lehre – Gottesdienst).

455. The Lambeth Conference 1968, 101 f. (Rep.).

456. Lambeth Conferences 1867–1930, 178 (Lambeth Conference 1930, Res.).

457. Siehe etwa M. Keller-Hüschemenger: Die Lehre der Kirche im frühreformatorischen Anglikanismus ..., 124 ff., 149 ff.; ders.: Die Lehre der Kirche in der Oxford Bewegung ..., 216 f., 227.

ing of the word«[458], des »ministering the (Lord's) Sacraments«[459] und – erstmals expressis verbis im Zusammenhang mit der Frage des »Ministry of Healing« auf der Lambeth Konferenz 1930 – der »pastoral care/cure«[460]. In der Reihe dieser »distinctive functions of the Ministry which, besides the regular preaching of the Gospel, include the continuous leadership in worship, systematic teaching and pastoral care«[461] kommt dem Lehren/»teaching office« der Amtsträger der Kirche somit auch bei den Lambeth Konferenzen die Qualität einer »of the most important functions«[462] zu.

Diese Bedeutung der Lehrfunktion des Amtes/Ministry sowohl für den einzelnen wie für die Kirche bestätigt sich in dem Rang, den sie in den Funktionen des Grades/Order des dreifach strukturierten Amtes einnimmt, in dem dieses seine »source and centre«[463] hat: im Amt des in apostolischer Sukzessionskette stehenden Bischofs als des ursprünglich-spezifischen »bearer of the sacred commission of the Ministry given by our Lord through His Apostles to the Church«[464]. Die Aufgaben, die diesem Amt »in harmony with the general working of God's providence«[465] »from the earliest/primitive Christian times«[466]

458. Conference of Bishops of the Anglican Communion ... 1878, 10 (Rep.). Conference of Bishops of the Anglican Communion ... 1888, 11, 18 (Encyclical Letter), 105, 108 (Rep.). Conference of Bishops of the Anglican Communion ... 1897, 20 f. (Encyclical Letter). Lambeth Conferences 1867–1930, 134 (Lambeth Conference 1920, Rep.). Lambeth Conference 1948, I. 50 (Res.). The Lambeth Conference 1968, 102 (Rep.) beschreibt die »Wort«-Funktion ausführlicher als »proclaiming God's word, not only in preaching but in pronouncing God's judgement on sin and his mercy in forgiveness, and in equipping and renewing God's people for mission«.

459. Conference of Bishops of the Anglican Communion ... 1878, 10, 36 (Rep.). Conference of Bishops of the Anglican Communion ... 1888, 25 (Res.). Lambeth Conferences 1867–1930, 134 (Lambeth Conference 1920, Rep.), 172 (Lambeth Conference 1930, Res.). Lambeth Conference 1948, I. 50 (Res.). The Lambeth Conference 1968, 102 (Rep.): »ministering the sacraments and absolving sinners.«

460. Lambeth Conferences 1867–1930, 178 (Lambeth Conference 1930, Res.). The Lambeth Conference 1968, 103 (Rep.) u. ö.

461. Doctrine in the Church of England ..., 117.

462. Lambeth Conferences 1867–1930, 164 (Lambeth Conference 1930, Res.).

463. Lambeth Conference 1948, II. 85 (Rep.).

464. Conference of Bishops of the Anglican Communion ... 1908, 21 (Encyclical Letter). Lambeth Conferences 1867–1930, 23 (Lambeth Conference 1920, Encyclical Letter), 147 (Lambeth Conference 1930, Encyclical Letter). Lambeth Conference 1848, II. 85 (Rep.): »... wielding his authority by virtue of divine commission ...« Zum historischen Aspekt des Historic Episcopate siehe oben S. 93 ff.

465. The Lambeth Conferences of 1867, 1878, and 1888 ..., The Lambeth Conference of 1897 ..., R. T. Davidson (Hg.), 117 (The Archbishop's [Fr. Temple] Allocution, July 3rd, 1897).

466. Lambeth Conferences 1867–1930, 219 (Lambeth Conference 1930, Rep.). The Lambeth Conference 1958, 2. 22 (Rep.).

obliegen, werden in den Verlautbarungen der Konferenzen mehrfach in mehr oder weniger detaillierten Funktionskatalogen zusammengestellt. So führt der Committee Report über »The Unity of the Church« der Konferenz 1930 als »generally recognized functions an: the general superintendence of the Church and more especially of the Clergy; the maintenance of unity in the one Eucharist; the ordination of men to the ministry; the safeguarding of the faith; and the administration of the discipline of the Church«[467]. Der Report über »Church Unity and the Church Universal« der Konferenz 1958 begnügt sich mit der summarisch-knappen Angabe der »traditional functions of pastoral care and oversight, ordination, leadership in worship, and teaching«[468]. Am ausführlichsten geht der Committee Report über »Renewal in Ministry« der Lambeth Konferenz 1968 auf den Funktionscharakter des Episkopats ein: »The service of the bishop has its centre in the liturgical and sacramental life of the Church, in his celebration of the Eucharist and in ordination and confirmation. It is developed in his work of teaching and safeguarding the faith and in his general care for the up-building and equipping of the Church. It is concerned with deepening and broadening ecumenical relationships and reaches out in service, witness, and prophetic word to the life of the human community as a whole«[469]. Diese und weitere Funktionskataloge in sonstigen, mit den Lambeth Konferenzen in Zusammenhang stehenden Dokumentationen[470] decken sich — abgesehen von den in der soziologisch-gesellschaftlichen und ökumenisch-gesamtkirchlichen Mitverantwortung der anglikanischen Kirchen der beiden letzten Jahrhunderte begründeten Funktionen — mit den uns bereits aus der Reformationsepoche bekannten Aufgaben und weisen die Lambeth Konferenzen auch hier als voll und ganz im Traditionsstrom ihrer Kirche stehend aus[471]. Demgemäß zählen auch

467. Lambeth Conferences 1867–1930, 219 (Lambeth Conference 1930, Rep.).

468. The Lambeth Conference 1958, 2. 22 (Rep.).

469. The Lambeth Conference 1968, 108 (Rep.).

470. So etwa Doctrine in the Church of England ..., 124, als bischöfliche Funktionen: »He has the cure of souls throughout his diocese, and is in a special sense the representative in his diocese of the Universal Church. He is the proper minister not only of ordination, but also of Confirmation, and there are reserved to him certain important disciplinary powers.« Ähnlich auch Lambeth Conference 1968, Lambeth Essays on Ministry, wo R. P. C. Hanson in seinem Beitrag »The Nature of the Anglican Episcopate« als »the peculiarly episcopal functions of an Anglican bishop« (S. 85) aufführt: »He is the centre of the Church's authority in ordaining and confirming in his diocese. He ought to be the central liturgical authority. He must be the central authority in doctrine and tradition« (S. 86).

471. M. Keller-Hüschemenger: Die Lehre der Kirche im frühreformatorischen Anglikanismus ..., 126 f., 139 ff., 182; ders.: Die Lehre der Kirche in der Oxford Bewegung ..., 105 f., 229 f.

für die Lambeth Konferenzen neben mehr allgemeinen Ordnungsfunktionen kirchlicher Disziplin und den spezifisch bischöflichen Funktionen der Ordination und Konfirmation sowie den sakramental-liturgischen Diensten die Lehrfunktionen des Bischofs in eigener Lehrdarbietung, Lehraufsicht und exklusiver Entscheidungskompetenz in Lehrfragen als der »real doctor in divinity«[472] zu den Kern- und Grundfunktionen des bischöflichen Amtes. Wenn die letzte Lambeth Konferenz 1968 schließlich in einem ihrer Committee Reports darauf hinweist, daß »the apostolic calling, responsibility, and authority are an inheritance given to the whole body or college of bishops«[473], der einzelne Bischof seine Funktionen – auch seine Lehrfunktion – legitim also nur ausüben kann im Verbund der »collegiality of the episcopate«[474], die ihrerseits »must always be seen in the context of the conciliar character of the Church, involving the *consensus fidelium,* in which the episcopate has its place«[475], dann greift diese Konferenz damit nur ein in der anglikanischen Kirche seit der Reformationsepoche im Lauf ihrer Geschichte bisweilen verdrängtes, doch nie aufgegebenes »Catholic inheritance«[476] auf[477].

Mit gleichem, wenn nicht mit noch intensiverem Interesse beschäftigen sich fast alle Lambeth Konferenzen – besonders seit 1888 – mit dem für das theologische und ekklesiologische Selbstverständnis der anglikanischen Kirche(n) fun-

472. Lambeth Conference 1968, Lambeth Essays on Ministry, 88 (B. Pawley: Oversight and Discipline): »For the *cathedra* belongs not to the professor, but to the bishop. The real ›doctor in divinity‹ is not necessarily the professional expert in academical divinity, but the *episcopos* who is responsible for the dissemination of the truth in such a manner as will edify.«

473. The Lambeth Conference 1968, 137 (Rep.).

474. A.a.O. 138 (Rep.).

475. Ebd. Zum »conciliar character« der Kirche auf der Basis des episkopalen Konziliarismus vgl. auch Lambeth Conference 1948, II. 78 (Rep.): »It (i. e. Anglicanism) repudiates any idea of a central authority for the whole Church other than General Councils of bishops.« Beide Äußerungen grenzen die anglikanische episkopal-konziliare Position gegen die »papalistische« Konzeption der Zentralautorität des Bischofs von Rom ab, dem die letztgültige Entscheidungsvollmacht auch über die Entscheidungen der regionalen und gesamtkirchlichen Bischofsgremien der Kirche zusteht.

476. The Lambeth Conference 1968, 137 (Rep.).

477. Vgl. etwa M. Keller-Hüschemenger: Die Lehre der Kirche im frühreformatorischen Anglikanismus ..., 76, 139 f.; ders.: Die Lehre der Kirche in der Oxford Bewegung ..., 245 ff. Von einem bei Newman und Pusey anvisierten Infallibilitätscharakter der »collective church«, die sich in der Gesamtheit/collegiality der Bischöfe darstellt, ist in dem Report nicht die Rede. Vgl. etwa auch A. E. J. Rawlinson: Theology in the Church of England, in: The Genius of the Church of England, London 1947, 8: »There is no organ or oracle of infallibility in the Church of Christ«; ähnlich auch a.a.O. 22: »But the Church, though authoritative, is not infallible, in any oracular sense.«

damental wichtigen Komplex des material-qualitativen Lehrcharakters des Amtes/Ministry allgemein und des apostolisch-historischen Bischofsamtes/Historic Episcopate im besonderen. Dabei wird sowohl in den Verlautbarungen der Konferenzen selbst wie in den sie begleitenden Dokumentationen der qualitativ-materiale Lehrcharakter des kirchlichen Amtes gewöhnlich in engem Bezug zu seinem funktionalen Lehrcharakter gesehen[478].

Das Faktum des material-qualitativen Lehrcharakters (»Lehre darstellen/ sein«) des kirchlichen Amtes war in unseren bisherigen Untersuchungen bereits kurz angeschnitten worden, als beim Aufzeigen des theologischen und ekklesiologischen Stellenwertes von Lehre und Ordnung generell im Interdependenzgeflecht der für das anglikanische Kirchenverständnis kirchencharakteristischen Faktoren auf die theologische und ekklesiologische Qualität des pastoral-seelsorgerlichen Ordnungsfaktors Amt/Ministry in seiner Gestalt als das »threefold apostolic ministry within the historic episcopate« als einer »nota« der Kirche hingewiesen wurde[479]. Wenn die Lambeth Konferenzen, vor allem seit 1888, programmatisch in den verschiedenen Versionen des Lambeth Quadrilateral[480], das Apostolical Ministry[481] bzw. den Historic Episcopate gleichrangig neben der Schrift/dem Wort, den beiden von Christus eingesetzten Sakramenten und den Ökumenischen Symbolen zu den integralen Elementen für das Wesens-, Struktur- und Funktionsgefüge der Kirche zählen[482], dann stellt das eine massive

478. Die Frage, ob sich der funktionale Lehrcharakter des Amtes aus seinem materialen ergibt oder umgekehrt, oder auch, ob/wieweit beide in dialektisch-interdependentem Bezug zueinander stehen, mag hier zunächst noch offen bleiben.

479. Siehe oben S. 113 ff.

480. Zum Wortlaut der verschiedenen Versionen des Lambeth Quadrilateral siehe oben Anm. 323. Ähnlich auch Conference of Bishops of the Anglican Communion ... 1878, 35 f. (Rep.). Conference of Bishops of the Anglican Communion ... 1908, 185 (Rep.). Lambeth Conferences 1867–1930, 176 (Lambeth Conference 1930, Res.). Lambeth Conference 1948, II. 84 (Rep.). The Lambeth Conference 1958, 2. 4 (Rep.). Lambeth Conference 1968, Lambeth Essays on Unity ..., 2 f. (A. M. Ramsey: Principles of Christian Unity). Doctrine in the Church of England ..., 123. Pan-Anglican Congress 1908. Report to Lambeth Conference 1908, 53 f. Anglican Congress 1954, 14 (G. F. Fisher: Address) u. ö.

481. Siehe hierzu detaillierter M. Keller-Hüschemenger: Die Lehre der Kirche im frühreformatorischen Anglikanismus ..., 124 ff. u. ö.; ders.: Die Lehre der Kirche in der Oxford Bewegung ..., 26, 211, 231 u. ö.

482. Etwa Conference of Bishops of the Anglican Communion ... 1888, 24 f. (Res.). Conference of Bishops of the Anglican Communion ... 1897, 109 (Rep.). Conference of Bishops of the Anglican Communion ... 1908, 178 (Rep.). Lambeth Conferences 1867–1930, 156 (Lambeth Conference 1930, Encyclical Letter). The Lambeth Conference 1958, 2. 4, 79 (Rep.). Pan-Anglican Congress 1908. Report to Lambeth Conference 1908, 71 u. ö.

Aussage über den qualitativen Lehrcharakter des Amtes von solchem kirchen-charakteristischem theologischem und ekklesiologischem Gewicht dar – sowohl hinsichtlich der Bedeutung des Amtes für das apostolisch-katholische Selbstver-ständnis der anglikanischen Kirche(n)[483] wie für die angestrebten zwischenkirch-lich-ökumenischen Gemeinschaftsformen bis hin zur korporativ-organischen Wiedervereinigung aller getrennten Kirchen in einer »Universal Apostolic and Catholic Church«[484] –, daß sich der Lehrkomplex um das spezifisch anglikanische Amtsverständnis als einer der Fundamentalfaktoren erweist, die die anglika-nische(n) Kirche(n) als eine der großen Konfessionsgruppen von eigenständigem theologischem und ekklesiologischem Charakter profilieren[485].

Der theologische Charakter des »valid ministry as Anglican Churchmen understand it and regard themselves as absolutely bound to stipulate for this for themselves and for any communion of which they are members«[486] als eines

483. Etwa Lambeth Conferences 1867–1930, 25 (Lambeth Conference 1920, Ency-clical Letter), 171 (Lambeth Conference 1930, Res.). Lambeth Conference 1948, II. 63 (Rep.). The Lambeth Conference 1958, 2. 22 (Rep.). The Lambeth Conference 1968, 101 (Rep.). Lambeth Conference 1968, Lambeth Essays on Unity ..., 2 f. (A. M. Ramsey: Principles of Christian Unity). Anglican Congress 1954, 16 (G. F. Fisher: Address). Doctrine in the Church of England ..., 123 u. ö. In seiner Predigt vor der Universität Cambridge am 3. November 1946 über Joh. 10,9 f. weist Erzbischof G. F. Fisher von Canterbury auf den kirchentrennenden Charakter wesentlicher Differenzen im Amts-verständnis auch bei Übereinstimmung in fundamentalen Lehrfragen hin (Lambeth Conference 1948. Documents ..., Vol. I. A Step Forward in Church Relations ..., 4): »On the theology of Redemption and Grace, of the Scriptures, the Creeds, the Sacra-ments, even the Church itself, there are no barriers that reach up to heaven. It is round the theology of the ministry that the tensions exist ...«

484. In mehreren der die Lambeth Konferenzen begleitenden Dokumentationen kommt schon verhältnismäßig bald ein gewisses Unbehagen zu Wort über eine auch in den offiziellen Äußerungen der Konferenzen bemerkbare disproportioniert starke Bewertung des Faktors Amt/Ministry und der spezifisch anglikanischen Konzeption des historischen Episkopats als kirchenkonstitutiv-charakteristische Elemente und condi-tio sine qua non für die Beteiligung anglikanischer Kirchen an Kirchenunionen. So etwa Prof. Gwatkin auf dem Pan-Anglican Congress 1908 (Report to Lambeth Con-ference 1908, 55): »Episcopacy may be of various kinds. It is like monarchy, an ancient and godly form of Church government, which we may be proud to obey. But it must not be regarded as essential.« Ähnlich wohl auch Bischof St. F. Bayne auf dem Anglican Congress 1954, 185: »Even the historic episcopate – still often a sharp point of debate in negotiations for united churches – is in our eyes no more than an element in the whole and universal tradition of the Church.«

485. Lambeth Conference 1948, II. 78 (Rep.): »... there is nothing quite like it in Christendom ...«

486. Conference of Bishops of the Anglican Communion ... 1908, 185 (Rep.).

unabdingbar-essentiellen fundamental-charakteristischen Faktors sowohl für die Kirchen der Anglican Communion wie auch für jedwede Art und Form zwischenkirchlicher Gemeinschaft auf ökumenischer Ebene mit anderen episkopalen und nichtepiskopalen Kirchen und Kirchengemeinschaften ist wesentlich geprägt durch die beiden »klassischen« Funktionen des Amtes, die seit der Reformation in der Church of England bzw. den Kirchen der Anglican Communion als die zentralen Aufgaben des kirchlichen Amtes gewertet werden: Wortverkündigung/ Lehre und Sakramentsvollzug/-verwaltung[487]. Von diesen beiden Funktionen her wird das Amt/Ministry seit den frühreformatorischen Theologen und den Formularies des Reformationsjahrhunderts in der anglikanischen Kirche seinem theologischen Charakter nach stets als »Ministry of the Word and the Sacraments«[488] gekennzeichnet. Dieser Doppelcharakter des Amtes als Wort- und Sakramentsamt ist für die anglikanische Theologie und Kirche seit jeher Ausdruck und Beweis ihres »komprehensiven« »reformatorischen« Wort- und »katholischen« sakramentalen Charakters[489]. Deshalb stehen die Lambeth Konferenzen wiederum im Traditionsstrom der Theologie ihrer Kirche, wenn auch sie vor allem in ihren von der jeweiligen Gesamtkonferenz autorisierten Verlautbarungen, den Encyclical Letters und den Resolutions, wiederholt das Amt der Kirche »komprehensiv« in dem Sinne als »Ministry of (the) Word and (the) Sacraments«[490] kennzeichnen, daß es in sich additiv-komplementär »reformatorische« und »katholische« Elemente harmonisch zu einem »überkonfessionellen« Ganzheitsverständnis zusammenfaßt, das »reformatorischen« und »katholischen« Interpretationen nebeneinander als sich wechselseitig ergänzenden Möglichkeiten Raum bietet.

So erlaubt dieses Verständnis – um einige Beispiele anzuführen –, das Amt sowohl reformatorisch-evangelikal als funktionales »office« wie auch katholisch-hochkirchlich als eine »order« von ontischer Qualität zu interpretieren[491] oder es sowohl als »expression« wie als »cause« der Einheit der Kirche zu werten[492].

487. Siehe oben S. 115 ff.

488. M. Keller-Hüschemenger: Die Lehre der Kirche im frühreformatorischen Anglikanismus ..., 125 ff., 149 ff., 182 f., 194; ders.: Die Lehre der Kirche in der Oxford Bewegung ..., 216 f., 227.

489. Belege hierzu siehe Anm. 488.

490. Lambeth Conferences 1867–1930, 134 (Lambeth Conference 1920, Rep.). Lambeth Conference 1948, I. 50 (Res.), II. 28, 47 (Rep.). Vgl. auch Doctrine in the Church of England ..., 117. Anglican Congress 1954, 16 u. ö.

491. Etwa Conference of Bishops of the Anglican Communion ... 1878, 3 (Rep.). Lambeth Conferences 1867–1930, 131 (Lambeth Conference 1920, Rep.). The Lambeth Conference 1958, 2. 4, 88 (Rep.). Pan-Anglican Congress 1908. Report to Lambeth Conference 1908, 55 u. ö.

492. Etwa Pan-Anglican Congress 1908. Report to Lambeth Conference 1908, 56 u. ö.

Ebenso gestattet es, dem Amt des »presbyter/priest« nach evangelikalem Verständnis ekklesiologisch-pastoraltheologische Eigenständigkeit zuzuschreiben oder es vom anglo-katholischen Standort aus als ein »Delegations«-Amt aufgrund der ihm in der bischöflichen Ordination zugesprochenen »official delegation of episcopal authority« zu charakterisieren[493]. Und schließlich läßt es auch Raum für die in den evangelikal-reformatorischen bzw. hochkirchlich-(anglo-)katholischen Positionen begründeten beiden Möglichkeiten, die Ordination zum Amt sowohl als Übertragung einer (primär) funktionalen »ecclesiastical authority« wie auch als einen Akt »conferring/bestowing grace/a special charisma« zu verstehen, durch den dem Ordinanden ein – ebenfalls mehrfacher Interpretation fähiger – »character of indelibility« zugeeignet wird[494].

Die komprehensive Formel der Encyclical Letters und Resolutions läßt ferner einen gewissen Freiheitsraum für Adaptionen des Amtes generell und des Bischofsamtes im besonderen an die jeweiligen politisch-gesellschaftlichen und geistig-kulturell bedingten lokalen/regionalen Verhältnisse »in the methods of its administration to the various needs of the nations and peoples«[495]; etwa daß die Berufung ins Amt durch Ernennung oder Wahl, durch staatliche oder kirchliche Instanzen/Gremien geschehen kann oder daß der Amtsträger – sei er Pfarrer oder Bischof – sein Amt »monarchisch« oder »demokratisch« ausübt, je nachdem ob ohne Mitwirkung oder unter stärkerer oder geringerer Mitbeteiligung der »Laien« beim Vollzug seiner Amtsfunktionen[496]. Der Freiheitsraum für diese

493. Etwa Anglican Congress 1963, 158 f. (F. C. Synge: The Challenge of the Frontiers ..., Theme Address), 175 (Diskussionsbeitrag) u. ö.

494. Lambeth Conferences 1867–1930, 177, 235 (Lambeth Conference 1930, Rep.). Lambeth Conference 1948, II. 63 (Rep.). The Lambeth Conference 1958, I. 51 (Res.), 2. 88 (Rep.). The Lambeth Conference 1968, 100 f. (Rep.). Lambeth Conference 1968, Essays on Ministry ..., 47 (L. Houlden: Priesthood), 82 ff. (R. P. C. Hanson: The Nature of the Anglican Episcopate). The Fulness of Christ ..., 34 f. u. ö. Eine umfassende Gegenüberstellung der beiden »klassischen« reformatorisch-evangelikalen und (anglo-)katholisch-hochkirchlichen Positionen im Amtsverständnis ergibt ein Vergleich der Kapitel über das »Ministry of the Church« bei W. H. G. Thomas: The Principles of Theology ..., 313 ff. und E. J. Bicknell: A Theological Introduction to the Thirty-Nine Articles ..., 404 ff.

495. Conference of Bishops of the Anglican Communion ... 1888, 25 (Res. 11, Lambeth Quadrilateral).

496. Conference of Bishops of the Anglican Communion ... 1908, 80 ff. (Rep.). Lambeth Conference 1948, I. 17 f. (Encyclical Letter), 34 f. (Res.). The Lambeth Conference 1958, I. 52 (Res.). The Lambeth Conference 1968, 37 f. (Res.), 94 ff. (Rep.). Pan-Anglican Congress 1908. Report to Lambeth Conference 1908, 55 (Gwatkin). Anglican Congress 1963, 158 f. (C. F. Synge: The Challenge of the Frontiers ..., Theme Address). Lambeth Conference 1968, Lambeth Essays on Ministry ..., 30 ff. (J. Mark: Laymen in Ministry), 51 ff. (E. James: Voluntary and Part-time Ministries).

Adaptionen an die Vorgegebenheiten und Erfordernisse der jeweiligen Situation kann sich bis zu einem gewissen Grade auch auf Modifikationen bisher unbestritten übernommener exklusiver Strukturprinzipien des (bischöflichen) Amtes erstrecken, ohne daß damit zugleich die alte Amtsstruktur außer Geltung gesetzt würde. So operieren die Lambeth Konferenzen noch bis zur Konferenz 1908 verhältnismäßig unreflektiert mit dem von der anglikanischen Reformation aus der alten und mittelalterlichen Kirche übernommenen Prinzip des »territorial Episcopate«[497], d. h., daß es für das Territorium einer Diözese nur einen legitimen »katholischen« Bischof geben kann[498]. Doch faktisch schon seit der Reformationsepoche in England selbst, in steigendem Maße seit dem 18. Jahrhundert in den englischen Kolonien und anderen überseeischen Gebieten und schließlich noch verstärkt durch die ökumenischen Implikationen der anglikanischen Bemühungen um die Erneuerung universaler Kircheneinheit seit dem »Appeal to All Christian People« der Lambeth Konferenz 1920 sehen sich die anglikanischen Bischöfe mit dem Problem konfrontiert, daß in ihrer Diözese auch »katholische« Bischöfe anderer »katholischer« Kirchen der Universal Catholic Church residieren, so daß »in many parts of the world the prinziple of one bishop in one place has long been abandoned«[499]. Das aus dieser Situation erwachsende Dilemma der theologischen und ekklesiologischen Anerkennung dieser Bischöfe als legitime »katholische« Bischöfe veranlaßt die Lambeth Konferenz 1958 zu der Empfehlung, daß »perhaps the Anglican Communion ought to give thought to the possibilities of making the basic unit an episcopate of *rite*«[500], da ein solcher Episkopat neben dem territorialen Episkopat als »ecclesiastical basis« die Schwierigkeiten in den ökumenischen Bestrebungen beheben würde. Ein weiteres Problem ergibt sich aus den durch die heutige gesellschaftliche Situation bedingten immer differenzierteren Aufgaben des Bischofs. Den hieraus erwachsenden Schwierigkeiten begegnet die Lambeth Konferenz 1968 mit der Anregung, neben dem traditionellen »bishop (as) father in God to the clergy and laity of a territorial diocese«[501] auch »bishops without territorial jurisdiction but with pastoral responsibility, directly or indirectly, for special groups such as the armed forces, industry and particular areas of concern within the mission of the

497. M. Keller-Hüschemenger: Die Lehre der Kirche im frühreformatorischen Anglikanismus ..., 75 f., 139 ff.

498. Lambeth Conferences 1867–1930, 44 (Lambeth Conference 1920, Res.): »The territorial Episcopate has been the normal development in the Catholic Church.«

499. Lambeth Conference 1958. Documents ..., Vol. II. The Ecumenical Movement. Confidential, London 1958, 7. Das Dokument führt als ein Beispiel an, daß derzeit in Beirut sechs oder sieben »katholische« Bischöfe verschiedener voneinander unabhängiger Riten residieren, die jedoch alle dem römischen Primat unterstehen.

500. Ebd.

501. The Lambeth Conference 1968, 137 (Rep.).

Church«[502] als vollberechtigte und anerkannte Bischöfe zu konsekrieren. Lassen diese Adaptionen des Amtsverständnisses an die gegenwärtige Situation durch die Lambeth Konferenzen die Essentialien des anglikanischen Episcopal Ministry in den Augen der versammelten Bischöfe offensichtlich unberührt und werden sie deshalb vom Episkopat ohne Widerspruch (?) zur Kenntnis genommen, so scheint die Toleranzschwelle im Committee Report über »The Renewal of the Church in Unity« der Konferenz 1968 für einen Teil des Episkopats überschritten zu sein, wenn in diesem Bericht neben die in das »threefold ministry« bischöflich Ordinierten die Geistlichen gestellt werden, »who have experienced the grace of the continuity of apostolic doctrine through the service of other forms of ministry ... in the faith that God will restore the fullness of ministry in ways which we cannot yet discern«[503]. Denn wenn diese Formulierung bedeuten sollte, daß sie »opens the door, tentatively and cautiously, to the possibility of a change of view«[504] in der Richtung, »that the Apostolic Ministry of bishops, priests and deacons lacks the fullness of ministry, and that ›other forms of ministry‹ must be joined with it to supply its deficiencies«[505], dann würde dies »clearly alter the whole basis on which the Anglican Churches have hitherto taken their stand and it would jeopardize their claim to be Catholic Churches«[506].

Es entspricht durchaus der den Lambeth Konferenzen unterliegenden Intention der reformatorisch-katholischen Comprehensiveness, wenn ihre von dem jeweiligen Konferenzplenum autorisierten Encyclical Letters und Resolutions sich auf das Statuieren des formalen Faktums des Wort- und Sakramentsamtes/ Ministry of the Word and the Sacraments beschränken, ohne auf die aus diesem Doppelcharakter sich aufdrängende theologische Detailfrage nach der Bedeutungsrelation beider Dienstfaktoren explizit-thematisch einzugehen. Doch ähnlich wie bei der Verhältnisbestimmung von Wort und Sakrament in ihrer Bedeutung als »notae« der Kirche stellt sich auch hier die Frage, ob es den Lambeth Konferenzen tatsächlich gelungen ist, die komprehensive theologische und ekklesiologische Balance der beiden Amtsstrukturelemente des Dienstes am Wort und an den Sakramenten zu wahren oder ob die Gleichrangigkeit zugunsten eines der beiden Relationsfaktoren mehr oder weniger stark verlagert werden kann, m. a. W. ob bzw. in welchem Ausmaß die Lambeth Konferenzen in ihrer Gesamtheit gesehen zu einem mehr oder weniger stark durch das »reformatorische« Wort/Lehre-Relat oder das »katholische« Sakraments-Relat bestimmten Primär-

502. Ebd. Diese Bischöfe sollen ebenfalls Mitglieder der Lambeth Konferenzen sein: »We submit that all such bishops, by virtue of their consecration as bishops in the Church, should have their due place in episcopal councils throughout the world.«

503. A.a.O. 124 (Rep.).

504. Archbishop Edwin Morris: The Lambeth Quadrilateral and Reunion ..., 25.

505. Ebd.

506. A.a.O. 32.

verständnis des Amtes als »Service of the Word« oder »Service of the Sacraments« hin tendieren.

Eine gewisse Vorklärung dieser Frage in Richtung eines offensichtlichen Trends auf ein zunehmend auf seine »sakramentale« Funktion hin ausgerichtetes »katholisches« Amtsverständnis ergab sich bereits im Zusammenhang früherer Untersuchungen des mit dem Amtskomplex inhaltlich-sachlich eng verbundenen theologischen und ekklesiologischen Fragenkomplexes um die Prävalenz des Wort- oder des Sakraments-Relates als »notae« der Kirche und der Auswirkung der jeweiligen Prävalenz eines der beiden Relate vor dem anderen auf den Primärcharakter der Kirche als »Kirche des Wortes« oder »sakramentale Kirche«[507]. Wir konnten feststellen, daß die Lambeth Konferenzen beide Fragen zunehmend dezidierter zugunsten des »katholischen« sakramentalen Faktors beantworten[508]. Diese Gewichtsverlagerung zugunsten des sakramentalen Elementes gegenüber dem Wort-Element im Verhältnis beider sowohl als Fundamentalfunktionen wie auch als fundamentale Strukturfaktoren der Kirche involviert, da das Amt der Kirche als integraler Faktor zugeordnet ist[509], notwendigerweise auch ein auf den Faktor »Sakrament« entsprechend bezogenes und ausgerichtetes funktionales und qualitatives Amtsverständnis.

Vor dem Hintergrund der generellen Tendenz in Richtung auf ein wachsendes Katholizitätsbewußtsein im unmittelbaren Gefolge der kirchlichen Erneuerungsbewegung des Oxford Movement/Traktarianismus[510] und wieder verstärkt seit dem »heyday« des Anglo-Katholizismus der 30er Jahre dieses Jahrhunderts[511] wird die steigende Heraushebung des Primärcharakters und der Fundamentalfunktion des kirchlichen Amtes als sakerdotal-sakramentales Dienstamt im Zusammenhang mit den Lambeth Konferenzen am augenfälligsten in mehreren Beiträgen der verschiedenen die Lambeth Konferenzen begleitenden Dokumentationsgruppen sichtbar. Unter dem das äußere Erscheinungsbild und den theologisch-ekklesiologischen Charakter des Anglikanismus in seiner Gesamtheit weithin prägenden Einfluß des theologisch-literarisch ebenso fruchtbaren wie in seiner kirchlich-gemeindlichen Praxis regen Anglo-Katholizismus, für den »God's work is thoroughly sacramental in character«[512], wird mit der dieser

507. Siehe oben S. 105 f.   508. Siehe oben S. 106 f.

509. Vgl. etwa Lambeth Conferences 1867–1930, 176 (Lambeth Conference 1930, Res.): »... the ministry ... is essential not only to the being and well-being of His Church ...« Lambeth Conference 1948, II. 63 (Rep.): »The integral connection between the Church and the ministry should be safeguarded ...« u. ö.

510. O. Chadwick: The Mind of the Oxford Movement ..., 58; siehe auch M. Keller-Hüschemenger: Die Lehre der Kirche in der Oxford Bewegung ..., 262 ff.; dort auch weitere Literaturangaben.

511. D. L. Edwards: Leaders of the Church of England 1828–1944, 315.

512. Lambeth Conference 1968, Lambeth Essays on Ministry ..., 43 (L. Houlden: Priesthood).

sakramentalen Grundhaltung entsprechenden Betonung des »sacramentalism«[513], »sacramental character«[514] der Kirche und der Wertung der Eucharistie als »the central act of worship in the Christian Church«[515] auch »the celebration of the Eucharist ... the most characteristic of (the) functions«[516] des Amtes, dem aufgrund dieser zentralen sakramentalen Funktion von Anfang an ein indelibel sakramentaler Charakter zugesprochen wird[517]. Dieser sakerdotal-sakramentale Charakter des Amtes ist nun seinerseits für die Kirche als solche und für ihre Sakramente von derart essentieller »theological significance«, daß »the Church ... while it could survive without Christian teachers, ... could not survive without priests«[518] und daß »in order to have a valid Eucharist ... it is necessary to have a priest«[519]. Diese sakerdotal-sakramentale Seins- und Funktionsqualität des Amtes tritt speziell wieder in dem Wurzel- und Zentralamt des dreifachen Amtes der Kirche, dem Amt des Bischofs, besonders klar in Erscheinung. Der in apostolischer Sukzessionsfolge[520] stehende Bischof, dessen Amt »like all ministry in the Body (i. e. Church) ... essentially Christ's ministry (is)«[521], übt als der von Christus eingesetzte und anerkannte »representative of Christ's flock in regard to the blessings they receive in their corporate life«[522] dieses Amt unter theologisch-ekklesiologischem Aspekt primär in seinen sakramental-liturgischen Funktionen aus. Denn »the bishop was once ... the only eucharistizer, ... through whom the Church made its liturgical answer of sons to the Father in the Son. He was ... the only baptizer, for he alone performed the unmistakably and

513. Catholicity. A Study in the Conflict of Christian Traditions in the West ..., 24.

514. Doctrine in the Church of England ..., 139.

515. A.a.O. 159.

516. A.a.O. 158.

517. A.a.O. 159: »There was thus a priestly character implicit in the celebration of the Eucharist from the beginning, though it was only very gradually, that this led to a formally sacerdotal interpretation of the functions of the celebrant.« Ähnlich auch Lambeth Conference 1968, Lambeth Essays on Ministry ..., 39 ff. (L. Houlden: Priesthood).

518. A.a.O. 47.

519. Anglican Congress 1963, 160 (F. C. Synge: The Challenge of the Frontiers ..., Theme Address).

520. Siehe oben S. 93 ff.

521. Anglican Congress 1963, 158 (F. C. Synge: The Challenge of the Frontiers ..., Theme Address); Synge zitiert hier zustimmend Dr. J. A. T. Robinson, in: W. H. G. Simon (Hg.): Bishops, London 1961, 126.

522. Lambeth Conference 1908, –: Addresses given at a Quiet Day to Bishops of the Lambeth Conference. Fulham, July 23rd, 1908. For strictly private circulation, 25. Ähnlich auch Doctrine in the Church of England ..., 124: »... in a special sense the representative in his diocese of the Universal Church« u. ö.

distinctively Christian part of the Sacrament, that which we now think of as Confirmation. As the number of Christians increased, the bishop delegated his liturgical functions of eucharistizing and baptizing. But they remained his alone.«[523] Zwar zählt zu den originären bischöflichen Funktionen auch das Predigen/Preaching, das später ebenfalls »by delegation from the bishop«[524] von Presbytern ausgeübt wurde. Aber diese Amtsfunktion ist der liturgisch-sakramentalen Funktion sachlich nachgeordnet.

Diese Tendenzen, das »apostolic ministry within the historic episcopate« bzw. den »historic episcopate« in ihrem spezifischen theologisch-ekklesiologischen Charakter als sakerdotal-sakramentales Amt zu einer oder gar der entscheidenden inneranglikanischen und zwischenkirchlich-ökumenischen Kirchen»nota« zu stilisieren, rufen schon bald in den die Konferenzen begleitenden Dokumentationen und einzelnen auf die Konferenzen bezogenen Aufsätzen[525] gewichtige evangelikale (und liberale) Gegenstimmen auf den Plan. Auch diese Theologen wollen – abgesehen von einigen wenigen extremen Vertretern – nicht auf die episkopale Verfassung mit dem historisch-apostolischen Amt und der episkopalen Ordination für die anglikanische Kirche und zukünftige Kirchengemeinschaften, an denen die anglikanische Kirche beteiligt ist, verzichten als dem einmalig-einzigartigen »witness to the unity of the Church through time as well to its unity through the temporary world«[526]. Aber sie wenden sich gegen den Absolutheits- und Exklusivitätsanspruch eines anglo-katholischen Amtsverständnisses, das, indem es jegliche ekklesiologische und geistliche Validität des Amtes außerhalb des sakerdotal-sakramental verstandenen historischen Episkopates in den nicht-episkopalen Kirchen leugnet[527], zu einem Hemmschuh für die Unions-

523. Anglican Congress 1963, 158 (F. C. Synge: The Challenge of the Frontiers ..., Theme Address).

524. A.a.O. 162.

525. Es sei hier nochmals auf die Ausführungen in der Einleitung S. 10 f. hinsichtlich der Beschränkung dieser Untersuchungen verwiesen. Es würde den Rahmen dieser Arbeit sprengen, einen generellen Überblick über die inneranglikanische Diskussion über das Amtsverständnis im Anglikanismus bieten zu wollen. Wir beschränken uns auch hier bewußt auf den Sektor dieser Literatur, der in direkter Beziehung zu den Lambeth Konferenzen steht.

526. Das ist der Grundtenor des von einer Gruppe führender evangelikaler anglikanischer Theologen dem Erzbischof von Canterbury vorgelegten Reports: The Fulness of Christ. The Church's Growth into Catholicity (1950), 64 ff., 81 ff., Zitat: 82.

527. Diesem Anspruch gegenüber verweisen sie etwa darauf, daß auch »the ministers of regularly constituted non-episcopal Churches are truly, in their respective spheres, Ministers of Christ, commissioned by their own Churches, and empowered by the Holy Spirit to minister the grace of God to His people; and that they exercise a Ministry manifestly blessed by God by bringing forth the fruit of the Spirit« (Lambeth Conference 1948. A Supplementary Report in the Form of a Letter to the Archbishop of

bemühungen mit den nichtepiskopalen Kirchen wird. Schon zur kurz bevorstehenden Lambeth Konferenz 1888 äußert W. H. Fremantle seine Bedenken, daß »the one great hindrance to the Christianizing of our people is the ecclesiastical theory which prevents our working together (with the non-Episcopal communities of our own race and tongue) – the theory that the Church consists only of those whose system of public worship is governed by Bishops«[528], und Fremantle fordert deshalb: »That theory must be abandoned«[529]. In die gleiche Richtung zielen die Bedenken J. R. Cohus sogar gegen die Formulierung im »Appeal to All Christian People« der Lambeth Konferenz 1920, daß der apostolisch-historische Episkopat das »ministry ... possessing the commission of Christ« vermittelt: »This one short clause, ›commission of Christ‹, is likely to prove fatal to Reunion with non-episcopal Churches«[530]; denn sie »emphasizes that ›divine right‹ and ›Apostolic Succession‹ claim of Bishops which non-episcopalians will have none of«[531]. In seinem Ton zwar versöhnlicher, in seiner einen exklusiven Geltungsanspruch des sakerdotal-sakramental verstandenen historischen Episkopats ablehnenden Haltung aber ebenso klar ist der auf dem Pan-Anglican Congress 1908 von dem Kirchenhistoriker Gwatkin vorgetragene Diskussionsbeitrag: »Episcopacy may be of various kinds. It is like monarchy, an ancient and godly form of Church government, which we may be proud to obey. But – it must not be regarded as essential«[532]. Denn »the historic episcopate ... is in our eyes no more than an (Hervorhebung vom Verf.) element in the whole and universal tradition of the Church ... It is great enough and secure enough to be seen in many different ways; and there is room for many interpretations, so long as no one can shut out all others from the Church's life. The sting of the

Canterbury from the Chairman of the Preparatory Committee of the Church of England appointed to report on Relations with non-episcopal Churches ..., 9 f.). Ähnlich auch Doctrine in the Church of England ..., 122: »We do not doubt that God has accepted and used other Ministries which through breach of continuity in the past are deficient in outward authorisation« u. a. m. Siehe hierzu auch die Bemerkung im Committee Report »Church Unity and the Universal Church« der Lambeth Conference 1958, 2. 22: »We fully recognize that there are other forms of ministry than episcopacy in which have been revealed the gracious activity of God in the life of the Universal Church.«

528. W. H. Fremantle: The Present Work of the Anglican Communion. Two Sermons Preached in Canterbury Cathedral on the Sunday preceding the Meeting of the Episcopal Conference of 1888. By the Rev. the Hon. W. H. Fremantle, MA, Canon of Canterbury, London 1888, Sermon I. The Maintenance of the Faith: Jude 3, 16.

529. A.a.O. 16 f.

530. J. R. Cohu: Addresses on the Lambeth Conference 1920 ..., 37.

531. Ebd.

532. Pan-Anglican Congress 1908. Report to Lambeth Conference 1908, 55.

sectarian spirit is precisely here, that it is concerned with excluding.«533 Auf diese Gefahr einer sektiererischen Vereinseitigung und Verengung der anglikanischen Tradition durch den nach-traktarianischen Anglo-Katholizismus macht auch Bischof Rawlinsons Äußerung aufmerksam, daß »the modern tendency, characteristic of Post-Tractarianism, to press vigorously and in relation to all circumstances the exclusive logic of strict Episcopalianism would, if it should ever become dominant in the official counsels of the Church, entail as its inevitable consequence an appreciable narrowing of the older Anglican tradition«534. Bemüht sich der dem Erzbischof von Canterbury 1950 vorgelegte evangelikale Bericht zur Frage der Wiedervereinigung der Kirchen »The Fulness of Christ« offensichtlich um eine vermittelnde Haltung gegenüber der »›Catholic‹ school of thought«535 auch in der Frage des Amtsverständnisses im »reformed and catholic« Anglikanismus, indem im Report einerseits die Auffassung zurückgewiesen wird, daß »the primary function of the ministry simply the administration of the sacraments«536 sei, andererseits jedoch dem apostolisch-episkopalen Amt mit gewissen, einen heilsmediatorischen Charakter ausschließenden Einschränkungen ein »priestly« Charakter zugebilligt wird537, kann sich unter dem Eindruck steigender Radikalisierung des theologisch-ekklesiologische Exklusivität beanspruchenden sakerdotal-sakramentalen Amtsverständnisses extremer anglo-katholischer Kreise in Richtung auf eine Identifizierung der »cause of Jesus Christ with a particular form of the Church«538 D. L. Edwards in einem der Preparatory Essays zur Lambeth Konferenz 1968 ebenso radikal gegen ein derartiges Amtsverständnis als die Kirche gefährdende »idolatry«539 wenden.

Soweit die die Lambeth Konferenzen begleitenden Dokumentationen. Die von dem jeweiligen Plenum der Konferenzen autorisierten Encyclical Letters und

533. Anglican Congress 1963, 185 (St. F. Bayne: The Challenge of the Frontiers ..., Theme Address).

534. Lambeth Conference 1948. A Supplementary Report in the Form of a Letter to the Archbishop of Canterbury from the Chairman of the Preparatory Committee of the Church of England appointed to report on Relations with non-episcopal Churches ..., 5 (Introductory Letter to the Archbishop of Canterbury; Verf. Bischof D. Rawlinson von Derby).

535. The Fulness of Christ ..., V.

536. A.a.O. 35.

537. Ebd.: »It is not priestly in the sense of being a meditorial body which has a closer access than others to God, and can control their access to him. Nor is it priestly in the sense of offering a sacrifice for sin ... It may, however, be thought of as priestly in the sense that the Christian minister acts as the spokesman of the Church in its eucharist.«

538. D. L. Edwards: Confessing the Faith Today, Lambeth Conference 1968. Preparatory Essays ..., 83.

539. Ebd.

Resolutions selbst beschränken sich – wie bereits festgestellt wurde[540] – zwar auf die »komprehensive« Charakterisierung des Amtes als »Ministry/Service of the Word and the Sacraments«, die sowohl »reformatorischer« wie »katholischer« Interpretation fähig ist; doch unbeschadet ihrer komprehensiven Intention zollen auch die Lambeth Konferenzen der zunehmenden gemeinanglikanischen Tendenz der theologischen und ekklesiologischen Gewichtsverlagerung auf das »Katholizitäts«-Element im reformatorisch-katholischen Spannungsgefüge ihren Tribut auch in der Frage des Amtsverständnisses als »Wort- und Sakraments«-Amt. Zwar kann einmal die Lambeth Konferenz 1920 ihrer Besorgnis darüber Ausdruck geben, daß »the teaching office of the Church has in recent times been overshadowed by other activities«[541] – z. B. »by the service of the tables«, durch soziale sowie organisatorische Tätigkeiten[542] –, so daß »there has been a lack in sermons, in religious literature, and in instruction generally«[543], und fordern, daß »this false perspective must be corrected mainly in and through those to whom is committed the teaching office of the Church, and, first among them, through the clergy«[544]. Aber auch eine solche gelegentliche Äußerung kann doch nicht verdecken, daß die Lambeth Konferenzen in ihrer Gesamtheit besonders seit der Konferenz 1920 im Gesamtkatalog der Funktionen des Amtes dem sakramentalen Funktionsfaktor vor dem Wort-/Lehrfaktor in steigendem Maße einen Vorrang geben. Das ist ablesbar an der Reihenfolge der Funktionen des Amtes generell und des Bischofsamtes im besonderen, wenn diese nicht in der überkommenen formelhaft erstarrten Charakterisierung als »Service of the Word and the Sacraments« aufgeführt werden. Denn im Unterschied zu den früheren Konferenzen (bis 1908), die sich in ihren Verlautbarungen durchweg mit dieser formelhaften Beschreibung begnügen, werden seit 1920/1930 in den verschiedenen Funktionskatalogen des Amtes/Ministry, einschließlich des Bischofsamts, in zunehmendem Maße die sakramentalen Funktionen – abgesehen von den dem Bischof vorbehaltenen Funktionen der Ordination/Konsekration und Konfirmation – vor der Wort-/Lehrfunktion aufgeführt[545]. Indem die Konferenzen – zumindest seit 1930 – zudem den sakerdotalen Dienst am Sakrament der Eucharistie steigend in das Zentrum der Funktionen des Amtes stellen, rücken sie dieses Amt, ohne die Bedeutung seiner Lehraufgaben für die einzelnen Gläubigen und die Kirche als »one of their most important functions«[546] in Zweifel zu ziehen, im Zug und Kontext der zunehmenden generellen Sakra-

540. Siehe oben S. 121 ff.
541. Lambeth Conferences 1867–1930, 190 (Lambeth Conference 1920, Rep.).
542. Ebd.
543. Ebd.
544. Ebd.
545. Siehe oben S. 116 ff.
546. Siehe etwa Lambeth Conferences 1867–1930, 164 (Lambeth Conference 1930, Res.).

mentalisierung der anglikanischen Theologie und Kirche in seinem funktionalen und materialen Charakter zumindest in die Nähe eines vornehmlich eucharistischen Opferamtes.

Wiederholte Äußerungen der Lambeth Konferenzen selbst und in den sie begleitenden Dokumentationen verweisen darauf, daß die Church of England bzw. die Anglican Communion als solche »has never held one rigid doctrine of the origin and nature«[547] des (bischöflichen) Amtes im Sinne einer »particular theory about it«[548], daß sie sich vielmehr stets begnügt habe mit der Anerkennung des »fact«, der »institution«[549] des (episkopalen) Amtes und dementsprechend in ihren Verhandlungen über Kirchengemeinschaft mit anderen Kirchen – episkopalen wie nichtepiskopalen –, zwar »must insist (on the historic apostolic ministry), but not upon any theory or interpretation of it«[550]. In der Tat gehen die vom jeweiligen Plenum der Lambeth Konferenzen autorisierten Verlautbarungen nicht auf differenzierte theologische Detailfragen des Amtsverständnisses ein, sondern klammern diese unter dem Aspekt reformatorisch-katholischer Comprehensiveness aus in der Überzeugung, so die angemessene komprehensive Formel für das im Lambeth Quadrilateral anvisierte »ministry acknowledged by every part of the Church«[551] bieten zu können. Doch auch damit gelingt den Lambeth Konferenzen nicht der von ihnen repräsentativ für den Gesamtanglikanismus angestrebte Durchbruch durch die Schranken einer partikularkirchlichen »theory or interpretation« des Amtes zu einem Amtsverständnis von überkonfessionell-universalkirchlicher Validität, das »free from any ›confessional‹ basis«[552] ist. Denn schon die formale Wertung des durch bischöfliche Ordination/ Konsekration übertragenen »historic apostolic ministry« in der »threefold order« von Bischof, Presbyter/Priester und Diakon neben »Wort« und »Sakrament« als fundamental-integrales Element des ekklesiologischen Selbstverständnisses des Anglikanismus und als conditio sine qua non für bilaterale Kirchengemeinschaft und die als letztes Ziel angestrebte wiedervereinigte Universal Catholic Church ist an sich bereits eine sehr konkrete theologische »theory« von fundamentalem ekklesiologischen Gewicht, die sich in anderen – vor allem den

547. Lambeth Conference 1958. Documents ..., Vol. I. Conversations between the Church of England and the Methodist Church ..., 24.

548. Lambeth Conference 1958. Documents ..., Vol. II. The Ecumenical Movement ..., 8.

549. Pan-Anglican Congress 1908. Report to Lambeth Conference 1908, 55. Lambeth Conferences 1867–1930, 218 (Lambeth Conference 1930, Rep.). Anglican Congress 1963, 185 (St. F. Bayne: The Challenge of the Frontiers ..., Theme Address).

550. Lambeth Conferences 1867–1930, 219 (Lambeth Conference 1930, Rep.).

551. A.a.O. 39 (Lambeth Conference 1920, Res.: An Appeal to All Christian People).

552. Anglican Congress 1963, 184 (St. F. Bayne: The Challenge of the Frontiers ..., Theme Address).

nichtepiskopalen – Kirchen und auch im Anglikanismus selbst zumindest in der reformatorischen und unmittelbar nachreformatorischen Epoche so noch nicht findet, sondern einem langen Entwicklungsprozeß unterliegt, der erst mit dem Lambeth Quadrilateral zu einem formalen Abschluß gelangt[553]. Und wenn die Lambeth Konferenzen in ihren Encyclical Letters und Resolutions darauf verzichten, sich in strittigen theologischen Einzelfragen des Amtsverständnisses, die in reformatorisch-evangelikalen und katholisch-hochkirchlichen (Kontrovers-) Positionen begründet sind, nach der »reformatorischen« oder »katholischen« Seite hin festzulegen und sie durch das Aussparen derartiger Detailfragen zu einer Beschreibung des Amtes gelangen, die Raum läßt für die Möglichkeit eines additiv-komplementären Mit- und Nebeneinander »katholischer« und »reformatorischer« Elemente, dann impliziert auch diese auf platonisch-griechischen Denk- und Vorstellungsstrukturen basierende »Comprehensiveness« wiederum eine sehr konkrete »theory or interpretation«, die den reformatorisch-katholischen Via-Medialismus des anglikanischen Amtsverständnisses als ein konfessionell-partikularkirchliches Amtsverständnis sui generi von dem anderer »reformatorischer« und »katholischer« Kirchen abhebt.

(c) Devotionaler Funktionsfaktor: Lehre – Gottesdienst. Die Lambeth Konferenzen nehmen wiederum einen wichtigen Strang der anglikanischen Tradition seit der Reformationsepoche auf[554], wenn auch sie dem zweiten, devotionalen Ordnungsfaktor Gottesdienst/Worship eine ekklesiologische und heilstheologische Dignität beimessen, die ihm über einen rein formal ordnungsmäßigen Charakter hinaus »a spiritual significance and power«[555] zuspricht.

Die ekklesiologische Dignität des devotionalen Ordnungsfaktors Gottesdienst/ Worship verifiziert sich für die Lambeth Konferenzen und die sie begleitenden Dokumentationen – auch hier in der Tradition der Church of England/Anglikanischen Kirche[556] – in seiner Qualität und Funktion als »expression of the Church's unity«[557]; denn »next to the oneness in ›the Faith once delivered to the Saints‹, communion in worship is the link which most firmly binds together bodies of Christian men«[558]. Dies bezieht sich zunächst einmal auf die Gemein-

553. Siehe hierzu etwa M. Keller-Hüschemenger: Die Lehre der Kirche im frühreformatorischen Anglikanismus ..., 147 ff.

554. A.a.O. 159 ff.; ders.: Die Lehre der Kirche in der Oxford Bewegung ..., 194 ff.

555. Lambeth Conference 1958. Documents ..., Vol. I. Conversations between the Church of England and the Methodist Church ... 1958, 17.

556. M. Keller-Hüschemenger: Die Lehre der Kirche im frühreformatorischen Anglikanismus ..., 162 ff.; ders.: Die Lehre der Kirche in der Oxford Bewegung ..., 200 ff.

557. Pan-Anglican Congress 1908. Report to Lambeth Conference 1908, 50.

558. Conference of Bishops of the Anglican Communion ... 1878, 17 (Report of Committee on the best mode of maintaining union among the various Churches of the Anglican Communion). Vgl. hierzu auch die Ansprache von Erzbischof Longley

schaft der anglikanischen Kirchen in der Anglican Communion. Für sie kristallisiert sich diese »communion in worship« in dem Dokument, in dem sich die Church of England zusammen mit den anderen Kirchen der Anglican Communion seit der Reformationsepoche – und über sie hinaus seit der Primitive Church – in ungebrochener historischer Kontinuität und inhaltlich-materialer Identität das kirchenautoritativ-verbindliche Kompendium des gottesdienstlichen Gesamtlebens ihrer Kirche(nfamilie) gegeben wissen: dem Book of Common Prayer. Als »the public expression of the worship of God in the Anglican Communion«[559] und »the possession of all (Dioceses and Provinces)«[560] ist das Allgemeine Gebetbuch das »one principal bond of union«[561], »bond of unity throughout the whole Anglican Communion«[562]. Im Blick auf die teilweise sehr unterschiedlichen geschichtlichen, gesellschaftlich-staatspolitischen und geistig-kulturellen Situationen der Gliedkirchen der weltweiten anglikanischen Kirchenfamilie und die hieraus erwachsende Notwendigkeit, das gottesdienstliche Leben den jeweiligen geschichtlichen und regionalen Vorgegebenheiten anzupassen, bahnt sich schon verhältnismäßig bald ein Prozeß steigender Relativierung der Bedeutung des Common Prayer Book als integraler Einheitsfaktor der anglikanischen Kirchen an. So beschränken sich die Lambeth Konferenzen seit spätestens 1888 – in der Erkenntnis der Unmöglichkeit einer Übernahme des Prayer Book in seiner ursprünglichen, in der Church of England gültigen Gestalt durch alle Gliedkirchen als »necessary as a bond of union between Churches which have unity of faith«[563] – auf die Empfehlung, daß die in den Kirchen der Anglican Communion gültigen Prayer Books auf jeden Fall in den »essential/indispensable elements«[564] übereinstimmen sollen. Kann die Lambeth Konferenz 1958 von der Bedeutung der Prayer Books für »the safeguarding of our unity«[565] noch »in a secondary sense« als Symbol der gemeinsamen Geschichte der anglikani-

vor dem Upper House am 15. Februar 1867 (zitiert nach: The Six Lambeth Conferences 1867–1920, R. T. Davidson [Hg.], 6): »... united worship and common counsels would greatly tend to maintain practically the unity of the faith: whilst they would bind us in straiter bonds of peace and brotherly charity.« Ähnlich auch Conference of Bishops of the Anglican Communion ... 1867, 10 (Address of the Bishops to the Faithful in Christ Jesus).

559. The Lambeth Conference 1958, 2. 78 (Rep.).
560. Conference of Bishops of the Anglican Communion ... 1888, 24 (Res.).
561. Conference of Bishops of the Anglican Communion ... 1878, 17 (Rep.).
562. Lambeth Conference 1948, I. 46 (Res.). Auch Conference of Bishops of the Anglican Communion ... 1908, 113 (Rep.). The Lambeth Conference 1958, 1. 25 (Encyclical Letter). Anglican Congress 1954, 197 (Report of the Editorial Committee to the Congress).
563. Lambeth Conferences 1867–1930, 84 (Lambeth Conference 1920, Rep.).
564. Ebd. Zu Einzelheiten dieser »essentials« siehe oben S. 66.
565. The Lambeth Conference 1958, 1. 47 (Res.).

schen Kirchen sprechen[566], so erwähnt der der Lambeth Konferenz 1968 vorgelegte Committee Report über »Renewal in Unity« in einer Aufzählung der
kirchencharakteristischen verbindlichen Faktoren der anglikanischen »family of
autonomous Churches« das Book of Common Prayer überhaupt nicht mehr[567].

Seitdem die Lambeth Konferenzen im Lambeth Quadrilateral 1888 und noch
verstärkt im Appeal to All Christian People 1920 über den Rahmen der Kirchen
der Anglican Communion hinaus auch die nichtanglikanischen Kirchen in immer
stärkerem Maße in ihre Überlegungen und Bemühungen um Kirchengemeinschaft
einbeziehen, gewinnen auch die Fragen um den ekklesiologischen Stellenwert des
gottesdienstlich-devotionalen Faktors für bi- und multilaterale zwischenkirchliche Beziehungen bis hin zum Ideal der wiedervereinigten Universal Catholic
Church steigend an Bedeutung; denn auch im ökumenisch-zwischenkirchlichen
Horizont gilt prinzipiell, daß »doctrine and worship« zwei fundamental-inte-
grale Faktoren der Kirchengemeinschaft sind. So weist schon die Konferenz 1888
wiederholt nicht nur auf die Bedeutung der »authoritative standards of Doctrine
and Worship«[568] der anglikanischen Kirche(n) als »the primary means of securing
internal union amongst ourselves«[569] hin, sondern sie betont auch im Blick auf
die besondere ökumenische Aufgabe und Verantwortung der anglikanischen Kirchen gegenüber den übrigen Kirchen, »that it is our duty to explain our own
principles as regards standards of doctrine and worship, in the humble hope of
preparing the way, so far as in us lies, for the reunion of Christendom«[569a]. Diese
Wertung der ekklesiologischen Qualität des devotional-gottesdienstlichen Faktors als Ausdruck und Band ökumenisch-zwischenkirchlicher Gemeinschaft klei-
det die Lambeth Konferenz 1930 in die für die Anglican Communion gemeingültige Feststellung, daß »Worship unites us in a fellowship of adoration«[570].

Die Charakterisierung der gottesdienstlichen Gemeinschaft als devotionale
»fellowship of adoration« weist auf die heilstheologische Dignität des Ordnungsfaktors Gottesdienst/Worship/Liturgy hin. Bereits die frühreformatorischen Theologen und Kirchenmänner hatten immer wieder und nachdrücklich
nicht nur auf die fundamentale ekklesiologische, sondern ebensosehr auch auf die
heilstheologische Bedeutung des devotionalen Ordnungsfaktors Gottesdienst/

566. A.a.O. 2. 79 (Rep.).

567. The Lambeth Conference 1968, 141 (Rep.). Zum Autoritätsschwund des Book
of Common Prayer in der Anglican Communion vgl. oben S. 59 f. Zu den »Effects of
Lambeth 1958« auf diese Entwicklung siehe die ausführlichen Nachweise bei C. O. Buchanan (Hg.): Modern Anglican Liturgies 1958–1968, 8 ff.

568. Conference of Bishops of the Anglican Communion ... 1888, 18 f. (Encyclical
Letter), 28 (Res.), 105, 108 ff. (Rep.).

569. A.a.O. 105 (Rep.).

569a. A.a.O. 106 (Rep.).

570. Lambeth Conferences 1867–1930, 150 (Lambeth Conference 1930, Encyclical
Letter).

Worship und dessen Knoten- und Zentralpunkt, das Gebet/Prayer, hingewiesen[571]. In Aufnahme dieser gemeinanglikanischen Tradition ist auch für die
Lambeth Konferenzen der Gottesdienst/Worship als »primarily an attitude and
movement towards God«[572] neben oder besser: vor den »scientific and philo-
sophical approaches to truth«[573] die für alle notwendige »devotional method of
approach« zu Gott[574]. Als der spezifische Ort der »realisation of the Omnipresence of God and of the Presence of Christ in the members of His Body«[575] ist der
Gottesdienst sowohl Mittel- und Schwerpunkt des einzelnen Christenlebens[576]
wie auch von zentraler Bedeutung für die Gemeinde/Kirche als deren »first
concern«[577]. Dieser Bedeutung des Gottesdienstes sollen die Glieder der Kirche
Rechnung tragen »by the regularity of their attendance at public worship (and
especially at the Holy Communion)«[578]. Als »the most selfless and God-centred
activity of which we are capable in this world«[579] beschränkt sich sein Wirkungs-
bereich nicht auf den sakral-religiösen Sektor, sondern bezieht allumfassend als
»the well-spring of all our activity«[580] auch die profanen Dimensionen des All-
tagslebens ein; denn »it is on the worship of God, creation's secret force, that
all human activity depends«[581].

Die heilstheologische Relevanz des devotionalen Elementes im Ordnungsfaktor Gottesdienst/Worship/Liturgy für den einzelnen Christen und die Gemeinde/
Kirche tritt dort in besonderer Weise in Erscheinung, wo es sich in seiner reinsten
und intensivsten Gestalt aktualisiert: im Gebet, und zwar sowohl im »Private/

571. M. Keller-Hüschemenger: Die Lehre der Kirche im frühreformatorischen Anglikanismus ..., 42 f., 123, 161, 188, 242. Vgl. auch ders.: Die Lehre der Kirche in der
Oxford Bewegung ..., 47, 205 ff.

572. Lambeth Conference 1948, II. 30 (Rep.).

573. Ebd.

574. Ebd.

575. Lambeth Conference 1930. Memoranda. Worship in relation to the Christian
Doctrine of God (ohne Seitenangaben). Diese Betonung der Gegenwart Gottes bzw.
Christi in der im Gottesdienst versammelten Gemeinde richtet sich gegen »the recent
emphasis on Eucharist worship«, die »has been a real danger of losing the sense of
God's infinity« (ebd.). Vgl. auch Lambeth Conference 1968. Preparatory Essays ...,
A. M. Allchin: Faith and Spirituality, 139: »The study of liturgy ... is the systematic
study of the ways in which men have been able to enter into that mysterious encounter
and communion of man with God ...«

576. Lambeth Conference 1948, II. 29 (Rep.): »... the Christian way of life is before
all things the way of worship«; a.a.O. 31 (Rep.): »... the Christian's aspirations after
God express themselves in the words and actions of the liturgy of the Church« u. a. m.

577. The Lambeth Conference 1958, 2. 78 (Rep.).

578. Lambeth Conference 1948, I. 35 (Res.).

579. A.a.O. II. 31 (Rep.).

580. The Lambeth Conference 1958, 1. 25 (Encyclical Letter).

581. A.a.O. 2. 78 (Rep.).

Personal Prayer« des einzelnen Beters wie im »Public Worship/Corporate Devotion« des öffentlichen Gottesdienstes der Gemeinde/Kirche[582]; denn »out of prayer develops all worship«[583]. Darum ist für den einzelnen Menschen, der »as a spiritual being, inevitably seeks God in prayer«[584], das »personal prayer« die Kraft, welche »can and will quicken our thought of and our faith in God«[585]. Ebenso ist auch für die Gemeinde/Kirche das »Common Prayer« als Ausdruck und Mittel der »common loyalty to God«[586] die Quell- und Brunnstube ihres Gottesdienstes[587]. Darum involviert die »primary task of the Church to glorify God by leading all mankind into life in Christ ... a continuous advance in the practice of prayer in the Spirit«[588], »to teach different techniques of prayer«[589] und »to deepen the Christians' prayer«[590]. Denn »only when the Church is a worshipping and a praying Church it will be a progressive Church«[591]. So ist auch für die Lambeth Konferenzen die »Lex orandi« eines der Grundelemente der anglikanischen Frömmigkeit sowohl im persönlichen Bereich wie im allgemeinkirchlichen öffentlichen gottesdienstlichen Leben der Anglican Church(es).

Es entspricht durchaus der Tradition der anglikanischen Theologie und Kirche seit der Reformationsepoche[592], wenn die Lambeth Konferenzen auf die funktional-instrumentale und material-qualitative Interdependenz von Lehre/Doctrine und Gottesdienst/Worship/Liturgy hinweisen[593]. Diese integral-interdependente Zusammengehörigkeit beider kommt etwa darin zum Ausdruck, »that the

582. Lambeth Conference 1948, II. 30 (Rep.). The Lambeth Conference 1958, 1. 25 (Encyclical Letter). The Lambeth Conference 1968, 29 (Res.).

583. Lambeth Conferences 1867–1930, 193 (Lambeth Conference 1930, Rep.).

584. A.a.O. 185 (Lambeth Conference 1930, Rep.). Die Lambeth Conference 1968, 66 (Rep.), spricht von »man's instinct for prayer«.

585. Lambeth Conferences 1867–1930, 149 (Lambeth Conference 1930, Encyclical Letter). The Lambeth Conference 1968, 23 (Message): »The faith of the Church ... is sustained and renewed in its members by constant prayer.«

586. Lambeth Conference 1948, II. 34 (Rep.).

587. Lambeth Conferences 1867–1930, 193 (Lambeth Conference 1930, Rep.): »Out of prayer develops all worship.«

588. The Lambeth Conference 1968, 29 (Res.).

589. A.a.O. 76 (Rep.).

590. Lambeth Conference 1968, 23 (Message). Die Notwendigkeit des Gebetes gilt auch für die Theologie: »Religious thought and study cannot be divorced from the devotional life« (Lambeth Conferences 1867–1930, 192: Lambeth Conference 1930, Rep.).

591. The Lambeth Conference 1958, 2. 64 (Rep.).

592. M. Keller-Hüschemenger: Die Lehre der Kirche im frühreformatorischen Anglikanismus ..., 159 ff., 188 f., 233 f., 238 ff.; ders.: Die Lehre der Kirche in der Oxford Bewegung .., 97, 199 f., 207 f.

593. Siehe hierzu etwa Lambeth Conferences 1867–1930, 192 (Lambeth Conference 1930, Rep.); auch Anglican Congress 1954, 32 (J. W. C. Wand: The Position of the Anglican Communion in History and Doctrine).

modes of worship must be determined by the doctrine (of God) accepted by the worshipper. This applies not only to the outward forms employed but to the actual substance of worship.«[594]

Wenn diese material-substantielle Verflechtung von Lehre und Gottesdienst involviert, daß nur solche Änderungen der gottesdienstlichen Ordnungen vorgenommen werden dürfen, welche »not affect the doctrinal teaching or value of the Service or passage thus adapted«[595], dann besagt das für die in Lambeth versammelten Bischöfe nicht, daß eine »(rigid) liturgical uniformity should be regarded as a necessity throughout the Churches«[596]. Die hier angesprochene Frage nach der theologisch und ekklesiologisch legitimen Bandbreite der geographisch-ethnisch, geschichtlich und geistig-kulturell – aber auch theologisch – bedingten »large elasticity in the forms of worship«[597] innerhalb der anglikanischen Kirchenfamilie war schon früh Gegenstand ausführlicher Diskussionen der Lambeth Konferenzen im Zusammenhang mit deren Beratungen über die Bedeutung des Book of Common Prayer der Church of England 1559/61 für die anglikanische Kirchenfamilie heute, da deren »communion in worship may be endangered by excessive diversities of ritual«[598]. In dem Maße, in dem das ökumenische Engagement der Anglikaner wuchs, kam im Blick auf die bi- und multilateralen zwischenkirchlichen Einheitsbestrebungen und – letztlich – die als Ideal anvisierte wiedervereinigte Universal Catholic Church zu diesem Komplex auch die Frage der für die anglikanischen Kirchen theologisch und ekklesiologisch legitimen Bandbreite der Gottesdienstformen und der gottesdienstlich-devotionalen Lebenspraxis der nichtanglikanischen Kirchen hinzu[599]. Beide Komplexe werden in den Lambeth Konferenzen nach dem Prinzip »Unity, not Uniformity«[600]

594. Lambeth Conference 1930. Memoranda. Worship in relation to the Christian Doctrine of God (ohne Seitenzahl).

595. Conference of Bishops of the Anglican Communion ... 1897, 45 (Res.).

596. Lambeth Conferences 1867–1930, 45 (Lambeth Conference 1920, Res.); a.a.O. 84 (Lambeth Conference 1920, Rep.). Siehe auch Conference of Bishops of the Anglican Communion ... 1888, 110 (Rep.): »We do not demand a rigid uniformity.«

597. Conference of Bishops of the Anglican Communion ... 1878, 17 (Rep.).

598. Ebd. Die Konferenz hatte hier zweifellos auch die noch immer bestehenden Spannungen des Ritualismus-Streites im Auge. Vgl. dazu etwa M. Keller-Hüschemenger: Die Lehre der Kirche in der Oxford Bewegung ..., 24 ff.; dort auch weitere Quellen- und Literaturangaben zu diesem Komplex. Vgl. auch oben S. 60 ff.

599. Siehe hierzu etwa bezüglich der Anknüpfung näherer Beziehungen zu den »Ancient Churches of the East, which by reason mainly of the Christological dissensions in the fifth century have been separated from the rest of Christianity« (Lambeth Conferences 1867–1930, 131 (Lambeth Conference 1920, Rep.): »It was, however, more important still, that a careful examination of the East Syrian voluminous liturgical books should be made« (a.a.O. 132).

600. Conference of Bishops of the Anglican Communion ... 1908, 43 (Encyclical Letter) u. ö.

behandelt. Für die Gottesdienstgemeinschaft der Gliedkirchen der Anglican Communion bedeutet dies das Zugeständnis eines gottesdienstlich-liturgischen Freiheitsraumes für die einzelnen Gliedkirchen, dessen Grenzen gekennzeichnet sind durch die Beachtung des komprehensiven reformatorisch-katholischen Prinzipes der »Scriptural and Catholic balance of Truth«[601] und »the precedents of the early Church«[602]. Auf der ökumenischen Ebene wirkt sich das Leitmotiv »Unity, not Uniformity« der Lambeth Konferenzen für die theologische und ekklesiologische Wertung der unterschiedlichen Gottesdienstordnungen und -praktiken der einzelnen Kirchen(gemeinschaften) darin aus, daß jede dieser durch ihr geschichtliches Erbe seit dem Auseinanderbrechen der ungeteilten Early/Ancient Church geprägten Kirchen mit ihrem spezifischen Gottesdienst beiträgt zu der komplementär-additiven »fulness« des gottesdienstlichen Reichtums der allumfassend-universalen Catholic Church[603]. So faßt das Ideal der organisch-korporativ wiedervereinigten Universal Catholic Church »all the spiritual gifts and insights by which the particular Churches live to Christ's glory«[604] in sich zusammen, so daß »within its visible unity all treasures of faith and order, bequeathed as a heritage by the past to the present, shall be possessed in common, and made serviceable to the whole Body of Christ ... It is through a rich diversity of life and devotion that this unity of the whole fellowship will be fulfilled.«[605]

Im Rahmen und auf der Basis des devotionalen Primärcharakters des Ordnungsfaktors Gottesdienst/Worship/Liturgy – »It has always been vital to true religion that the first place in worship be given to adoration«[606] – eignen diesem integral wichtige doktrinale Elemente sowohl qualitativ-materialer wie funktional-instrumentaler Art.

Ein Überblick über die offiziellen Veröffentlichungen der Lambeth Konferenzen und die sie begleitenden Dokumentationen zeigt, daß sich die Konferen-

---

601. So etwa summarisch Lambeth Conferences 1867–1930, 84 (Lambeth Conference 1920, Rep.).

602. Ebd. Ausführlicher wurde hierauf bereits oben S. 63 f. eingegangen.

603. The Fulness of Christ ..., 73. Anglican Congress 1954, 55 (J. P. Hickinbotham: Our Place in Christendom and our Relations with other Communions). The Lambeth Conference 1968, 124 (Rep.). Siehe hierzu auch Conference of Bishops of the Anglican Communion ... 1888, 110 (Rep.): »(We do not demand a rigid uniformity, but) we desire to see the prevalence of a spirit of mutual and sympathetic concession, which will prevent the growth of substantial divergences between different portions of our communion.«

604. The Lambeth Conference 1958, 2. 22 (Rep.).

605. The Lambeth Conferences 1867–1930, 39 (Lambeth Conference 1920, Res.: Appeal to All Christian People).

606. Lambeth Conference 1930. Memoranda. Worship in relation to the Christian Doctrine of God (ohne Seitenangabe).

zen unter dem allgemeineren Aspekt der Lehrqualität/-funktion des Ordnungsfaktors Gottesdienst/Worship nur verhältnismäßig selten und auch dann nicht
thematisch-explizit mit diesem Komplex befaßt haben und daß ihre diesbezüglichen Äußerungen kaum über einige wenige allgemein gehaltene Feststellungen
zu einigen Fundamentalien hinausgehen. So wird etwa einmal die generell anerkannte »close relation of faith and worship«[607] in einem Referat von Bischof
J. W. C. Wand auf dem Anglican Congress 1954 näher beschrieben als »doctrine
... including not only faith and order, but also liturgy«[608]. Und auch nur gelegentlich streifen diese Dokumente den qualitativ-materialen und instrumental-
funktionalen Lehrcharakter des Gottesdienstes/Worship/Liturgy der anglikanischen Kirchen als auf Schrift und Tradition der Alten Kirche begründetes[609] und
komprehensiv reformatorisch-katholisch charakterisiertes »Lehre sein«[610] und
»Lehre lehren«[611].

In extenso und auf nahezu jeder ihrer Zusammenkünfte gehen die im Lambeth
Palace versammelten Bischöfe jedoch auf die integrale Verflechtung des doktrinalen mit dem devotionalen Element im Ordnungsfaktor Gottesdienst/Worship
in dessen qualitativ-materialem und instrumental-funktionalem Lehrcharakter
ein, wenn sie sich mit diesem Thema im Zusammenhang mit dem Common
Prayer Book, dem »standard of our worship«[612] befassen. Die doktrinale Bedeutung des Gottesdienstes/Worship gemäß dem Book of Common Prayer können sie hierbei unter dem qualitativ-materialen Aspekt etwa beschreiben als
»repository of teaching«[613], »authoritative standard of the doctrine of the

607. Lambeth Conference 1958. Documents ..., Vol. I. Prayer Book Revision in
the Church of England ... 1958, 39.

608. Anglican Congress 1954, 32 (J. W. C. Wand: The Position of the Anglican
Communion in History and Doctrine).

609. Zum Beispiel Lambeth Conferences 1867–1930, 84 (Lambeth Conference 1920,
Rep.): »... maintain a Scriptural and Catholic balance of Truth ... due consideration
to the precedents of the early Church ...« Ähnlich auch The Lambeth Conference 1958,
1. 33 (Res.), 2. 14 (Rep.). Anglican Congress 1954, 197 (Report of the Editorial Committee to the Congress).

610. Etwa Conference of Bishops of the Anglican Communion ... 1867, 11 (Opening
Address by the Archbishop of Canterbury ..., Sept. 24, 1867). Lambeth Conference 1930.
Memoranda. Worship in relation to the Christian Doctrine of God (ohne Seiten-
angabe): »... modes of worship ... determined by the doctrine of God.«

611. Zum Beispiel Conference of Bishops of the Anglican Communion ... 1897, 45
(Res.): »... the doctrinal teaching ... of the Service ...«

612. Lambeth Conference 1948, II. 85 (Rep.). Auch The Lambeth Conference 1958,
2. 78 (Rep.): »the public expression of the worship of God in the Anglican Communion.« Anglican Congress 1954, 47 (Ph. Carrington: The Structure of the Anglican
Communion): »... this compendium of faith, worship and church order ...«

613. Conference of Bishops of the Anglican Communion ... 1888, 77 (Rep.); ähnlich

Anglican Communion«[614], »our accepted pattern of doctrine which is to be everywhere maintained«[615], »a classical norm of its (i. e. the Anglican Communion's) doctrine«[616] u. ä. m. Aufgrund seiner »accordance with the best and most ancient types of Christian faith and worship«[617] sowie als »embodiment«[618] des komprehensiven Charakters der Kirchen der Anglican Communion als »Catholic in the sense of the English Reformation«[619] ist, was Umfang und Charakter seines Lehrgehaltes betrifft, in ihm »the Catholic and Apostolic Faith in its entity ... set forth«[620]. Nicht mindere Bedeutung messen die Lambeth Konferenzen auch dem funktional-instrumentalen Lehrcharakter des Gottesdienstes gemäß dem Common Prayer Book, seinem »educative value«[621] bei. Diese erzieherische Lehrfunktion übt es im Unterschied zu den 39 Articles weniger durch gezielte und einseitig auf den Intellekt bezogene Belehrung aus als vielmehr in der steten Einübung in das devotional-gottesdienstliche Leben und durch die regelmäßige Teilnahme an ihm auf der Ebene des »Private Prayer« sowie des »Common Prayer/Public Worship« im Rahmen des Gesamtlebensvollzuges der Kirche; denn »the constant habit of worshipping according to this book imparts to the worshippers and sustains in their hearts and souls the truth of religion as revealed and recorded in the Bible and believed on in the Church«[622]. Wenn die Lambeth Konferenz 1958 schließlich darauf verweist, daß das Book of Common Prayer in einer Anzahl seiner Grundzüge (»features«) »effective in maintaining the traditional doctrinal emphasis ... of Anglicanism«[623] ist, dann

auch Lambeth Conference 1948, II. 83 (Rep.): »an important source of Anglican teaching« u. ö.

614. Conference of Bishops of the Anglican Communion ... 1897, 21 (Encyclical Letter); ebd.: »the great doctrines of the Faith are there clearly set forth«; ähnlich auch Lambeth Conferences 1867–1930, 45 (Lambeth Conference 1920, Res.) u. ö.

615. Lambeth Conference 1948, I. 23 (Encyclical Letter).

616. Lambeth Conference 1958. Documents ..., Vol. I. Principles of Prayer Book Revision. The Report of a Select Committee of the Church of India, Pakistan, Burma, and Ceylon ..., IX (Foreword by the Archbishop of Canterbury).

617. Conference of Bishops of the Anglican Communion ... 1878, 36 (Rep.).

618. Lambeth Conference 1948. Documents ..., Vol. I. A Statement on the Fellowship of the Anglican Churches called the Anglican Communion ..., 10.

619. Lambeth Conference 1948, II. 83 (Rep.).

620. Lambeth Conferences 1867–1930, 155 (Lambeth Conference 1930, Encyclical Letter), 173 (Lambeth Conference 1930, Res.). Vgl. auch oben S. 57 ff.

621. Conference of Bishops of the Anglican Communion ... 1908, 113 (Rep.).

622. Lambeth Conference 1948. Documents ..., Vol. I. A Statement on the Fellowship of the Anglican Churches ..., 20. Vgl. auch Archbishop Edwin Morris: The Lambeth Quadrilateral and Reunion, 16: »The worshipper almost unconsciously, accepts and is moulded by the teaching expressed in the Church's services, and the integrity of his religious beliefs is thereby safeguarded.«

623. The Lambeth Conference 1958, 1. 47 (Res.).

mißt diese Konferenz dem in diesem Dokument komprehensiv zusammengefaßten devotional-gottesdienstlichen Faktor über seine Bedeutung für konkrete
Einzellehren hinaus auch grundlegende Relevanz für die Sicherung des generell
lehrgeprägten oder doch zumindest lehrbezogenen Charakters der Church of
England bzw. der Kirchen der Anglican Communion bei.

Bei der Analyse des Ordnungsfaktors Amt/Ministry konnten wir feststellen,
daß die Lambeth Konferenzen in ihren offiziellen Verlautbarungen wohl stets
die gemeinanglikanische »Catholic but Reformed, Reformed but Catholic« Balance des komprehensiven »Scriptural and Catholic« Amtsverständnisses bewahrt haben, daß sie jedoch dem wachsenden Einfluß des (anglo-)katholischen
Elementes im Anglikanismus seit den 7oer Jahren des 19. Jahrhunderts und
wieder erneut den 20/3oer Jahren dieses Jahrhunderts insofern ihren Tribut
zollen, als auch sie sich in ihren Äußerungen über das Amt doch nicht ganz
diesem Trend verschließen können. Die gemeinanglikanische Verantwortung der
in Lambeth versammelten Bischöfe für die ekklesiologisch-geistliche Gemeinschaft der Anglican Communion läßt es jedoch nie dazu kommen, daß die anglo-
katholischen Tendenzen und die durch sie hervorgerufenen evangelikalen und
liberalen Gegenkräfte im Anglikanismus zu einer Polarisierung beider Stand-
punkte geführt hätten. Beide werden vielmehr gesehen als sich gegenseitig er-
gänzende komplementär-additive Beiträge zweier »schools of theological
thought«, die beide ihren spezifischen »katholischen« resp. »evangelikal-reformatorischen« Anteil zum harmonischen Vollverständnis des kirchlichen Amtsverständnisses beitragen.

Ähnliche Beobachtungen können wir auch machen in der Behandlung des
Fragenkomplexes um den Ordnungsfaktor Gottesdienst/Worship/Liturgy mit
dem Kernpunkt »Book of Common Prayer« als der für die Church of England
bzw. die Gliedkirchen der Anglican Communion kirchenverbindlichen Ausprä-
gung dieses Ordnungsfaktors durch die Lambeth Konferenzen und in den sie
begleitenden Dokumentationen. Aus den bisherigen Untersuchungen ist ersicht-
lich, daß sich die Lambeth Konferenzen selbst in ihren von dem jeweiligen Bi-
schofsplenum autorisierten Verlautbarungen gewöhnlich auf die formale Feststellung des authentischen material-qualitativen und funktional-instrumentalen
Lehrcharakters des Gottesdienstes/Worship gemäß dem Book of Common
Prayer für ihre Kirche beschränken. Wenn sie auf die Frage nach dem theologisch-ekklesiologischen Charakter seines Lehrgehaltes eingehen, dann begnügen
sie sich durchweg mit der Aussage, daß in ihm der Kirche der »Apostolic and
Catholic Faith« dargeboten wird. Auch diese Formulierung trägt durchaus komprehensiven Charakter und läßt Freiheitsraum für eine Interpretation sowohl
zugunsten eines mehr »katholischen« wie eines mehr »reformatorischen« Charakters der anglikanischen Kirche und ihres Gottesdienstes/Worship als »Catholic in the sense of the English Reformation«.

Hinter dieser komprehensiven reformatorisch-katholischen Ausgeglichenheit in der Wertung des Gottesdienstes/Worship durch die Lambeth Konferenzen lassen sich doch auf einigen Konferenzen Anzeichen einer Neigung in Richtung auf eine gewisse Präponderanz der »katholischen« vor den »reformatorischen« Elementen feststellen, wenn auch nicht so weitgehend und so klar wie bei dem Amtsverständnis. Auch hier ist – ähnlich wie bei dem kirchlichen Amt – diese Tendenz in gewisser Hinsicht bereits vorgezeichnet in dem schon früher analysierten Verhältnis von Wort/Word und Sakrament/Sacrament sowie »Ministry/ Service of the Word« und »Ministry/Service of the Sacraments«[624]. Die dort festgestellte Präponderanz des »katholischen« sakramentalen Elementes vor dem »reformatorischen« Wort-Element setzt sich auch im Ordnungsfaktor Gottesdienst/Worship im Book of Common Prayer fort in der wiederholten Charakterisierung des Eucharistie-Gottesdienstes als »climax of Christian Worship«[625], »the centre of all our worship«[626], »the centrality of the Eucharist in the life of the Church«[627] und der daraus gefolgerten Forderung der »regularity of their (i. e. Church members') attendance at public worship and especially at the Holy Communion«[628]. Diese Neigung tritt ferner dort zutage, wo die eine oder andere Konferenz sich zu der Frage äußert, ob das Book of Common Prayer durch die 39 Articles zu interpretieren sei oder ob umgekehrt die 39 Articles der Interpretation durch das Book of Common Prayer bedürfen. Schon seit der Reformationsepoche weist sich an der Beantwortung dieser Frage das primär »reformatorische« oder »katholische« Selbstverständnis eines Theologen, einer kirchlichen Gruppe oder – je nach dem mehr oder weniger beherrschenden Einfluß der »Catholic« oder »Protestant/Evangelical school of thought« auf die Kirche – der Church of England bzw. der Anglican Communion für eine bestimmte Epoche ihrer Geschichte aus und bestimmt ihr theologisches und ekklesiologisches Image nach innen und außen. Das Book of Common Prayer als Interpret der 39 Articles signalisiert stets den primär »katholischen«, die 39 Articles als Interpret des Book of Common Prayer zeigen stets den primär »reformatorischen« Standort an[629]. Wenn, wie an anderer Stelle bereits ausführlicher aufgewiesen wurde[630], die Lambeth Konferenzen faktisch bereits seit 1878 fortschreitend

624. Siehe oben S. 124 ff., 129 ff.

625. Lambeth Conferences 1867–1930, 194 (Lambeth Conference 1930, Rep.); ähnlich auch a.a.O. 149 (Lambeth Conference 1930, Encyclical Letter).

626. Lambeth Conference 1948, II. 30 f. (Rep.).

627. The Lambeth Conference 1968, 124 (Rep.); ähnlich auch a.a.O. 65 (Rep.). Auch Lambeth Conference 1958. Documents ..., Vol. I. Prayer Book Revision in the Church of England ... 1958, 37.

628. Lambeth Conference 1948, I. 35 (Res.).

629. Vgl. hierzu etwa M. Keller-Hüschemenger: Die Lehre der Kirche im frühreformatorischen Anglikanismus ..., 87, 100, 186 ff., 240 f. u. ö.; ders.: Die Lehre der Kirche in der Oxford Bewegung ..., 96, 167 ff., 184 ff., 208 u. ö.

630. Siehe oben S. 67 ff.

stärker dem Common Prayer Book vor den 39 Articles theologisches und ekklesiologisches Gewicht einräumen, so ergibt sich auch daraus, daß die Konferenzen in Richtung auf eine gewisse Präponderanz des »katholischen« vor dem »reformatorisch-evangelikalen« Faktor im »Reformed and Catholic« Grundverständnis der anglikanischen Kirche(n) und ihres Gottesdienstes/Worship tendieren, ohne dieses in seiner komprehensiven Harmonie und Ausgeglichenheit prinzipiell jemals ernsthaft in Frage stellen zu wollen.

V. Abschluß

Fassen wir die Ergebnisse unserer Analyse der Haltung der Lambeth Konferenzen zur Frage der Lehre als kirchenkonstitutiv-charakteristischen Struktur- und Seins-/Wesensfaktors und ihres personal-heilsbezogenen und ekklesiologischen Funktionscharakters im Interdependenzgeflecht der kirchenkonstitutiven und -charakteristischen Faktoren der anglikanischen Kirche(n) neben den Ordnungsfaktoren Amt/Ministry und Gottesdienst/Worship/Liturgy zusammen, so dürfen wir feststellen:

Auch die Lambeth Konferenzen bestätigen in ihren vorstehend analysierten Verlautbarungen den Charakter der anglikanischen Kirche(n) als einer stark lehrbewußten und lehrorientierten Kirche(nfamilie). Die von den Lambeth Konferenzen für ihre Kirche in Anspruch genommene Qualifizierung als einer »comprehensive Church« im Unterschied zum Charakter der kontinentalen reformatorischen Kirchen – besonders der lutherischen – als »doctrinal Churches« steht zu dieser Feststellung insofern nicht in Widerspruch, als auch nach ihrem Urteil die Church of England bzw. die übrigen Kirchen der Anglican Communion seit der Reformationsepoche neben der Lehre/Doctrine auch stets die Ordnungsfaktoren Amt/Ministry und Gottesdienst/Worship/Liturgy und damit neben dem doktrinalen das pastoral-seelsorgerliche und devotional-gottesdienstliche Element zu den kirchenfundamentalen Charakteristika zählen – im Unterschied zu den kontinentalen Reformationskirchen, für die sich ihr theologisch und ekklesiologisch legitimer biblisch-reformatorischer – und damit apostolisch-katholischer – Charakter bis in die Gegenwart hinein fast stets allein an den in ihren Symbolischen Büchern/Bekenntnisschriften fixierten Kirchen-»notae«: der schriftgemäßen »doctrina evangelii et administratio sacramentorum«[1] ausweisen muß, während den kirchlichen Ordnungsfaktoren Amt und Gottesdienst von ihnen normalerweise nur eine abgeleitet-sekundäre, bedingt kirchencharakteristische Dignität beigemessen wird.

Doch indem die Lambeth Konferenzen in der Tradition der anglikanischen Theologie und Kirche seit der Reformationsepoche die pastoral-seelsorgerlichen und devotionalen Ordnungsfaktoren Amt/Ministry und Gottesdienst/Worship in die kirchenkonstitutiven und -charakteristischen »notae« der anglikanischen Kirche(n) mit einbeziehen, erweist sich dies auch bei ihnen bei aller Betonung ihres pastoral-seelsorgerlichen und devotionalen Primärcharakters doch zugleich als eine »komprehensive« Ausweitung der theologischen Qualität und ekklesiologischen Dignität der Lehre auf Amt und Gottesdienst und damit als eine »komprehensive« Ausweitung des implizit-lehrbezogenen und explizit-lehrhaften Charakters der Kirche. Denn indem die Lambeth Konferenzen die Fak-

1. Confessio Augustana VII. De Ecclesia.

toren »Lehre«, »Amt« und »Gottesdienst« formal und material in einen integral-interdependenten kirchenkonstitutiv-charakteristischen Bezug zueinander setzen, werden einerseits beide Ordnungsfaktoren für die Lehre in zweifacher Weise in Dienst genommen: Sie sind sowohl kirchenautoritativ-verbindliche Garanten und Interpreten der apostolisch-katholischen Lehre der ungeteilten Alten Kirche – insofern eignet ihnen ein kirchenverbindlicher instrumental-funktionaler Lehrcharakter (Lehre lehren; id quo docetur) – und zugleich auch Träger expliziter und/oder impliziter apostolisch-katholischer Lehre – damit eignet ihnen auch ein kirchenverbindlicher qualitativ-materialer Lehrcharakter (Lehre sein; id quod docetur), auch wenn dieser in und unter den Ordnungs- und Praxisformen des kirchlichen Lebensvollzuges krypto-doktrinär larviert sein mag. Andererseits wird aber auch die Lehre in den Dienst der beiden Ordnungsfaktoren Amt und Gottesdienst genommen, indem sie – explizit oder implizit – als integraler Bestandteil dieser beiden Ordnungsfaktoren über den spezifischen Lehr-Sektor hinaus in die pastoral-seelsorgerlichen und devotionalen Ordnungs- und Lebensbereiche der Kirche einbezogen wird. In diesem für die gesamte anglikanische Theologie und Kirche seit der Reformationsepoche besonders charakteristischen integralen wechselseitigen Bezugssystem ist die Lehre bewahrt vor doktrinaler Intellektualisierung und Isolierung von den übrigen Seins- und Funktionsbereichen der Kirche und unlösbar mit ihnen hineingenommen in den Ordnungs- und praxisbezogenen Lebensvollzug der Kirche. Gleichzeitig sind Ordnung und Praxis der Kirche bewahrt vor der Illusion, sie stellten einen lehrwert-neutralen Raum mit Experimentiermöglichkeiten in Ordnungs- und Praxisfragen der Kirche dar, die ohne Rücksicht und ohne Rückwirkung auf die Lehre der Kirche vorgenommen werden könnten. Denn auch ihnen sind konkrete lehrbezogene bis lehrhafte Elemente integral inhärent, deren Grenzen auch für die Lambeth Konferenzen durch die apostolisch-katholische Comprehensiveness der Primitive Church markiert sind.

In unseren vorausgegangenen Untersuchungen über die Lehre der Kirche im frühreformatorischen Anglikanismus und in der Oxford Bewegung bzw. im Traktarianismus konnten wir hinsichtlich dieser instrumental-funktionalen und materialen interdependenten Verzahnung der Lehre mit den übrigen Funktions- und Seinsbereichen der Kirche wiederholt feststellen, daß Einwirkungen von außen auf die Kirche und Tendenzen/Trends im Innern – gleich ob sie aus säkularen oder theologisch-ekklesiologischen Quellen kommen –, auch wenn sie vordergründig-unmittelbar nur auf einen der Bereiche Lehre, Ordnung Leben zielen, doch auch die übrigen Bereiche des Gesamtlebensvollzuges der Kirche mit berühren und auch dort mehr oder weniger augenfällige und substantielle Änderungen bewirken können.

Diese Feststellung trifft auch für den Zeitraum der anglikanischen Theologie und Kirche seit der ersten Lambeth Konferenz 1867 hinsichtlich der Auswirkungen der (anglo-)katholischen Erneuerungsbewegung auf Lehr-, Ordnungs- und

Lebensvollzug der Church of England bzw. der Kirchen der Anglican Communion zu, gleich, ob der Wurzel des modernen anglo-katholischen Hochkirchentums in der Oxford Bewegung bzw. dem Traktarianismus primär ein »theologischer« Lehrcharakter beigemessen wird oder ob diese bedeutendste kirchliche Erneuerungsbewegung im Anglikanismus im 19. und 20. Jahrhundert als »praktische«, Ordnung und Lebensgestaltung der Kirche beeinflussende religiöse Erweckungsbewegung gewertet werden mag. In jedem Fall sind nicht nur die Lehre der anglikanischen Kirche(n) als solche selbst, sondern auch die implizit oder explizit lehrträchtigen und lehrbezogenen Ordnungsfaktoren Amt/Ministry und Gottesdienst/Worship/Liturgy in die Drift des unter dem Einfluß des (nachtraktarianischen) Anglo-Katholizismus wieder erstarkenden Katholizitätsbewußtseins des Anglikanismus einbezogen. Dieser theologisch-ekklesiologische Trend der letzten 100 Jahre im Anglikanismus hat sich auch in den Verlautbarungen der Lambeth Konferenzen und den sie begleitenden Dokumentationen über Lehre, Amt und Gottesdienst vielfältig niedergeschlagen. Doch hält die komprehensiv-viamediale »Reformed but Catholic, Catholic but Reformed« Intention der Lambeth Konferenzen – wenn auch bisweilen unter Spannungen, die bis hart an das Auseinanderbrechen der einen oder anderen Konferenz führten – stets die theologisch-ekklesiologischen Gewichte der beiden »schools of thought« so in der Balance, daß auch bei allem Offensein der Konferenzen für die »katholischen« Tendenzen und bei den »evangelikal-reformatorischen« Reaktionen hierauf doch stets beiden Faktoren, dem »katholischen« wie auch dem »evangelikal-reformatorischen«, volles und gleiches Heimatrecht in der Church of England bzw. den Kirchen der Anglican Communion gewahrt und damit der Anglikanischen Kirche als solcher ihr eigenständiger theologischer und ekklesiologischer Charakter als einer katholisch-reformatorisch komprehensiven Kirche erhalten bleibt. Diese für das englisch-anglikanische Denken charakteristische, erkenntnistheoretisch in griechisch-platonischen Denk- und Vorstellungsstrukturen verwurzelte, theologisch-ekklesiologisch auf die apostolisch-katholische Einheit der Primitive Church/Antiquity sich zurückbeziehende viamediale katholisch-reformatorische Comprehensiveness, die beide Relate in einem Verhältnis additiv-komplementärer Harmonie zueinander stehen sieht, in der eines das andere integral bedingt und beide sich gegenseitig zur Entfaltung ihrer »fulness« verhelfen, gibt den bischöflichen Teilnehmern der Lambeth Konferenzen »ekklesiologisch« das gute Gewissen für ihre viamedial-komprehensiven Entscheidungen, auch wenn sie sich »theologisch« der reformatorisch-evangelikalen oder der katholisch-anglokatholischen »school of thought« verpflichtet wissen[2].

2. Unter diesem Gesichtspunkt ist das Urteil in F. Th. Woods, F. Weston, M. L. Smith: Lambeth and Reunion ..., 72 zu verstehen: »It is the glory of these men that they were able to subordinate their personal predilections to a scheme that carries with it the Anglican episcopate as a whole.«

So erweisen sich die Lambeth Konferenzen kraft ihrer auf ihre theologisch-ekklesiologische Qualität begründeten moralischen Autorität für den Gesamt-anglikanismus als das bedeutendste und wirkungsvollste Organ der Verifizierung und Aktualisierung der spezifisch anglikanischen Comprehensiveness, die dieser Kirche als besondere, ihr spezifische theologische Gabe und ökumenische Aufgabe³ anvertraut ist – nicht als das Ergebnis eines pragmatischen wittenbergisch/genferisch-katholisch/römischen Synkretismus, sondern als Ausdruck einer durch geschichtliche Führung erkenntnistheoretisch wie theologisch untermauerten katholisch-reformatorischen Synthese – und damit zugleich auch als eines der wichtigsten und erfolgreichsten Instrumente zur Aufrechterhaltung der theologischen, ekklesiologischen und organischen Einheit der anglikanischen Kirchenfamilie in Lehre, Ordnung und Leben nach innen und ihrer Profilierung als eigenständiger (Konfessions-)Kirche nach außen.

3. Zur Frage, ob bzw. wieweit dieses von sämtlichen Lambeth Konferenzen bestätigte reformatorisch-katholische komprehensive Selbstverständnis des Anglikanismus in der gegenwärtigen ökumenischen Situation neue partikularkirchlich-»konfessionelle« Elemente in die ökumenische Landschaft einführt, die Lambeth Konferenzen damit – entgegen ihren subjektiven ökumenischen Intentionen – letztlich zu einer Verfestigung des »Konfessionalismus« beitragen, siehe S. 46 f., Anm. 112.

Quellen- und Literaturverzeichnis

Primärquellen und begleitende Dokumentationen

The Lambeth Conferences of 1867 and 1878, Origin and History of –. With the official Reports and Resolutions, R. T. Davidson (Hg.), London 1888.

The Lambeth Conferences of 1867, 1878, and 1888. With the Official Reports and Resolutions, together with the Sermons preached at the Conferences, R. T. Davidson (Hg.), London 1889.

The Six Lambeth Conferences 1867–1920, Compiled under the Direction of the Most Reverend Lord Davidson of Lambeth, London 1929.

Lambeth Conferences (1867–1930). The Reports of the 1920 and 1930 Conferences, with selected Resolutions from the Conferences of 1867, 1878, 1888, 1897, and 1908, London 1948.

Conference of Bishops of the Anglican Communion. Holden at Lambeth Palace, September 24–27, 1867. I An Address, Delivered at the Opening of the Conference, by Charles Thomas, Lord Archbishop of Canterbury. II The Resolutions of the Conference. III Address of the Bishops to the Faithful in Jesus Christ, London / Oxford / Cambridge 1867.

Meeting of Adjourned Conference of Bishops of the Anglican Communion. Holden at Lambeth Palace, December 10, 1867. I Reports of Committees appointed by the Conference. II Resolutions of the adjourned Conference, London / Oxford / Cambridge 1867.

Conference of Bishops of the Anglican Communion. Holden at Lambeth Palace, July 1878. Letter from the Bishops, including the Reports adopted by the Conference, London 1878.

Conference of Bishops of the Anglican Communion. Holden at Lambeth Palace, in July 1888. Encyclical Letter from the Bishops with Resolutions and Reports, London 1888.

Conference of Bishops of the Anglican Communion. Holden at Lambeth Palace in July, 1897. Encyclical Letter from the Bishops, with the Resolutions and Reports, London 1897.

Conference of Bishops of the Anglican Communion. Holden at Lambeth Palace, July 6 to August 5, 1908. Encyclical Letter from the Bishops with the Resolutions and Reports, London 1908.

The Lambeth Conference 1920. Encyclical Letter from the Bishops with Resolutions and Reports, London 1920.

Lambeth Conference 1920. Relations to Non-Episcopal Churches. A Digest. Private. No 40. 23rd June, 1920.

The Lambeth Conference 1930. Encyclical Letter from the Bishops with Resolutions and Reports, London 1930.

Lambeth Conference 1930. Memoranda (Anm.: Es handelt sich um eine allem Anschein nach nur für die Bibliothek des Lambeth Palace angefertigte Zusammenstellung von vorbereitenden Memoranden, Berichten und dgl. zu den Themen der Lambeth Konferenz 1930. Alle Stücke sind mit dem Vermerk »Private« oder »Confidential« versehen, mit Ausnahme von einigen wenigen kurzen Schriften, die bereits vor der

Konferenz im Buchhandel erhältlich waren. Aus der umfangreichen Materialsammlung wurden folgende Memoranden und Berichte für unsere Untersuchungen herangezogen:)

- Worship in relation to the Christian Doctrine of God (ohne Seitenangabe und Erscheinungsdatum).
- A Way for Renewal, September 1928.
- Archbishops' Doctrinal Commission Reports No 1 (1923–1927) Confidential.
- Reunion. A Report to the Appeal to All Christian People, issued by the Lambeth Conference 1920, May 1930.
- Report to the Archbishops' Lausanne Committee. Confidential.
- Bishop E. J. Palmer: The Anglican Communion. Its Ideal and Future, January 1930.

Lambeth Conference 1948. The Encyclical Letter from the Bishops; together with Resolutions and Reports, London 1948.

Lambeth Conference 1948. Documents Circulated to Bishops. Vol. I. II. (Anm.: Siehe hierzu sinngemäß die Anm. zu Lambeth Conference, 1930. Memoranda; herangezogene Memoranden usw.:)

- A Memorandum to be read in conjunction with F. S. P. III, 2 (Report on Relations with Non-Episcopal Churches), June, 1948. Confidential.
- F. De Witt Batty: The Australian Proposals for Intercommunion, London 1948.
- A Supplementary Report in the Form of a Letter to the Archbishop of Canterbury from the Chairman of the Preparatory Committee of the Church of England appointed to report on Relations with Non-Episcopal Churches ... Confidential.
- A Step Forward in Church Relations. A Sermon Preached by the Archbishop of Canterbury on November 3rd, 1946 before the University of Cambridge, St. John 10, 9 and 10, Westminster 1946.
- Report on Relations between the Anglican Churches and Foreign Churches ... prepared by a Committee appointed by the Archbishop of Canterbury under the Chairmanship of the Bishop of Chichester. Confidential.
- A Statement on the Fellowship of the Anglican Churches called the Anglican Communion. Prepared by a Committee appointed by the Archbishop of Canterbury under the Chairmanship of the Bishop of Worchester, 1948. Confidential.
- L. Hodgson: The Doctrine of the Church as Held and Taught in the Church of England, 2. Aufl., Oxford 1948.
- Memorandum on »The Church and the Modern World«. Subjects 1 and 2. Prepared by the Bishops of Glasgow and Galloway and of Edinburgh.

The Lambeth Conference 1958. The Encyclical Letter from the Bishops together with the Resolutions and Reports, London 1958.

Lambeth Conference 1958. Documents Circulated to Bishops. Vol. I. II. (Anm.: Siehe hierzu sinngemäß die Anm. zu Lambeth Conference 1930. Memoranda; herangezogene Memoranden usw.:)

- Conversations between the Church of England and the Methodist Church. An Interim Statement, London 1958.
- Relations between Anglican and Presbyterian Churches. A joint Report, London 1957.
- Prayer Book Revision in the Church of England. A Memorandum of the Church of England Liturgical Commission, London 1957.

- Principles of Prayer Book Revision. The Report of a Select Committee of the Church of India, Pakistan, Burma, and Ceylon. Appointed by the Metropolitan to Review the Principles of Prayer Book Revision in the Anglican Communion, London 1957.
- The Commemoration of Saints and Heroes of the Faith in the Anglican Communion. The Report of a Committee Appointed by the Archbishop of Canterbury, London 1957.
- The Ecumenical Movement. Confidential, London 1958.
- Anglican Prayer Books. A Scottish View. Confidential, London 1958.
- The Development of the Ministry. A Working Paper by the Bishop of Bath and Wells. Confidential, London 1958.
- Anglican Strategy. Three Memoranda. Confidential, London 1958.

The Lambeth Conference 1968. Resolutions and Reports, London 1968.

Lambeth Conference 1968. Preparatory Information, London 1968.

The Lambeth Conference 1968. Faith Alert – The Popular Report of the Lambeth Conference 1968. Edited by the Right Reverend Ian Ramsey, Bishop of Durham ..., London 1968.

Lambeth Conference 1968. Preparatory Essays. Printed for Circulation to Members of the Lambeth Conference only. Confidential, London 1968 (Anm.: Die hier als Arbeitshilfen für die 28 Komitees der Konferenz zusammengefaßten Essays sind nach Abschluß der Konferenz mit Ausnahme einiger weniger Beiträge in folgenden drei Bänden der Öffentlichkeit zugänglich gemacht worden:)
- Lambeth Essays on Faith. Essays written for the Lambeth Conference 1968. Edited by the Archbishop of Canterbury, London 1969.
- Lambeth Essays on Ministry. Essays written for the Lambeth Conference 1968. Edited by the Archbishop of Canterbury, London 1969.
- Lambeth Essays on Unity. Essays written for the Lambeth Conference 1968. Edited by the Archbishop of Canterbury, London 1969.

Pan-Anglican Congress, June 15–June 24, 1908. Official Handbook, London 1908.

Pan-Anglican Congress, 1908. Report to Lambeth Conference 1908. Private and Confidential.

Anglican Congress 1954. Report of Proceedings, August 4–13, Minneapolis (Minesota), P. M. Dawley (Hg.), London 1955.

Anglican Congress 1963. Report of Proceedings, August 13–23, Toronto (Canada), Rev. E. R. Fairweather, M. A., Th. D. (Hg.), Toronto / London / New York 1963.

Acts of the Convocations of Canterbury and York 1921–1970, H. Riley and R. J. Graham (Hg.), London 1971.

Reunion. The Lambeth Conference Report and the Free Churches, London 1924.
- I. Report of the Joint Conference at Lambeth Palace, 1922.
- II. Memorandum on the Status of the existing Free Church Ministry. Presented on behalf of the Church of England Representatives on the Joint Conference at Lambeth Palace, July 6, 1923.
- III. Federal Council of the Evangelical Free Churches of England. Resolution on the Report of the Committee on the Lambeth Appeal (September 18, 1923).

The Church of England and the Free Churches. Proceedings of Joint Conferences held at Lambeth Palace, 1921–1925, G. K. A. Bell and W. L. Robertson (Hg.), London 1925 (enthält u. a.):

- XII. A Second Memorandum on the Status of the existing Free Church Ministry. Presented on behalf of the Church of England Representatives on the Joint Conference ... June 19, 1925 (S. 67 ff.).
- XVI. A Short Memorandum on the Safe-guarding of the Evangelical Principles of the Reformation. Adopted by the Joint Conference ... June 19, 1925 (S. 86 f.).

Doctrine in the Church of England. The Report of the Commission on Christian Doctrine, appointed by the Archbishops of Canterbury and York in 1922, 3. Aufl., London 1962 (1. Auflage , London 1928).

Lambeth Occasional Reports 1931–8. With a Foreword by the Bishop of Winchester, London 1948 (Anm.: Die Reports bieten eine Zusammenstellung zwischenkirchlicher Verhandlungen und Gespräche der von den Lambeth Konferenzen 1920 und 1930 angeregten Joint Doctrinal Commissions anglikanischer Theologen und Kirchenmänner mit Repräsentanten alt-katholischer, griechisch-orthodoxer und lutherischer Kirchen im angegebenen Zeitraum).

Catholicity. A Study in the Conflict of Christian Traditions in the West, being a Report presented to His Grace the Archbishop of Canterbury, with a Foreword be the Archbishop of Canterbury, 2. Aufl., Westminster 1950 (1. Auflage, Westminster 1947).

The Fulness of Christ. The Church's Growth into Catholicity, being a Report presented to His Grace the Archbishop of Canterbury, with a Foreword by the Archbishop of Canterbury, London 1950.

Church Relations in England. Being a Report of Conversations between Representatives of the Archbishop of Canterbury and Representatives of the Evangelical Free Churches in England, London 1950.

The Catholicity of Protestantism, being a report presented to His Grace the Archbishop of Canterbury by a group of Free Churchmen, edited by R. N. Flew and R. E. Davies, with a foreword by the Archbishop of Canterbury, 2. Aufl., London 1951 (1. Auflage, London 1951).

Subscription and Assent to the Thirty-nine Articles, a Report of the Archbishops' Commission on Christian Doctrine, London 1968.

Intercommunion To-day, being the Report of the Archbishops' Commission on Intercommunion, London 1968.

Bericht über die von der Lambeth-Konferenz und dem Lutherischen Weltbund autorisierten Gespräche 1970–1972, Lutherische Rundschau 1972, 22. Jahrgang, Heft 4, 505 ff.

Tait Papers: Lambeth Palace Library.

Literatur

Allchin, A. M.: Faith and Spirituality, in: Lambeth Conference 1968. Preparatory Essays. Printed for Circulation to Members of the Lambeth Conference only ..., London 1968, 137 ff.

Bayne, St. F.: The Challenge of the Frontiers: Organizing for Action, Theme Address, in: Anglican Congress 1963, 193 ff.

- An Anglican Turning Point. Documents and Interpretations, Austin (Texas) 1964.

Beckwith, R. T.: Prayer Book Revision and Anglican Unity, Prayer Book Reform Series, London 1967.

Bicknell, E. J.: A Theological Introduction to the Thirty-nine Articles of the Church of England, London 1950 (New Impression).

Brandon, O.: The Psychology of Faith, in: Lambeth Conference 1968. Preparatory Essays. Printed for Circulation to Members of the Lambeth Conference only ..., 1968, 97 ff.

Buchanan, C. O.: A Guide to Second Series Communion Service. Prayer Book Reform Series, London 1966.

Burgon, J. W.: The Lambeth Conference and the Encyclical. A Sermon preached at St. Mary-the-Virgin's, Oxford on the Eighteenth Sunday after Trinity (Oct. 20th), 1867, After publicly reading, by command of the Lord Bishop of the Diocese, the Pastoral Address of the Archbishops, Bishops, Metropolitans, and Presiding Bishops assembled at the Lambeth Conference ..., Oxford and London 1867.

Chadwick, H.: The »Finality« of the Christian Faith, in: Lambeth Essays on Faith (1968), London 1969, 22 ff.

Chadwick, O.: The Mind of the Oxford Movement, London 1960; 2. Aufl. 1963.

Cohu, J. R.: Addresses to the Lambeth Conference (1920), London o. J. (Preface: December, 1920).

Coleman, W. R.: The Anglican Heritage and the Common Christian Calling, in: Anglican Congress 1963, 236 ff.

Dark, S.: The Lambeth Conferences. Their History and their Significance, London 1930.

De Witt Batty, F.: The Australian Proposals for Intercommunion, London 1948, in: Lambeth Conference 1948. Documents ..., Vol. I.

Edwards, D. L.: 101 Years of the Lambeth Conference, in: The Church Quarterly, Vol. 1, 1968, 21 ff.

– Confessing the Faith Today, in: Lambeth Essays on Faith (1968), London 1969, 79 ff.

– Leaders of the Church of England 1828–1944, London / New York / Toronto 1971.

Elliot-Binns, L. E.: The Development of the English Theology in the later Nineteenth Century ..., London / New York / Toronto 1952.

Fisher, G. F.: A Step forward in Church Relations. A Sermon preached before the University of Cambridge by His Grace the Lord Archbishop of Canterbury on Sunday, November 3rd, 1946 (St. John 10, 9.10), Westminster 1946, in: Lambeth Conference 1948. Documents ..., Vol. I.

Flindall, R. P. (Hg.): The Church of England 1815–1948. A Documentary History, London 1972.

Fremantle, W. H.: The Present Work of the Anglican Communion. Two Sermons preached in Canterbury Cathedral on the Sunday preceding the Meeting of the Episcopal Conference of 1888. By the Rev. the Hon. W. H. Fremantle, MA, Canon of Canterbury, London 1888.

Fulford, F.: A Pan-Anglican Synod. A Sermon preached at the General Ordination held by the Right Reverend the Lord Bishop of Oxford in the Cathedral Church of Christ in Oxford, on Sunday, Dec. 23, 1866 by Francis Fulford DD, Lord Bishop of Montreal and Metropolitan of Canada, Oxford 1867; Appendix A: Address from the Provincial Synod of the United Church of England and Ireland in Canada, assembled at Montreal in September, 1865; To the Bishops, Clergy and Laity of the

Province of Canada, lately assembled in their Triennial Synod, December 1865 (Antwort von Erzbischof Longley).

Garbett, C.: The Claims of the Church of England, 5. Auflage, London 1955.

Goode, W.: Remarks on the approaching Lambeth Episcopal Conference and its proposed »Arrangements«. By W. Goode, DD, FSA, Dean of Ripon, London 1867.

Gutch, Ch.: Eben-Ezer, or The Stone of Help. A plain address before reading the Lambeth Pastoral, at S. Cyprian's Marylebone; October 6, 1867 (on 1 Sam. VII, 12), London 1867.

Hanson, R. P. C.: The Nature of the Anglican Episcopate, in: Lambeth Essays on Ministry (1968), London 1969, 79 ff.

Harms, H. H. (Hg.): Die Kirche von England und die Anglikanische Kirchengemeinschaft, Stuttgart 1966.

Headlam, A. C.: The Lambeth Conference, in: The Church Quarterly Review, Vol. XCI, 1920, 139 ff.

– Lambeth Conference and Reunion, in: The Church Quarterly Review, Vol. CXI, 1931, 205 ff.

Herclots, H. G. G.: The Origins of the Lambeth Quadrilateral, in: The Church Quarterly Review, Vol. CLXIX, 1968, 61 ff.

Heywood, B.: About the Lambeth Conference, London 1930.

Hickinbotham, J. P.: Our Place in Christendom and our Relations with other Communions, in: Anglican Congress 1954, 52 ff.

Hobhouse, W.: A Sketch of the First Four Lambeth Conferences 1867–1897, London 1908.

Hodgson, L.: The Doctrine of the Church as Held and Taught in the Church of England, 2. Aufl., Oxford 1948, in: Lambeth Conference 1948. Documents ..., Vol. II.

Houldon, L.: Priesthood, in: Lambeth Essays on Ministry (1968), London 1969, 39 ff.

Hunter, L. S.: A Church in Action, in: Anglican Congress 1954, 154 ff.

– Lutherisch-anglikanische Kontakte in Europa, in: Lutherische Rundschau, 16. Jahrgang, 1966, 246 ff.

Huntingdon, W. R.: Church Idea – An Essay towards Unity, 1870.

Inge, W. R.: The Platonic Tradition in English Religious Thought ..., London 1926.

Jaeger, H. E. (Hg.): Zeugnis für die Einheit. Geistliche Texte aus den Kirchen der Reformation. Band III: Anglikanismus ..., Mainz 1972.

James, E.: Voluntary and Part-time Ministries, in: Lambeth Essays on Ministry (1968), London 1969, 51 ff.

Keller-Hüschemenger, M.: Die Lehre der Kirche im frühreformatorischen Anglikanismus – Struktur und Funktion, Gütersloh 1972.

– Die Lehre der Kirche in der Oxford Bewegung, Struktur und Funktion, Gütersloh 1974.

Knight, M.: Anticipations of Lambeth, in: The Church Quarterly Review, Vol. CLVIII, 1957, 412 ff.

Lloyd, R.: The Church of England 1900–1965, London 1966.

Macquarry, J.: The Nature of Theological Language, in: Lambeth Essays on Faith (1968), London 1969, 1 ff.

Mark, J.: Laymen in Ministry, in: Lambeth Essays on Ministry (1968), London 1969, 30 ff.

Martin, H.: Can We Unite? An Examination of the Lambeth Outline Scheme, London 1938.

Mascall, E. L.: Lambeth and Unity, in: The Church Quarterly Review, Vol. CLX, 1959, 160 ff.

Mitchinson, –: The Lambeth Conference 1897, in: The Church Quarterly Review, Vol. XLV, 1897, 193 ff.

Montgomery, H. H.: History and Scope of the Pan-Anglican Congress, in: Pan-Anglican Congress June 15–June 24, 1908, Official Handbook, London 1908, 23 ff.

Morris, E.: The Lambeth Quadrilateral and Reunion, Westminster 1969.

Mozley, J. K.: Some Tendencies in British Theology. From the Publication of Lux Mundi to the present day, London 1951.

Munby, D. L.: Christian Appraisal of the Secular Society, in: Lambeth Essays on Faith (1968), London 1969, 102 ff.

Neill, St.: Anglicanism, Penguin Books, 1958.

– Die Anglikanische Kirchengemeinschaft, in: Harms, H. H. (Hg.): Die Kirche von England und die Anglikanische Kirchengemeinschaft, Stuttgart 1966, 152 ff.

Page, R. J.: New Directions in Anglican Theology. A Survey from Temple to Robinson, London 1967.

Palmer, E. J.: The Anglican Communion. Its Ideal and Future, 1930, in: Lambeth Conference 1930. Memoranda.

Paton, D.: Lehren aus dem anglikanischen Ökumenismus, in: Lutherische Rundschau, 20. Jahrgang, 1970, 33 ff.

Paton, D. M. (Hg.): Essays in Anglican Self-Criticism, London 1958.

Pawley, B.: Oversight and Discipline, in: Lambeth Essays on Ministry (1968), London 1969, 87 ff.

Perry, W. S. (Bishop of Iowa): The Second Lambeth Conference. A personal narrative, Davonport/Iowa 1879.

Pusey, E. B.: Habitual Confession. Not discouraged by the Lambeth Conference. A Letter to His Grace the Lord Archbishop of Canterbury, London, Oxford and Cambridge, 1878.

Ramsey, A. M.: From Gore to Temple. The Development of Anglican Theology between Lux Mundi and the second World War 1889–1939, 3. Aufl., London 1962.

– Principles of Christian Unity, in: Lambeth Essays on Unity (1968), London 1969, 1 ff.

Rawlinson, A. E. J.: Theology in the Church of England, in: The Genius of the Church of England, London 1947, 7 ff.

Simon, W. G. H. (Hg.): Bishops, London 1961.

Stephenson, A. M. G.: The First Lambeth Conference: 1867, London 1967.

Stevens, W. B.: Sermon preached by Bishop Stevens, of Pennsylvania, in St. Paul's Cathedral, on Saturday, July 27th, 1878 (S. John XII, 32), in: The Lambeth Conferences 1867, 1878, and 1888 (R. T. Davidson, Hg.), London 1889, 208 ff.

Strong, Th.: Lambeth Conference, 1930. Resolution 42, in: The Church Quarterly Review, Vol. CXIV, 1932, 80 ff.

Synge, F. C.: The Challenge of the Frontiers: Training for Action, Theme Address, in: Anglican Congress 1963, 155 ff.

Thirlwall, C.: The Episcopal Meeting of 1867: A Letter to the Lord Archbishop of Canterbury. By Cannop Thirlwall, DD. Bishop of St. David's, London 1867.

Thomas, W. H. G.: The Principles of Theology. An Introduction to the Thirty-Nine Articles, 4. Aufl., London 1951.

Tyrwhitt, R. St. J.: The Anglican Conference. Two Sermons, Oxford and London 1867.

Wand, J. W. C.: The Position of the Anglican Communion in History and Doctrine, in: Anglican Congress 1954, 25 ff.

Warren, M. A. C.: The Church's Mission to the World: On the Religious Frontier, Theme Address, in: Anglican Congress 1963, 19 ff.

Wilkinson, J.: Lambeth in 1969, in: The Church Quarterly, Vol. 1, 1969, 201 ff.

Woods, F. Th., Weston, F., Smith, M. L.: Lambeth and Reunion. An Interpretation of the Mind of the Lambeth Conference of 1920, London 1921.

Wordsworth, Chr.: The Lambeth Conference. A Sermon preached in Westminster Abbey on Sunday, September 22, 1867 by Chr. Wordsworth, DD, Archdeacon of Westminster, London 1867.

– The Quietness of the Church. A Sermon preached in Westminster Abbey on September 29, The Sunday after the Lambeth Conference 1867. By Chr. Wordsworth, DD, Archdeacon of Westminster, London 1867.

Wotherspoon, H. J.: The Doctrine of the Church and Christian Reunion, being the Bampton Lectures for the year 1920, by the Rev. A. C. Headlam ..., in: The Lambeth Encyclical and other proposals considered. Scottish Church Society Conferences 1920, Edinburgh o. J., 5 ff.

(Zu den folgenden besonders in der 2. Hälfte des 19. Jahrhunderts weithin üblichen anonymen Veröffentlichungen literarischer Erzeugnisse siehe etwa M. Keller-Hüschemenger: Die Lehre der Kirche in der Oxford Bewegung ..., 39, 41 f.)

–: *The Rule of Faith* as professed by the Church of England, adopted at the Lambeth Conference, and applicable to the Solution of our Present Difficulties. A Letter to the Right Rev. the Lord Bishop of Oxford by a Priest in the Oxford Diocese, Oxford/London 1867.

–: *The Church and Dr. Colenso.* A Second Letter to the Archbishops and Bishops assembled at Lambeth. By Pro Ecclesia Dei, Layman of the Diocese of London, London 1867.

–: *A Pan-Anglican Synod,* in: The Guardian, No 1105, February 6, 1867, 128.

–: *The Anglican Churches in Council,* in: The Guardian, No 1107, February 20, 1867, 184.

–: *The Bishops at Lambeth,* in: The Guardian, No 1137, September 18, 1867, 996.

–: *The Pan-Anglican Synod,* ebd.

–: *The Lambeth Conference,* in: The Guardian, No 1138, September 25, 1867, 1024.

–: *The Pan-Anglican Conference,* in: The Guardian, No 1139, October 2, 1867, 1057.

–: *The Reports presented to the Lambeth Conference* proved to be unconstitutional, etc.; in four letters to the archbp. of Canterbury. By an ex-MP, London 1868.

–: *Pan-Anglican Hospitalities,* in: The Guardian, No 1684, March 13, 1878, 369.

–: *The Retrospect of 1878,* in: The Church Quarterly Review, Vol. VII, 1879, 513 ff.

–: *The Lambeth Conference on 1888,* in: The Church Quarterly Review, Vol. XXVII, 1888, 1 ff.

–: *Episcopal Comments on the Lambeth Conference,* in: The Church Quarterly Review, Vol. XXVIII, 1889, 1 ff.

–: *The Lambeth Conference of 1897,* in: The Church Quarterly Review, Vol. XLV, 1897, 190 ff.

–: *The Lambeth Conference and the Pan-Anglican Congress,* in: The Church Quarterly Review, Vol. LXV, 1908, 257 ff.

–: *The Lambeth Conference and the Union of the Churches,* in: The Church Quarterly Review, Vol. LXVI, 1908, 257 ff.

–: *Addresses given at a Quiet Day* to Bishops of the Lambeth Conference, Fulham, July 23rd, 1908. (For strictly private circulation only.)

–: *The Lambeth Conference,* in: The Church Quarterly Review, Vol. LXVII, 1908, 1 ff.

Namen-Register

Allchin, A. M.   34, 80, 135

Baum, G.   110
Bayne, St. F.   19, 23, 25, 59, 65, 120, 129, 131
Beckwith, R. T.   60
Bedell, G. J.   24
Bell, G. K. A.   95
Benson, E. W.   24, 33, 41, 100 f.
Bicknell, E. J.   51, 87, 122
Brandon, O.   101
Broughton, W. G.   12
Buchanan, C. O.   60, 134
Buddha   79

Carrington, Ph.   26, 34, 58, 69
Chadwick, H.   35, 39 f., 82
Chadwick, O.   125
Clark, H. H.   31
Cohu, J. R.   26, 41, 94, 128
Coleman, W. R.   79, 110
Colenso, J. W.   13 f., 28, 74

Dark, S.   13, 41
Davidson, R. T.   18, 24
De Witt Batty, F.   45

Edwards, D. L.   25, 31, 36, 55, 67, 98, 125, 129
Elliot-Binns, L. E.   73

Fisher, G. F.   59, 114, 119 f.
Fowler, J. C.   41
Fremantle, W. H.   24, 86, 128
Fulford, F.   15 f.

Garbett, C.   41
Goode, W.   88
Gore, Ch.   36 f.
Gray, R.   12 ff.

Gutch, Ch.   19
Gwatkin, H. M.   94, 120, 122, 128

Halifax, Lord   34
Hanson, R. P. C.   20, 93, 96, 117, 122
Harms, H. H.   13
Headlam, A. C.   43, 76 f., 94
Hegel, G. F. W.   40
Herklots, H. G. G.   88
Heywood, B.   13, 74, 91
Hickinbotham, J. P.   138
Hobhouse, W.   13, 74
Hodgson, L.   49, 61, 93
Hooker, R.   51, 67, 93, 101 f., 112
Hort, F. J. A.   36
Houldon, L.   125 f.
Hunter, L. S.   81
Huntingdon, W. R.   88

Inge, W. R.   36 f.

Jaeger, H. E.   38
James, E.   122
Jewel, J.   93, 101

Keller-Hüschemenger, M.   9 f., 36, 40 f., 48 f., 51, 55, 59 f., 66 f., 70 f., 77, 79 ff., 84, 89, 91, 93, 96, 99, 101 f., 104, 109, 112 ff., 117 ff., 121, 123, 125, 132, 135 ff., 142

Lightfoot, J. B.   94
Longley, Ch. T.   15 ff., 19, 21, 24, 28, 68, 87, 114, 132, 139

Macquarrie, J.   35

Mark, J.   122
Mascall, E. L.   19
Maurice, F. D.   36
Middleton, Th.   12
Mitchinson, Bp.   19
Mohamed   79
Montgomery, H. H.   31
Morris, E.   124, 140
Mozley, J. K.   41, 43, 67, 73
Munby, D. L.   40, 80

Neill, St.   13, 16, 25
Newman, J. H.   118

Palmer, E. J.   20, 25
Paton, D. M.   22
Paton, M.   41
Pawley, B.   118
Plato   36 f.
Pusey, E. B.   16, 118

Ramsey, A. M.   31, 36 f., 45, 60, 67, 73, 85, 114, 119 f.
Rawlinson, A. E. J.   99, 118, 129
Robertson, W. L.   95
Robinson, J. A. T.   126
Ryle, J. C.   86, 103

Seabury, S.   12
Selwyn, G. A.   12, 21
Sherrill, K. H.   110
Simon, W. G. H.   126
Smith, M. L.   95 f., 110 f., 146
Stanley, A. P.   17
Stephenson, A. M. G.   11 f., 14, 16 f., 28, 74, 85, 88
Stevens, W. B.   19, 72
Strong, Th.   46, 97
Synge, F. C.   122, 126 f.

Tait, A. C.   18 f., 24, 28, 113

Temple, F.   24, 36 f., 74, 116

Theodor v. Tarsus   38

Thirlwall, C.   17

Thomas, W. H. G.   51 f., 87, 122

Thomson, W.   17

Wand, J. W. C.   45, 49, 85, 100, 113 f., 136, 139

Warren, M. A. C.   79

Westcott, B. F.   36

Weston, F.   95 f., 110 f., 146

Whipple, H. B.   44, 70

Wilkinson, J.   23

Woods, F. Th.   95 f., 110 f., 146

Zoroaster   79

Abendmahl siehe Sakramente
Advisory Council on Missionary Strategy 21, 23 f.
Afrika 44, 55, 64
Alte Kirche/Antiquity 58, 61, 66, 68, 84 ff., 92, 108 f., 112, 114, 116, 133, 138 f., 145 f.
Amt
 Allgemein 26, 95, 114
 Anerkennung nicht-episkopal Ordinierter 26, 91, 124, 127 f.
 Berufung/Wahl 122
 »cause« – »expression« der Kircheneinheit 121
 »character indelebilis« 122
 Delegationscharakter 122, 127
 Drei-Ämter-Struktur 27, 66, 114, 116, 131
 episkopales Amt 27, 95, 116 ff., 131
 Funktionen/funktionaler Charakter 115 ff., 126, 130 f.
 komprehensiver Charakter 115, 121 ff., 131
 materialer Lehrcharakter 119 ff.
 »ministry of healing« 116
 Modifikationen 122 f.
 »monarchischer« – »demokratischer« Charakter 122
 »nota« der Kirche 45, 114, 116, 119 ff., 144
 »office« – »order« 121
 Ordination siehe Ordination
 Presbyter/Priest 122, 126 f.
 sakerdotal-sakramentaler Charakter 125 f., 131
 »succession of office/of consecration« 122
 theologisch-ekklesiologische Tendenzen 124 ff., 141
 Ursprung in Christus/Aposteln 25, 27, 95
 Wort-, Sakramentsamt 116, 121 f., 124 ff.

Amt – Kirche 60, 114, 125
Amt – Lehre 115 ff., 144 f.
Ancient Churches of the East 137
Anglican Communion 12 ff., 16, 19, 20 ff., 25 ff., 30 f., 41, 60, 107, 114, 121, 132 f., 138 ff., 146
(Pan-) Anglican Congress 1908 30 ff., 34 f., 43, 45, 51 ff., 70, 80, 85 f., 108, 110, 114, 119 ff., 128, 131 f.
Anglican Congress 1954 30 ff., 34, 42, 45, 49 ff., 57 f., 69 f., 85, 100, 110, 113 f., 119 ff., 136, 138 f.
Anglican Congress 1963 19 f., 25, 30 ff., 34, 36, 41, 59 f., 65, 79 f., 110, 122, 126 f., 129, 131, 133
Anglican Consultative Council 21 ff.
Anglikanische Kirche siehe auch Church of England, Anglican Communion
 »Catholic and Reformed«, »Catholic but Reformed, Reformed but Catholic« 9 f., 27, 33, 44, 57 f., 68 f., 87, 100, 105 f., 111 f., 121, 146
 »comprehensive Church« 9, 27, 33, 42, 44, 70, 111, 113, 121, 135, 144, 146 f.
 »doctrinal Church« 107 ff., 113, 140 f., 144
 föderalistische Struktur 16, 60, 63, 66, 107
 »Formularies« 48 ff.
 inneranglikanische Kirchengemeinschaft 12, 68 f., 87 f., 107 ff.
 kollegial-episkopale Struktur 118
 konfessionskirchlicher Charakter 120, 132 f., 147
 »Lex orandi« 136
 theologisch-ekklesiologische Tendenzen/Spannungen 67 ff., 87, 89 ff., 111 ff.
 Unionsbestrebungen, siehe auch Ökumenismus 9, 21, 44 ff., 60, 70, 85 f., 120, 127 ff., 134
Anglo-Katholizismus 51, 67 ff., 72, 84 f.,

88 ff., 95, 98, 102, 112, 122, 125, 129, 146
Antiquity   siehe Alte Kirche
Apostel   83, 85, 93, 97, 103
Apostolische Sukzession
    Allgemein   128
    historische Kontinuität   93 f., 116, 126
    Unaufgebbarkeit   96, 127 f.
Apostolizität   84, 97
Appeal to All Christian People (1920)   26, 30, 33, 46, 73, 86, 90, 95 f., 105, 110, 112 f., 123, 128, 134
Articles, 39 –   siehe Bekenntnisse/Creeds
Asien   44, 64
Aufklärung   111
Australien   12

Beirut   123
Bekenntnisse/Creeds
    Altkirchliche Bekenntnisse/Creeds   27, 45, 48, 59, 65 f., 68, 84 ff., 90, 103, 109, 112
        Apostolicum   56, 66, 69, 86, 90
        Athanasianum   86 f.
        Nicaenum   56, 66, 69, 86, 90
    Articles, 39 –
        Allgemein   49 ff., 100, 112
        Autorität   49, 50 ff., 69, 112
        geschichtlicher Charakter   51 ff.
        komprehensiver Charakter   53
        Modifikationen   54 f.
        Verpflichtung auf die –   55 f.
        Article VI   72 f., 91, 98
        Article XX, XXII   73
        Article XXXV   50
        39 Articles – Book of Common Prayer   58, 66 f., 142 f.
    kontinental-reformatorische Bekenntnisse   49, 51, 144
Bischof/Bischofsamt
    Allgemein   87, 93 ff., 120
    Berufung/Wahl   122
    »collegiality of the episcopate«   118
    »episcopate of functions«   25, 123 f.
    »episcopate of rite«   123

Funktionen/funktionaler Charakter   66, 94, 116 ff., 126 f., 130 f.
    historische Kontinuität   93 ff., 116
    historischer Episkopat   21, 45, 93 ff., 116, 119 f., 126 ff.
    Konsekration   94, 131
    materialer Lehrcharakter   95 ff., 119 ff.
    Modifikationen   122 f.
    »real doctor in divinity«   118
    sakerdotal-sakramentaler Charakter   126 ff.
    »territorial episcopate«   123
    Ursprung in Christus/Aposteln   25, 93 f., 118, 126
    Bischof – Christus   94 f., 126
    Bischof – Gottesdienst   115
    Bischof – Kirche   45, 93 f., 95 f., 117, 119 f., 126, 128
    Bischof – Lehre   93, 96, 117 f.
    Bischof – Ordnung   117 f.
Book of Common Prayer
    Allgemein   48, 50, 56 ff., 100
    Autorität   49, 57 ff., 112, 133 f.
    Einheitsband der Anglican Communion   56 f., 59, 133 f.
    »essential features«   66, 133
    geschichtlicher Charakter   61
    komprehensiver Charakter   57 f., 69, 133, 135, 140
    Lehrcharakter   57 ff., 61, 64, 139 ff.
    Revisionen   59 ff., 137 f.
    Book of Common Prayer – 39 Articles   58, 66 f., 142 f.
    Book of Common Prayer – Kirche   133
    Book of Common Prayer – Schrift   57, 105
British Empire   12 ff., 16 f., 54

Calcutta   12
Canada, United (Anglican) Church of England and Ireland in –   14 f.
Canons 1604, Canon V   56
Canterbury, Erzbischof von –   12, 14 ff., 26 f., 30, 110
Caroline Divines   51, 67, 89, 91, 101, 112

Chicago Quadrilateral 89
China 53, 108
Christus/Christologie 13, 39, 77 f., 80,
85 f., 93, 95, 97 f., 103 f., 106 f., 129,
135, 137
Churchman, The – 16 f.
Church of England
Allgemein 9, 12, 114
»Catholic and/but Reformed, Reformed and/but Catholic« 9 f., 44, 57,
87, 111 f., 146
»comprehensive Church« 44 f., 111,
113, 121, 144, 146 f.
»doctrinal Church« 113, 140 f., 144
»Formularies« 48 ff., 67, 103, 108,
112
Gliedschaft 45
kollegial-episkopale Struktur 118
konfessionskirchlicher Charakter 120,
132, 147
Strukturfaktoren siehe Kirche
Unionsbestrebungen, siehe auch Ökumenismus 9, 44 ff., 85 f., 127 ff.
Staat – Kirche, Establishment/Dis-
establishment 12 ff., 16
Church Quarterly Review, The – 19,
23 f., 43, 46, 55, 88 f., 94, 97
Clerical Subscription Act 1865 56
Comprehensiveness 27, 30, 40 ff., 70,
75 ff., 94 f., 105, 135, 145 ff.
Confessio Augustana 51, 144
(Central) Consultative Body, siehe auch
Lambeth Consultative Body 22
Convocations (of Canterbury and York)
14, 17 f., 42, 112

Denk- und Vorstellungsstrukturen
additiv-komplementäres Denken 41,
44 f., 47, 80, 83, 92 f., 101, 121, 132,
138, 146
dialektisches Denken 38, 40, 80, 101
geschichtlich-evolutionäres Denken
38 ff., 77 f., 80 ff., 121 f.
griechisch-hellenistisches Denken
37 ff., 46 f., 78, 101, 132
hebräisches Denken 37, 47

komprehensives Denken, siehe auch
Comprehensiveness 35 f., 40 f.
platonisch-neuplatonisches Denken
36 ff., 78, 101, 132
Disciplinarians 87
Discipline siehe Ordnung/Order

Encyclical Letters siehe Lambeth Kon-
ferenzen
»Essays and Reviews, 1861« 13
»essentials/fundamentals«, siehe auch
Lehre 45 f., 66, 133
Establishment/Disestablishment 13 f., 16
Evangelikal 67 ff., 84 f., 88 ff., 95, 102,
106, 122, 127, 129
Evangelium, Gesetz und – 38
Evolution/Entwicklung siehe Denk-
und Vorstellungsstrukturen

»Formularies« (anglikanische)
siehe Church of England
»fulness« 44, 46, 83, 138

Gebet 62, 66, 101, 135 f.
Geschichte/Tradition
»Heiligung der Geschichte« 96, 99
historischer Entwicklungsprozeß 38 f.
Geschichte – Christus 38 f.
Geschichte – Kirche 79
Geschichte – Lehre 81 ff.
Geschichte – Offenbarung 40, 79 f.
Geschichte – Schrift 72, 77 f., 79,
92 ff.
Schrift – Geschichte/Tradition – Ver-
nunft 99 f., 102
Gesetz und Evangelium 38
Gewissen, siehe auch Vernunft 19 f.,
99 ff.
Glaube – Vernunft 100 ff.
Gottesdienst/Worship
Allgemein 48, 114, 132 ff.
»Eucharistic Worship« 106 f., 135, 142
komprehensiver Charakter 44 f., 135,
138, 141 f.
Lehrcharakter 59, 136 ff.
Modifikationen 137 f.

theologisch-ekklesiologische Tenden-
zen 141 ff.
»Unity not Uniformity« 137 f.
Gottesdienst – Bischof 115
Gottesdienst – Gebet 135 f.
Gottesdienst – Heil 134 f.
Gottesdienst – Kirche 114, 132 ff.,
144
Gottesdienst – Lehre 115, 132 ff.,
136 ff., 144 f.
Guardian, The – 17, 24

Heiliger Geist 14, 19, 26, 39, 76, 81 ff.,
85, 92, 95, 97 ff., 127
Homilies, Book of – 49

India, Pakistan, Burma, and Ceylon,
Church of – 55
Inspiration siehe Schrift
Interkommunion 87

Japan 53, 108
Jerusalem Archbishopric 55
Joint Doctrinal Comitttee/Commission
30, 110

Kapstadt 12 ff.
Katechismus 49
Katholizität 45, 84, 112 ff.
Kirche
Apostolizität 84, 97, 113 f.
»comprehensive church« 9, 42 ff., 111,
113, 121, 135, 141
»conciliar character« 118
»consensus fidelium« 99, 118
»doctrinal church« 9, 107 ff., 113,
140 f., 144
Establishment/Disestablishment 13 f.,
16
föderalistische Struktur 16, 27, 60,
63, 66, 107
göttlicher Charakter 104
»Heiligung der Kirche« 99
Katholizität 45, 84, 113 f.
Kirchenspaltung 109, 113 f., 120
kollegial-episkopale Struktur 27, 118

»notae«/»essentials« 45 f., 66, 86,
105, 107, 113 f., 144
»not infallible« 99, 118
ökumenische Bestrebungen siehe
Ökumenismus
sakramentaler Charakter 98, 106,
125, 130 f.
Strukturfaktoren siehe Lehre, Ordnung, Amt, Gottesdienst, Praxis/Le-
ben
Kirche – (Bischofs-)Amt 93, 95 f.,
114, 117, 119 ff., 125, 128
Kirche – Book of Common Prayer
133
Kirche – Christus 97 f., 104 f., 129
Kirche – Gebet 135 f.
Kirche – Geschichte/Tradition 60, 79,
81, 88, 107 ff.
Kirche – Gottesdienst/Worship 114,
132 ff., 144
Kirche – Heiliger Geist 39, 76, 95,
97 ff.
Kirche – Kanon 97
Kirche – Lehre 83 ff. (alte Kirche),
88, 102, 104 ff.
Kirche – Ordnung 113 ff.
Kirche – Praxis/Leben 9, 53, 84, 137,
145
Kirche – Schrift 45, 66, 68, 81, 97 f.
Kirche – Staat 13 f.
Kirche – Theologie 33 f., 110
Konfirmation 66, 117 f., 127
Konziliarismus 118

Lambeth Consultative Body 21 ff.
Lambeth Konferenzen
Lambeth Konferenz 1867 11, 14 ff.,
19, 21 ff., 28, 30, 33, 48, 63 ff., 68,
72, 74, 84, 86 ff., 98, 107 f., 113 f.,
133, 139, 145
Lambeth Konferenz 1878 15, 18 ff.,
24, 26, 28, 48, 58, 68, 71 ff., 84, 86,
98, 100, 103 f., 108 f., 122 ff., 119,
121, 133, 137, 142
Lambeth Konferenz 1888 20, 24, 28,
33, 41 ff., 48 ff., 52 ff., 63, 65 f.,

68 ff., 72, 74, 78, 81, 84, 86, 90, 94,
100, 103 ff., 107 ff., 113 f., 116, 118 f.,
122, 128, 133 f., 137 ff.

Lambeth Konferenz 1897   19, 22, 24,
26 f., 34, 39, 42, 48, 57 f., 61, 63 ff.,
71 ff., 81 f., 84 f., 90, 92, 97 f., 100 f.,
103 ff., 109 ff., 113, 116, 133, 137,
139 f.

Lambeth Konferenz 1908   24 ff., 33,
42, 57, 61 f., 64, 70, 83, 94, 104 f.,
110 f., 113 f., 116, 119 f., 122, 126 f.,
140

Lambeth Konferenz 1920   20, 22, 24 f.,
29, 33, 44 ff., 57, 61 f., 64 ff., 73, 83,
86, 90, 94 f., 103, 105 ff., 110 ff.,
116, 120, 123, 128, 130, 137 ff.

Lambeth Konferenz 1930   20, 22,
24 ff., 30, 33 ff., 39, 45, 50, 52, 54,
56, 58, 61, 69, 71, 76 ff., 84, 92, 94 f.,
98, 106, 108 f., 113 ff., 117, 119 f.,
122, 125, 130 f., 134 ff., 140, 142

Lambeth Konferenz 1948   20 ff., 24 f.,
27, 30 f., 34, 36 ff., 41 f., 44 ff., 49,
57 ff., 61, 64, 66, 69 ff., 79 ff., 84, 86,
93, 98 ff., 103 ff., 110, 113, 116,
119 ff., 125, 129, 133, 135 f., 140, 142

Lambeth Konferenz 1958   19, 21 ff.,
27, 29 ff., 34 f., 38 f., 41, 44, 46, 49,
51, 57, 60 ff., 65 f., 70 f., 73, 76,
78 f., 82 f., 86, 92 ff., 98, 100, 102 ff.,
110 f., 113, 115 ff., 119 ff., 128, 131 ff.,
138 ff., 142

Lambeth Konferenz 1968   20 ff., 26 f.,
29, 35, 39, 41 f., 45 f., 48 f., 51 f.,
55 f., 60 f., 67, 69 ff., 73, 76, 80 ff.,
85 f., 90, 93 ff., 97, 100 f., 103 ff.,
107, 110 f., 114 ff., 118 ff., 123 ff.,
129, 134 ff., 142

Autorität/Verbindlichkeit   15 ff., 147

»Committees«   28 ff.

»Documents« (1948, 1958)   30

»Encyclical Letters, Message«   26 ff.

»Joint Doctrinal Committees«   30, 110

komprehensiver Charakter/Intention
18, 27 f., 35 f., 41, 74 ff., 101 f., 105,
111 f., 121 ff., 124 f., 130 f., 146

»Memoranda« (1930)   30

Ökumenismus/Unionsbestrebungen   22,
27 f., 44 ff., 83, 86, 95 f., 107 f.,
109 ff., 131 f., 134 f.

»Preparatory Essays« (1968)   30

»Reports«   28 f.

»Resolutions«   20, 25 ff.

Teilnehmer   17, 24 f., 29

theologisch-ekklesiologische Tendenzen/
Spannungen   67 ff., 72 ff., 84 f.,
87 ff., 105 f., 111 f., 130 f., 141 ff.

Vorgeschichte   12 ff.

Lambeth Conference – Wider Episcopal Fellowship   21

Lambeth Quadrilateral

Allgemein   27, 45 f., 56, 68 f., 88 ff.,
96, 119, 131 f., 134

1888:   73, 86, 90, 94 f., 105, 109, 112,
134

1897:   86, 90, 95, 105, 109 f., 112

1920:   86, 90, 95, 112

1968:   86, 90, 95, 112

Lehre

Allgemein   48 ff.

Entintellektualisierung   59, 145

Entwicklungscharakter   39 f., 81 ff.,
111 ff.

»essentials/fundamentals«   70, 85 f.,
99 f., 103

»Formularies«   48 ff.

»id quod docetur«   9, 103

»id quo docetur«   9, 103

Strukturfaktoren   siehe Schrift/Offen-
barung, Geschichte/Tradition, Ver-
nunft/Gewissen   27, 70, 99 f.

Lehre – Amt   115 ff., 144 f.

Lehre – Bischof   93, 96, 117 f.

Lehre – Book of Common Prayer
54 ff., 61, 64, 139 ff.

Lehre – Geschichte   81 ff.

Lehre – Gottesdienst/Worship   115,
132 ff., 136 ff., 144 f.

Lehre – Heil   102 ff.

Lehre – Kirche   83 ff. (alte Kirche), 88,
102, 104 ff., 107

Lehre – Ordnung   92, 113 ff., 144 f.

Lehre – Schrift 58 f., 68, 71 ff., 88,
103
Lehre – Vernunft 99 ff.
»Lex orandi« 136
Liturgy, siehe auch Gottesdienst/Worship
61, 64, 117, 137
Lutherische Kirche/Luthertum
Allgemein 147
Confessio Augustana 51, 144
Corpus doctrinae 49
»doctrinal church« 9, 144
Lutherische Rundschau 22, 51
Lutherischer Weltbund 9, 51

Methodist Church 93, 96, 100, 102,
113, 131 f.
Mission(skirchen) 12, 23 f., 31, 50,
54, 61 f., 108, 116

Natal 13 f., 28
Naturwissenschaften 36, 111
Neuseeland 12

Offenbarung
Offenbarung – Geschichte 38 ff., 79 f.
Offenbarung – Schrift 39 f., 75 ff., 79
Offenbarung – Vernunft 100
Ökumenische Konzilien/Synoden 17, 25,
68, 84 ff., 87 f., 118
Ökumenismus 9, 11, 21, 44 ff., 70, 83,
86, 95 f., 109 f., 127 f.
Ordinal 48 f., 66 f., 69
Ordination 55 f., 66 f., 117 f., 122, 127,
131
Ordnung/Order
Allgemein 100, 110
Ordnung – Bischof 117 f.
Ordnung – Kirche 113 ff.
Ordnung – Lehre 92, 113 ff., 144 f.
Orthodoxe Kirchen 42
Oxford Bewegung 10, 51, 125, 145 f.

Pan-Anglican Congress 1908, siehe (Pan-)
Anglican Congress 1908
Pfingstkirchen 46 f.
Philosophie 36, 80

Platonismus 36 f.
Platonists
Cambridge – 101
Oxford – 101
Praxis/Leben – Kirche 9, 53, 84, 137, 145
Presbyterian Churches/Presbyterians
86 f., 91

Quadrilateral
Allgemein 88
Chicago Quadrilateral 89
Lambeth Quadrilateral siehe Lambeth
Quadrilateral

Reformation (englische) 10, 51, 68, 87 ff.,
101, 111 f., 140 f.
Reformation (kontinental-europäische)
89, 101, 113
»Reports« siehe Lambeth Konferenzen
»Resolutions« siehe Lambeth Konfe-
renzen
Ritualismus 137
Römisch-katholische Kirche
Allgemein 99, 118, 123, 147
Entwicklungsverständnis 39

Sakramente
Allgemein 45, 105, 125 f.
Abendmahl 45, 59, 66, 105 ff.
Taufe 45, 66, 105 f., 126 f.
Sakramente – Wort 105 f., 125
Schrift
Allgemein 71 ff., 90
Altes Testament – Neues Testament
39, 77 f.
Autorität 13, 45, 66, 68, 71 ff., 105 f.
christologisch-soteriologisches Ver-
ständnis 72, 75, 77 f.
Geschichtscharakter 39, 77 f., 81
Inspiration 13, 71, 74 f.
Irrtumslosigkeit 74
Schriftkritik/»(critical) biblical study«
61, 73 ff., 97, 100
»scriptura sui ipsius interpres« 92
Strukturfaktor der Lehre 71 ff.
Suffizienz/»fulness« 72 f., 82 f.

Schrift – Creeds   84 ff., 89 ff.
Schrift – Geschichte/Tradition   72, 79,
   92 f.
Schrift – Geschichte/Tradition – Ver-
   nunft   99, 102
Schrift – Kanon   97
Schrift – Kirche   45, 66, 68, 81, 97 f.
Schrift – Lehre   58 f., 68, 71 ff., 87 f.,
   103
Schrift – Offenbarung   71, 75 ff., 79 f.
Schrift – Vernunft   100 f.
Schrift – Wort Gottes   105
Verheißung – Erfüllung   78
Schweden, Evangelisch-Lutherische Kirche
   in –   26
Spiritual Tribunal/Spiritual High Court
   21 ff., 33
Sprache   35
Staat – Kirche, siehe auch Establishment/
   Disestablishment   13 f., 16
Sünde   37, 116

Taufe   siehe Sakramente
Theologie
   Allgemein   33 ff., 99, 110
   (Bischof) »real doctor in divinity«   118
   »Black Theology«/Schwarze Theologie
      46 f.
   Charakter/Funktion   34 f., 109
   (»systematic divinity« / »systematische
   Theologie«)
   »comprehensiveness«   27 f.
   Sakramentalisierung   130 f.
   Sprache   35
   theologia naturalis   79 ff.
   Theologie – Gebet   136
   Theologie – Glaube   33
   Theologie – Kirche   33 f., 110
   Theologie – Naturwissenschaft/
      Philosophie   36
   Theologie – Tradition   36
   Theologie – Universitäten   36

Times, The –   24
Tradition   siehe auch Geschichte
   Allgemein   45, 48, 58, 65, 77, 79, 114,
      117, 129, 132
   Strukturfaktor der Lehre   81 ff.,
      99 f.
   Tradition – Kirche   60, 79, 81, 88,
      107 ff., 129, 132
   Tradition – Schrift   72, 79, 92 ff.
   Tradition – Theologie   36
Traktarianismus   siehe Oxford Bewegung

United States of America, Protestant
   Episcopal Church in the –   18, 89, 113
»Unity not Uniformity«   137 f.
Universitäten   36

Vernunft   siehe auch Gewissen
   Allgemein   19, 99 ff.
   »natürliche«/autonome – »enlightened/
      inspired« Vernunft   100, 102
   Strukturfaktor der Lehre   99 ff.
   Vernunft – Glaube   100 ff.
   Vernunft – Offenbarung   100
   Vernunft – Schrift   100 f.
   Vernunft – Schrift – Geschichte/Tradi-
      tion   99, 102
   Vernunft – Theologie   99
Verheißung – Erfüllung   78
Via Media   70, 105, 146

West Indies, Church of the Province of
   the –   55
Westminster Confession   51
Wider Episcopal Fellowship/Unity   21
Worship/Liturgy   siehe Gottesdienst
Wort (Gottes)   siehe auch Schrift
   Allgemein   105 f.
   Wort – Sakramente   105 f., 125

York, Erzbischof von –   17, 26